D1289825

FOLIO BIOGRAPHIES

collection dirigée par

GÉRARD DE CORTANZE

Janis Joplin

par

Jean-Yves Reuzeau

Gallimard

Crédits photographiques

1 : Yoram Kahana – Shooting Star/Dalle APRF. 2, 8, 9, 10 : Michael Ochs/ Dalle APRF. 3 : Herb Green – Redferns/Dalle APFRF. 4 : Platt Collection – Hulton Archive/Getty Images. 5 : Frank Driggs Collection/Getty Images. 6, 7, 14, 15 : Elliott Landy/Magnum. 11 : Ted Streslinsky – Shooting Star/ Dalle APRF. 12 : Jean-Pierre Leloir. 13 : HBK – Rancurel

Jean-Yves Reuzeau est directeur littéraire des Éditions Le Castor Astral, fondées en 1975 avec Marc Torralba, qui ont notamment publié l'œuvre complète du Prix Nobel de littérature 2011, Tomas Tranströmer. Il a parallèlement travaillé une dizaine d'années dans l'édition musicale pour WEA (Warner, Elektra, Atlantic). Il a entre autres publié le récit *Jim Morrison ou Les Portes de la perception* (L'Incertain, 1993), et les biographies *Jim Morrison et les Doors : La vie en accéléré* et *Les Rolling Stones ou La Ballade des survivants* (Librio, coll. « Librio Musique », 2001 et 2002). Dans la collection Folio Biographies, il est aussi l'auteur d'une biographie de Jim Morrison.

Pour Yves Buin et Alain Dister,
bien sûr.

Pour Chantal Bouchard et François Tétreau,
avec la même évidence amicale.

Pour Emmanuel Dazin,
Mafan Frapsauce et Olivier Philipponnat,
dans le rôle des lynx.

Pour Jeanne-Martine Vacher,
précieuse défricheuse.

La cicatrice intérieure
1943-1965

C'est moi qui ai écrit le rôle[1*] *!*

JANIS JOPLIN

L'amour n'est pas éteint, hormis ses fugitives étincelles[2].

WILFRED OWEN

Tout un continent. La largeur de tout un continent. Soit près de 3 000 kilomètres entre deux océans. Telle est l'épaisseur du rêve insensé d'une petite Texane qui, comme tant d'autres jeunes de sa génération, celle des années 1960, va prendre la route vers un destin démesuré. Une longue route qui la mènera du sud du Texas au nord de la Californie, territoire cédé par le Mexique et devenu américain en 1848. À cette date, San Francisco n'est qu'un modeste village de pêcheurs au bord du Pacifique. Mais son expansion va devenir foudroyante autour de Grant Street, l'artère historique de la ville, dès qu'on aura mis la main sur quelques pépites d'or dans les alentours. En quatre ans, de 1848 à 1852, la ruée vers le précieux

* Les notes bibliographiques sont regroupées en fin de volume, p. 411.

métal fera passer la population du village de 840 à 36 000 habitants. Si la Californie, grande comme les deux tiers de la France, est depuis longtemps l'État le plus peuplé des États-Unis, c'est tout simplement qu'on ne peut pas aller plus loin. C'est le bout de la route pour les aventuriers en tout genre, et le terminus des voies ferrées depuis 1870. Une frontière sans voisins. Leonard Cohen l'a dit : « J'aime bien la Californie parce que c'est la fin du monde[3]. »

Le rêve de la Conquête de l'Ouest et toutes les utopies ont échoué ici, au « carrefour de la pureté et du vice ». San Francisco, l'Ouest ultime, l'extrémité du rêve américain. Si la Californie — dont l'emblème officiel est… la fleur de pavot — demeure une contrée de chimères, cela vient peut-être de son nom qui dérive d'une ancienne chanson espagnole. Il y est question d'une île fantomatique gouvernée par une reine amazone mojave nommée Calafia. À sa façon, Janis Joplin deviendra une nouvelle amazone, même si elle n'était pas prédisposée à fouler le sol de cette contrée.

En 1906, un terrible tremblement de terre d'une magnitude de 8,3 est suivi d'un incendie gigantesque dans la ville de San Francisco. La combinaison tragique des secousses et du feu ravage le port et une partie de l'agglomération autour de la Baie. Là où la ville se niche parmi des buttes en pente raide (jusqu'à 30 % de dénivellation !), mais avant tout sur la faille tectonique de San Andreas. Pourtant, nombre d'hôtels particuliers aux façades de bois peint et aux escaliers extérieurs sont restés debout. D'autres maisons, surtout celles bâties entre 1860 et 1900, seront reconstruites dans le brouillard et le doux climat qui caractérisent la région aux quarante-deux collines. C'est dans ces vastes manoirs aux larges baies vitrées et aux loyers modiques que verront notamment le jour les célèbres *ballrooms*, salles de bal destinées à se transformer en salles de concerts. C'est également là que s'installeront, bien plus tard, dans les années 1960, de nombreuses communautés de marginaux, non loin du ballet des tramways funiculaires, les *cable cars*. Peintes de couleurs pastel ou acidulées, ces maisons seront appelées les *painted ladies*, ou maisons de pain d'épice.

Dans cette « taupinière cosmopolite » dont les sommets capricieux ne dépassent guère les trois cents mètres, les chercheurs d'or ont disparu, mais les aventuriers et les marins de passage se succèdent sans cesse. Tout comme les fêtards de Los Angeles ou de Hollywood venus en goguette admirer le Golden Gate, pont suspendu long de deux kilomètres ouvert sur la Baie en 1937. Qui dit marins de passage, dit alcool, estaminets et filles de joie. Depuis lors, cette ville d'immigrants aux mœurs relâchées n'a cessé de jouir d'une réputation de tolérance, d'anticonformisme et d'hédonisme. Repos du guerrier, du voyageur ou du fêtard. Une ville de musique également où, le 6 mars 1913, un journaliste du *San Francisco Bulletin*, E. T. « Scoop » Gleeson, emploie le terme « jazz » pour la toute première fois. Issu du base-ball, où il soulignait l'énergie d'un joueur, ce mot est alors employé pour qualifier la musique du groupe d'Art Hickman, qui répète justement sur le terrain des San Francisco Seals.

Janis Lyn Joplin naît un peu avant terme, le 19 janvier 1943, sous le signe du Capricorne (28°40), ascendant verseau (25°34), à 9 heures 45. Un détail astrologique qui aura son importance dans les années 1960. Nous sommes au Saint Mary's Hospital de Port Arthur, ville de raffinage perdue dans une zone marécageuse au sud-est du Texas. Une banale cité de 60 000 âmes, dont une large part de citoyens noirs vivent essentiellement dans un quartier construit de l'autre côté de la voie ferrée. Port Arthur se situe dans une zone pétrolière relativement proche du Triangle cajun de l'État de la Louisiane et limitrophe du Mexique. L'endroit, plutôt favorisé grâce à l'exploitation de l'or noir, n'est pas spécialement réputé pour être progressiste. Il est même considéré comme particulièrement patriote et conservateur. Les mentalités sont rugueuses, les codes sociaux bien définis, au détriment des femmes notamment. En général, on s'y ennuie ferme.

La famille Joplin, de lointaine origine écossaise, réside d'abord au 4048 Procter Street, dans une maison aujourd'hui rasée. En 1980, les briques de ce petit pavillon seront vendues 40 dollars pièce par le musée de la Gulf Coast, certificat à l'appui : *Authentic Relic of Janis Joplin Home*. Le 19 août 1947, lorsque la famille s'agrandit, elle emménage un peu plus loin sur Lombardy Street, au 3130, dans le quartier semi-résidentiel de Griffin Park. Les parents font baptiser leur fille aînée en 1950 par le révérend John M. Hugues, et la petite famille se rend sagement à l'église chaque dimanche.

Toute gamine, le visage constellé de taches de rousseur, Janis intègre la Youth Choir de la First Christian Church, une église qui affiche aujourd'hui une photo de la chanteuse parmi ses camarades de chorale. À l'âge de sept ans, elle fait même un passage chez les Bluebirds, une troupe féminine de *girl scouts*.

Seth Ward Joplin, le père de Janis, diplômé en technologie, est d'abord ingénieur mécanicien pour la Texaco Company, avant d'y être nommé superviseur en chef. C'est un employé consciencieux, vêtu de façon relativement décontractée. Janis parlera toujours de son père comme d'un intellectuel secret et ascétique, curieux et tolérant, mais de nature pessimiste et réservée. Nettement moins porté sur la religion que son épouse. Solide lecteur, il inocule le virus à sa fille, une passion qui ne la quittera jamais et qui très tôt renforce sa nature indépendante et solitaire. Devenue célèbre, Janis le remerciera dans une lettre de l'avoir attirée vers la littérature. Seth apprécie de discuter longuement avec sa fille à l'esprit vif et ouvert, toujours disposée à donner son avis sur le moindre sujet. Mais il passe aussi pas mal de temps à bricoler dans le garage, et peut-être même, à en croire les ragots du voisinage, à y boire.

Dorothy Bonita East, l'épouse de Seth, est venue du Nebraska à l'âge de vingt-deux ans. De caractère affirmé, mais plus conformiste que son mari, elle est d'origine campagnarde. Au lycée, elle s'est fait remarquer comme chanteuse solo lors de fêtes organisées par le Lions Club. Femme minutieuse et volontaire, fervente croyante et catéchiste, elle travaille d'abord comme archiviste universitaire, puis comme administratrice de collège. Elle collabore un moment à la station de radio d'Amarillo, avant de se consacrer à ses enfants, à qui elle inculque des notions de savoir-vivre et d'austérité. Il faut respecter les coutumes, se fondre dans la norme, sans se faire remarquer outre mesure. Sa tenue vestimentaire est des plus strictes. Aucune trace de fantaisie, hormis quelques chapeaux surprenants. Par ailleurs mélomane à la voix de soprano, c'est une femme d'intérieur exigeante qui habille ses filles de robes coquettes à l'élégance affectée. Pour elle, il s'agit essentiellement de faire bonne figure auprès des voisins et des connaissances.

Le couple, qui s'est marié en octobre 1936, aura trois enfants. D'abord Janis, puis Laura et enfin Michael. Blondinette virant bientôt au châtain, Janis se montre assez douce, enjouée et pas particulièrement extravertie, même si on la juge vite assez têtue et encline à résister à une mère autoritaire. C'est le début d'une relation ambivalente où l'affection l'emportera toujours. Sur des clichés, on voit la fillette jouer paisiblement dans le jardin sur son tricycle, impeccablement coiffée, ou sagement assise sur le canapé, vêtue d'une robe à col claudine et à smocks. Elle serre dans ses bras le toutou de la famille ou s'occupe de son jeune frère comme s'il s'agissait d'une poupée vivante. À l'instar de sa mère, elle porte des chapeaux de paille très chic, souvent kitsch, ainsi que des robes à volants confectionnées par Dorothy — dont c'est la marotte —, des socquettes blanches et des souliers vernis à boucle.

La famille Joplin est tout à fait représentative de la classe moyenne américaine de l'époque. Pas particulièrement aisée, encore moins misérable. En fait, on ne manque de rien chez les Joplin, sans pour autant avoir l'air de privilégiés. Une famille ordinaire, austère et dévote, éprise de traditions, sans drame interne ni secret endémique. La maison est ordonnée et pimpante. On va ensemble à l'église, où très tôt l'ingénue Janis chante comme soliste soprano dans les chœurs, sans se montrer zélée question religion, ce qui contrarie sa mère. On joue au bridge, on écoute du Bach et du Beethoven, que Janis semble apprécier, ainsi que des disques de Pablo Casals dont le père raffole. Mais la famille, rigoriste dans ses principes et d'une certaine tolérance quant à la liberté de parole accordée aux enfants, n'est pas franchement portée à la rigolade. Suite à une délicate opération à la gorge, qui l'empêchera à tout jamais de chanter, Dorothy décide de vendre le piano familial. Cet événement marque la très jeune Janis, l'écartant de la musique et du chant.

Douée pour le crayon et les couleurs, Janis prend bientôt des cours de dessin. Au fil du temps, elle va se passionner pour des artistes comme Braque, Degas, Modigliani et Picasso. Le journal scolaire *The Driftwood* publie plusieurs de ses esquisses, et un café expose même quelques-unes de ses œuvres. À douze ans, encore un peu influencée par la religion, elle exécute une toile représentant le Christ dans le jardin de Gethsémani. Ce qui par ailleurs ne l'empêche pas de peindre un nu sur la porte de sa chambre. Outrée, sa mère lui fait immédiatement recouvrir cette icône gentiment érotique. Réaction qui blesse la fillette et contrarie son élan artistique, car elle aime peindre ou lire jusqu'à une heure avancée de la nuit. Janis avouera peu avant sa mort qu'elle s'est d'abord considérée comme peintre, et que cette pratique constituait à ses yeux un « repli sur soi ». Sa vocation de chanteuse ne viendra qu'ensuite, mais pour bouleverser sa vie : « Le chant vous propulse hors de vous-même[4]. »

Bientôt, l'étouffement religieux oppresse la jeune Janis, comme tant d'enfants de son âge, gavés d'images pieuses et de morale castratrice. Il s'agit là d'un terreau fertile, propre à nourrir la fronde, l'insoumission, puis à favoriser la rébellion, la liberté de penser et l'esprit critique. Mais pour l'heure la vie de famille reste paisible, voire ronronnante. L'avenir semble quadrillé de schémas convenus et navrants pour l'aînée des enfants Joplin.

Janis savait lire avant d'entrer à l'école primaire Tyrrell. Elle deviendra stagiaire à la bibliothèque du quartier, elle y travaillera même tout un été, dessinant des affiches destinées aux enfants. Cette activité lui vaudra bientôt d'apparaître en photo dans les pages du *Port Arthur News*, le quotidien local.

Dorothy Joplin souhaite ardemment que sa fille aînée devienne un jour institutrice. Elle lui répète à l'envi que l'important est de se comporter comme les autres, sans se faire remarquer. Laura, la cadette, a six ans de moins que Janis, et leur frère Michael dix ans de moins. Plutôt bonne élève au collège Woodrow Wilson, Janis dira qu'elle a vécu une enfance presque idyllique. Effectivement, elle reste longtemps une écolière sans problème, bien notée, certes assez réservée, mais qui adhère volontiers à différents clubs parascolaires.

Légèrement potelée, les seins tardivement et peu développés, ce qui longtemps la complexera, Janis a encore le visage parsemé de taches de rousseur. Ses premiers petits copains se nomment Jack Smith et Tim Berryman ; ils se contentent de l'accompagner soit à l'église, soit au cinéma, ou pour jouer au bridge en famille. Elle se lie d'amitié avec une camarade d'école, Karleen Hebert, et sympathise avec ses parents tolérants, au contact desquels elle semble s'enhardir. Ses jupes deviennent un peu plus courtes que celles de ses camarades et elle renonce avant elles aux socquettes blanches. Janis écoute des disques avec sa copine, ceux de Glenn Miller, entre autres, et du bluesman noir alcoolique Jimmy Reed — certains de ses morceaux seront repris par les Rolling Stones et les Pretty Things, Van Morrison et Elvis Presley lui-même. Elle est subjuguée par « Summertime », une composition de Gershwin qui la marquera profondément. Elle prend alors l'habitude de chanter pardessus les morceaux qu'elle entend à la radio, couvrant la voix du chanteur ou, plus volontiers, de la chanteuse. Une manie qui irrite passablement ses proches. La plupart des artistes qui la séduisent sont des Noirs, dont la musique lui semble faire vibrer le corps.

Mais, peu à peu, un vague sentiment d'ennui envahit l'adolescente, toujours en avance d'une classe sur ses camarades. Elle souffrira sans cesse de se trouver ainsi la plus jeune, à la fois immature émotionnellement et intellectuellement précoce. Elle commence à entretenir un doute tenace envers cet univers familial où elle se sent de plus en plus confinée, conditionnée. Une certaine forme de dérision amusée l'anime, et elle éprouve un sentiment de différence, d'originalité. Elle se dote d'un rire provocant, une sorte de gloussement quasi sardonique, un caquetage destiné à irriter ceux qui l'agacent, c'est-à-dire les hypocrites qui, pour elle, sont légion.

À l'âge de quatorze ans, elle fréquente le Little Theater de Port Arthur, pour lequel elle réalise surtout des affiches et des décors. Elle se fait moins remarquer sur scène dans le rôle d'ingénue qu'elle interprète pour la pièce *Sunday Cists Five Pesos*. Elle noue là ses premières amitiés véritables, toutes masculines, et s'immisce au sein d'une bande de garçons plutôt bohèmes, frondeurs, avides de création et d'innovations artistiques. Elle se lie ainsi avec Grant Lyons, Dave Moriaty et le meneur Jim Langdon, alors âgé de seize ans, appelé à jouer un rôle particulièrement important dans sa vie.

Les adolescents prennent l'habitude de se lancer dans de longues conversations. Ils reconstruisent le monde loin de leurs familles et du centre-ville où il n'y a strictement rien à faire à leur âge. Ils se retrouvent à l'occasion au bord du lac Sabine, à proximité de Pleasure Island, et même en Louisiane, de l'autre côté du fleuve. Ils gardent jalousement secrets plusieurs de leurs repaires, dans le style cabane ou tour de guet pour pêcheurs. Ils font des feux de joie, boivent de la bière et goûtent vite à d'autres alcools, plus forts. Un des copains, Milton Haney, fait découvrir à Janis le Southern Comfort, plus tard sa boisson fétiche, au point de la caricaturer. Le Southern Comfort est une liqueur de whisky (45°) de La Nouvelle-Orléans, ambrée et translucide. On peut la boire tant en apéritif qu'en digestif. Elle est très prisée dans la composition des cocktails (Hammerhead, Murder, SOS, Spy, Comfortable Brother, Southern Lady, etc.). C'est à cette époque que Janis, enfin acceptée pour elle-même et pour ses idées libertaires, plus à l'aise avec les garçons qu'avec les filles, commence à porter un regard critique sur la société si conformiste qui l'entoure, à se forger une âme de rebelle. Elle change sa façon de s'habiller, qui se relâche au grand dam de sa mère.

Janis étend sa culture littéraire en partageant avec ses nouveaux amis la découverte d'un écrivain alcoolique et désenchanté du Sud, connu pour son goût de l'excès et marqué par le jazz, Francis Scott Fitzgerald. Elle dévore ses livres aux titres évocateurs, *L'Envers du paradis*, ou bien sûr *Gatsby le Magnifique*. Ce qui ne l'empêche pas de raffoler de *comics* satiriques et cruels qui préfigurent l'émergence de la *free press* contre-culturelle, avec ses journaux underground contestataires qui vomissent la presse officielle des kiosques. Elle élargit tout autant sa culture musicale, à commencer par le folk, s'intéresse à la puissante chanteuse et guitariste noire Odetta, elle-même marquée par une certaine Bessie Smith, « l'Impératrice du blues » (surnom créé par sa maison de disques, Columbia), future influence majeure. Côté Louisiane notamment, Janis découvre peu à peu une mosaïque sonore faite d'effluves de jazz, de blues, de gospel et de soul. Elle s'aventure vers la musique des tripots et de la rue, celle du quotidien et du peuple, grâce à Leadbelly, Jimmy Reed, T-Bone Walker et consorts. Grant Lyons lui prête des disques de Bessie Smith et de Leadbelly ; et ce geste va irrémédiablement attirer Janis vers le chant.

Le mot « liberté » prend de plus en plus de consistance au sein de la bande de copains. En développant leur goût pour une certaine musique et une certaine littérature, étrangères à celles que prônent leurs parents, les nouveaux apostats signent en quelque sorte leur déclaration d'indépendance. Le clan délimite son territoire mental et Janis n'est plus seule à se sentir en marge, *à côté* des autres, et cela même si la petite bande se coupe des camarades de classe qui, du coup, évitent ces solitaires aux allures de beatniks. Grâce à la rencontre de ce groupe de complices, et surtout de Langdon, l'initiateur, dont le charisme l'éblouit, Janis prend conscience que le monde est bien plus vaste et complexe que le microcosme balisé où elle croupit. Elle doit réagir contre l'immobilisme et les conventions pesantes de son entourage. Cette bande de jeunes rebelles est constituée de rêveurs sensibles, attirés par les arts, ce qui, compte tenu de l'environnement scolaire assez rustre, marginalise Janis. Dans ce contexte, il faut faire front, s'endurcir en adoptant une attitude de retrait radicale. Dresser une barricade de différence et d'originalité face au troupeau, à la meute. Quitte à être écartée, rejetée. Janis doit affirmer sa singularité pour exister, tout simplement. Dans ce but, elle corse son vocabulaire à la façon d'un homme et accentue ses manières d'aventurière. Elle devient une véritable boule d'énergie, sans cesse en mouvement. Pour s'affirmer et se protéger à la fois. Très vite, elle est considérée comme l'un des garçons de la bande, et plus tout à fait comme une fille. Son sentiment d'altérité s'en trouve renforcé.

En 1957, alors que Janis n'est encore âgée que de quatorze ans, Elvis Presley le précurseur est n° 1 dans les *charts* avec « Heartbreak Hotel », une chanson aux sonorités « noires ». Jack Kerouac publie son roman *On the Road (Sur la route)*. Le mouvement contestataire beatnik, issu de San Francisco, semble à son apogée. Le néologisme, qui signifie pour les uns « les déglingués », pour les autres « les vaincus », est apparu pour la première fois en avril 1958 sous la plume de l'échotier Herb Caen, dans le *San Francisco Chronicle*.

À partir de là, nombre de mentalités vont évoluer et bien des choses vont s'accélérer dans la société américaine, à commencer par l'usage massif des drogues, qu'on réprouve sans nuances dans les écoles. Un psychiatre new-yorkais, Humphry Osmond, étudie depuis longtemps les effets des hallucinogènes, notamment du LSD-25 et des plantes « magiques », parmi lesquelles le peyotl dont on extrait la mescaline, son principe actif. Il va également inventer un néologisme retentissant dans un courrier adressé à l'écrivain Aldous Huxley, l'auteur du cauchemardesque *Meilleur des mondes*. Le mot « psychédélique », issu des mots grecs *psyché* (âme) et *delos* (visible), signifie à l'origine « expansion de la conscience », sous l'effet des drogues hallucinogènes. Osmond qualifie de la sorte les stimulants qui intensifient l'activité du cerveau. En 1953, il utilise même Huxley comme cobaye et lui administre quatre décigrammes de mescaline dissoute dans un demi-verre d'eau. Cette expérience va pousser l'écrivain à rédiger un ouvrage intitulé *Les Portes de la perception*, formule du poète anglais William Blake, que les Doors reprendront à leur compte. Antonin Artaud avait déjà testé la chose dès 1936... Huxley et Osmond s'échangent des poèmes. De son côté, l'écrivain propose en vers le mot *phanérotyme*, qui signifie « âme ouverte à la vue » : « *To make this trivial world sublime, / Take half a gram of phanerothyme*[5] » (Pour rendre ce monde dérisoire sublime / Prends un demi-gramme de phanérothyme), ce à quoi Osmond réagit par deux autres vers : « *To fathom hell or soar angelic / Just take a pinch of psychedelic*[6] » (Pour sonder l'enfer ou atteindre les cieux / Prends donc une pincée de psychédélique).

Pour Janis, les premiers véritables ennuis ne vont surgir qu'au début du secondaire, quand elle se déclare en faveur de l'intégration raciale des Noirs. Elle y reviendra plus tard, précisant : « Je lisais. Je peignais. Contrairement aux autres, je ne haïssais pas les Noirs. Les gens de là-bas me choquaient[7]. » À cette époque, dans un Texas rétrograde et répressif, une telle prise de position vous relègue irrémédiablement dans une minorité méprisable. La ségrégation à l'école n'est interdite que depuis 1948. Et Rosa Parks, modeste couturière en Alabama, a refusé de céder sa place à un passager blanc dans un bus le 1er décembre 1955, pour, du même coup, entrer bien malgré elle dans l'Histoire… Mais jamais et nulle part la ségrégation raciale ne s'efface d'un trait de plume. C'est d'autant plus vrai aux États-Unis, en dépit de la loi sur les droits civiques, la première promulguée en faveur des Noirs depuis 1868, signée en 1957. Il reste de toute façon les regards, les mots, les attitudes vexatoires et les tracasseries quotidiennes, qui sont autant d'occasions, pour certains, d'afficher leur prétendue supériorité. Janis, qui a un copain noir à son atelier théâtre, et aussi un ami mexicain, est l'une des très rares adolescentes à s'engager ouvertement contre la ségrégation scolaire. Aussitôt on la traite de « fille à nègres », de *nigger lover*. La plupart des écoliers commencent à l'éviter. Il est vrai que le problème racial est encore brûlant aux États-Unis. James Meredith, premier étudiant noir autorisé à s'inscrire à l'université du Mississippi, n'y entrera qu'à l'automne 1962, et encore, à la suite d'une émeute et sous la protection rapprochée de la garde nationale !

L'esprit rebelle et entêté de Janis se focalise contre cette société violente, injuste et hypocrite qui l'entoure, bien plus que contre sa famille, réputée ouverte et libérale, quoique assez conformiste.

À force de se retrouver minoritaire dans ses prises de position, notamment au sujet du racisme, Janis se sent vite en terrain hostile à Port Arthur, où règne la moralité étroite de l'Église baptiste. Une fois célèbre, elle fera souvent des déclarations pleines de dédain à l'égard du conservatisme de sa région d'origine, se félicitant fréquemment d'avoir su quitter l'environnement réactionnaire de sa petite ville. En 1970, l'année de sa mort, elle rappellera, dérision et amertume mêlées, qu'on ne l'a même pas invitée au bal de fin d'études et que depuis ce jour-là elle souffre et chante le blues.

Sa sensibilité adolescente et ses idées étant étouffées dans un flot de haine et de vexations, Janis se constitue une épaisse carapace psychologique afin de résister à ceux qui freinent ses pulsions. Elle sent une différence se creuser entre elle et ses camarades, sans parvenir clairement à s'en expliquer la raison. C'est quelque chose de diffus, une force intérieure qui croît inexorablement, une lente prise de conscience chaque jour renforcée par ce qu'elle observe dans son entourage. Un précipité de mélancolie qui l'enferme dans un isolement affectif, à la grande désolation de ses parents. Elle se sent de plus en plus différente de ses camarades qui rêvent d'être élues reines d'un soir pour un bal en robe rose, ou majorettes ingénument provocantes devant les supporters du club de l'école.

La culture noire intéresse Janis, surtout la musique. Le constat du racisme ambiant devient la pierre angulaire de ses idées et de sa mentalité.

Elle ne sera jamais du côté des dominateurs, des offenseurs et des exploiteurs. Aussi se méfie-t-elle chaque jour davantage de la religion, qui lui paraît plus politique qu'elle n'en a l'air. Elle veut, elle exige plus de justice et d'égalité entre les êtres, quelle que soit la couleur de leur peau. Elle rejette l'hypocrisie et l'exploitation, devient de plus en plus solidaire des minorités oppressées. Elle choisit définitivement son camp. Celui des rebelles qui ont perdu leur innocence face à l'ordre et aux idées établies. Ses positions se radicalisent. Pour sa famille et ses proches, ce changement est très sensible, et surtout très brusque.

Son côté braque, son sens de la repartie, agressif parfois, la marginalisent encore davantage. Bientôt, les garçons se moquent de son physique, la classant volontiers de leur côté plutôt que de celui des filles. Les vexations s'accumulent. On raille ses rondeurs nouvelles, on lui reproche de ne pas se maquiller, on lui rappelle sans cesse sa maladie de peau, une forme d'acné assez grave qui nécessiterait un traitement particulier. Elle déborde d'énergie, mais ces remarques pour le moins désobligeantes la referment sur elle-même et l'isolent. Une douleur sourde envahit son être. Un spleen omniprésent. Un blues intense. La lecture demeure pour elle le premier refuge, et une passion solitaire. Autrement, elle peint et elle écoute de la musique. Si les disques restent rares à la maison, elle continue cependant à s'enticher d'enregistrements de la chanteuse Odetta qui aura par ailleurs fortement influencé Bob Dylan.

Cependant Janis reste liée à sa bande de garçons. Jim Langdon joue du trombone. Grant Lyons, athlétique footballeur, continue de lui faire découvrir des disques du chanteur et guitariste folk blues Leadbelly. Le tout premier disque acheté par Janis sera donc celui d'un certain Hudson « Huddie » William Ledbetter, autrement dit Leadbelly. Le groupe d'amis, féru de lecture et de jazz, prend l'habitude de boire de la bière et du bourbon. Au sein de sa bande, elle gagne en rudesse et en vulgarité. Elle force son rire et s'exprime souvent de façon bourrue, elle sèche de plus en plus souvent les cours et prend le goût de s'exposer au danger. Si elle n'a pas encore une idée précise de son avenir, elle sait du moins à qui elle ne veut en aucun cas ressembler.

Le gang se distend lorsque les trois garçons doivent quitter le collège pour entrer au lycée. S'ils restent en contact avec elle, il n'empêche que Janis se retrouve bien seule durant l'année suivante, victime incessante de railleries et d'humiliations. Certains jettent de la menue monnaie à son passage, comme on le ferait pour une clocharde. On lui fait sentir que sa différence n'est guère appréciée et qu'elle devra la gagner par la manière forte. En attendant, elle se fait un peu d'argent de poche comme ouvreuse de cinéma ou serveuse dans les cafés. Elle se met à fréquenter assidûment des bars comme le Pasea, hanté par une faune de marginaux. C'est un établissement où l'on écoute de la musique, où sont organisées des lectures de poésie et où elle réussit même à vendre plusieurs de ses toiles. Dans les bars branchés, rarissimes en cette région, on diffuse du jazz, du blues, mais peu de rock. Le folk *revival*, électrifié, est sur le point d'éclater. C'est à cette époque que Janis commence à se sentir irrémédiablement attirée par le chant.

Lorsque John Fitzgerald Kennedy est élu président des États-Unis, en 1960, Janis se trouve au lycée Thomas Jefferson de Port Arthur. Là, elle se renferme encore, se tient à l'écart des autres et affermit sa rébellion, plus volontiers vindicative. Elle s'habille parfois de façon choquante. Elle adopte une attitude de sauvageonne ténébreuse qui attise chez les autres une animosité latente à son égard.

Comme Janis se montre douée pour les arts plastiques, sa mère la pousse à s'inscrire en dessin industriel où elle se retrouve la seule fille de la classe. Singularité qui va contribuer à la fragiliser et à la marginaliser encore davantage.

Après Francis Scott Fitzgerald et William Faulkner, elle découvre avec ferveur l'écrivain Jack Kerouac, grâce à un article paru en juin 1958 dans *Time Magazine*. Elle dévore absolument toute son œuvre, ainsi que les écrits de la Beat Generation, émergée à partir de 1955. Elle apprend que les beatniks californiens de North Beach, sur la baie de San Francisco, mais aussi ceux de Greenwich Village et East Village, à New York, forment une élite intello marginale, férue de jazz, alors que les hippies créeront par la suite un mouvement beaucoup plus populaire, résolument jeune et entiché de rock. Autour des écrivains beat qui ont décoincé la poésie et la littérature grâce à leurs lectures publiques, une nouvelle forme de jazz, dit « cool jazz », puis « jazz West Coast », a vu le jour, mâtiné de folk et de blues. Plusieurs artistes noirs comme Charlie Parker, Thelonious Monk, Miles Davis ou Max Roach y excellent. Derrière cette nouvelle bannière s'entrecroisent la poésie, les volutes de fumée des arrière-salles, les vapeurs d'alcool et les effluves sonores des saxophones. On se réunit dans de petites salles ou des appartements pour faire la fête, boire, danser et organiser des *poetry parties* devant quelques dizaines de participants cooptés. On commence même à danser en petits groupes dans la rue.

Les beats ont été les premiers à contester ouvertement l'ordre moral dominant, les valeurs traditionnelles religieuses et mercantiles, à bouleverser le vocabulaire, puis à mettre le feu à la poésie et au roman. Ils furent aussi les premiers à se révolter contre la convenance consumériste, à écrire des livres résolument contestataires comme le long poème épique *Howl* d'Allen Ginsberg, publié en août 1956. Ce poème-manifeste incantatoire et violent, d'abord censuré pour obscénité, puis autorisé après des manifestations et à la suite d'un procès, va se vendre à plus de 100 000 exemplaires l'année de sa parution et devenir le manifeste d'une génération. *Sur la route (On the Road)* de Jack Kerouac, en 1957, et le *Festin nu (Naked Lunch)* de William Burroughs, en 1959, vont eux aussi très vite remporter un grand succès. Leur attitude désinvolte rompt de façon radicale avec les règles sociales et l'autorité hypocrite, et avec le sentiment de culpabilité. Assez vite, Janis va découvrir les successeurs des écrivains beat, le sulfureux Michael McClure notamment (auteur de *Peyotl Poems* en 1958 et qui écrira des textes en commun avec Jim Morrison), les rebelles Bob Kaufman, Lawrence Ferlinghetti, Gary Snyder, et bien entendu le merveilleux Richard Brautigan qui se suicidera en 1984, non sans avoir tenté de faire entrer le monde dans une image unique et parfaite. Autant d'auteurs qui s'attachent à « libérer les mots ». Ainsi Michael McClure ira-t-il un jour jusqu'à clamer ses *Ghost Tantras* face aux lions du zoo de San Francisco ! La performance fut enregistrée, ce qui permit au poète anglais Eric Mottram d'affirmer : « Le lion et l'homme de San Francisco, captifs l'un et l'autre, rugissaient ensemble ; c'est pourquoi la bande enregistrée est si émouvante[8]. »

Janis continue, des heures durant, à couvrir la voix des chanteurs dont elle écoute les disques. Elle élargit ainsi sa tessiture vocale et développe de nouvelles intonations. Le succès venu, elle conservera cette technique de travail. Pour l'instant, sa chanteuse préférée demeure la comédienne Odetta, grande star du folk noir et du blues à la fin des années 1950, soutenue par Harry Belafonte et Pete Seeger. La voix de cette chanteuse se distingue par sa puissance passionnée et son feeling implorant.

Dès cette époque, Janis semble étrangère à la notion de peur. Annonçant à ses parents qu'elle passe la nuit chez une copine, elle décide de se lancer dans une nouvelle escapade en pays cajun, de l'autre côté du fleuve, en Louisiane. Bien plus permissif que le Texas, cet État semble une sorte d'Eldorado de l'encanaillement pour les jeunes de Port Arthur. C'est, en effet, bien différent du Texas. On y sert volontiers de l'alcool fort, et non plus seulement de la bière ou du mauvais vin. On y fume de l'herbe sans être traqué. Même des musiciens de New York et de Californie viennent s'y ressourcer. Pour changer de la petite ville de Vinton, facilement accessible à partir de Port Arthur, Janis se rend ainsi jusqu'à La Nouvelle-Orléans et son Quartier français synonyme de liberté et de transgression. Elle y va en compagnie de Jim Langdon et de deux autres copains. Pour cette randonnée, elle « emprunte » la voiture familiale, une Willis poussive. Le but consiste à découvrir des bastringues comme le Big Oak et le Stateline, et les *juke joints* de Bourbon Street où l'on joue du jazz et du blues, de la soul et du rock. Le rock, jusque-là méprisé et qui va devenir « la musique constitutive d'une génération en quête d'identité[9] ». Des boîtes de nuit souvent exiguës, où une clientèle essentiellement noire s'entasse pour danser, chanter, parler et boire de l'alcool. Où l'on fume de la marijuana. Où l'on élargit son vocabulaire dans des concours d'insultes ; un régal pour Janis qui se révèle décidément friande d'argot et de mots grivois. Où l'on se castagne même à l'occasion, ce qui n'est pas pour déplaire à la fugueuse d'un soir. La folle équipée s'achève au petit matin, où il faut bien reprendre la route de Port Arthur. Il pleut, la chaussée est glissante. La bande d'amis vient de traverser une longue nuit blanche sérieusement arrosée. Et c'est l'accident. La Willis familiale est incapable de redémarrer. La police arrive sur les lieux et découvre que Janis, la seule fille de l'équipée, est mineure. Ce qui — selon la loi Mann datant de 1910 — peut constituer un grave délit pour ses accompagnateurs lorsque l'on passe d'un État américain à un autre. Les policiers, suivant les consignes de Dorothy Joplin, mettent sa fille dans un bus à destination de Port Arthur. Le reste de la troupe est piteusement contraint de rentrer en stop. Les parents de Janis lui ont cette fois sauvé la mise auprès des forces de l'ordre, mais tout va désormais devenir plus compliqué. La famille Joplin prend conscience du côté incontrôlable de la fille aînée. La rumeur circule vite dans le quartier, et surtout à l'école : trois jeunes garçons et une fille mineure partis en expédition dans des lieux de débauche de l'autre côté du fleuve ! La mauvaise réputation de Janis prend son essor, d'autant plus qu'elle n'a de cesse de critiquer ouvertement ce Sud où la plupart des gens n'imaginent même pas que puisse exister une autre façon de vivre que la leur.

Dorothy Joplin, qui n'apprécie guère la plaisanterie, commence à s'inquiéter sérieusement pour sa fille. Un psychologue est appelé à la rescousse, une nouvelle marotte dans les familles américaines à cette époque, avec la vogue de la psychanalyse. Janis connaît alors des périodes d'accalmie où elle se réfugie dans la lecture ou le dessin (une réclusion selon elle), mais elle a déjà pris un goût très vif pour la fête et la musique. Ses escapades sont de plus en plus nombreuses au bord du lac Sabine ou le long du canal. On vient y boire du Jim Beam ou de la bière, parler de poésie et chanter au clair de lune. C'est d'ailleurs là que Janis va brusquement révéler à ses amis cette nouvelle passion qui la hante, en imitant la chanteuse Odetta. Assise à l'arrière d'une voiture empruntée par la bande, elle interrompt soudain les garçons qui fredonnent. Interloqués, ils l'entendent se lancer dans une envolée aussi puissante que bouleversante, qui les sidère. La voix de Janis sonne exactement comme celle d'Odetta. C'est une révélation pour tout le clan, à commencer par Janis elle-même. Dès ce jour, les garçons éviteront de chanter devant Janis. Jim Langdon, présent ce soir-là, a confié bien des années plus tard ce souvenir :

> C'était comme si quelque chose de miraculeux, presque d'étranger à elle, était soudain sorti de sa bouche, de son corps ! On peut dire que cela a été une véritable illumination[10].

Encouragée par son cercle d'amis, Janis s'entraîne des heures en solitaire en écoutant des disques, cherchant à recouvrir parfaitement la voix des interprètes. Elle délaisse alors progressivement le dessin et la peinture.

Bessie Smith a disparu en 1937. Et le guitariste chanteur Leadbelly en 1949. Tous deux sont des révélations fondamentales pour Janis qui découvre leurs disques par l'entremise de Grant Lyons. À propos de Bessie Smith, Janis déclarera plus tard :

Je suis carrément tombée amoureuse d'elle... Durant les premières années, je chantais tout à fait à sa manière, je la copiais beaucoup, je reprenais toutes ses chansons. Elle a été ma première idole. C'est vraiment à cause d'elle que j'ai commencé à chanter[11].

En travaillant très tôt sa voix pour lui prêter des intonations blues et noires, des inflexions rugueuses et expressives, Janis parvient à se forger une texture vocale particulière. Bessie Smith, originaire de Chattanooga, au Tennessee, est morte à quarante-trois ans, des suites d'un accident de voiture dans le Mississippi. Alors qu'elle a un bras arraché et qu'elle perd beaucoup de sang, un hôpital refuse de l'accueillir en raison de sa couleur de peau. Cette ignominie lui sera fatale. Elle est enterrée au cimetière de Mount Lawn, à Sharron Hill, dans la banlieue de Philadelphie, où pendant plus de trente ans son nom ne figurera même pas sur sa pierre tombale restée anonyme. C'est seulement en août 1970 que cette injustice sera réparée, grâce aux contributions de Janis Joplin (décidément fidèle à son héroïne d'adolescence) et du légendaire John Hammond, qui produisit les derniers enregistrements de Bessie et découvrit entre autres Billie Holiday, Aretha Franklin et Bob Dylan. Avec quelques amis, ils feront placer une stèle de 500 dollars portant cette épitaphe : « La plus grande chanteuse de blues au monde ne cessera jamais de chanter — Bessie Smith 1895-1937. » Une bourse d'études Bessie Smith est même créée à cette occasion par une riche Mrs. Green.

Janis est fascinée par la verdeur de langage

qu'emploie la féline Bessie Smith, qui fut la disciple et même la maîtresse, si l'on en croit la rumeur, de la chanteuse Ma Rainey, la première star du blues classique. Aussi est-elle subjuguée par ses tenues excentriques, plumes exotiques et longs colliers de perles, coiffe en forme de lampe *Modern Style*, robes vaporeuses à parements de fourrure. Contrainte de chanter dans les rues dès l'âge de neuf ans, habituée à se battre et à imposer sa voix, Bessie Smith s'est produite par la suite dans des bouges hantés par des danseuses prostituées et réclamait toujours une bouteille de gin avant de chanter. C'est là, de sa voix ample et torturée, qu'elle acquit très tôt cette façon brutale de narrer le quotidien des femmes dans des chansons engagées, à double sens et d'un érotisme cru, souvent d'inspiration culinaire. Comme elle le fit dans « Young Woman's Blues » : « Vois cette longue route solitaire : ne sais-tu pas qu'elle doit finir ? / Et moi, qui suis une femme bien, je peux me taper plein de types[12]. » Et dans « Empty Bed Blues » : « C'est lui le premier qui a préparé la potée / Et il me l'a servie vraiment brûlante / Et quand il y a mis son lard, la potée a débordé / Si vous êtes satisfaite en amour / N'allez jamais le crier sur les toits / Sinon, il vous trahira et vous laissera au blues du lit vide[13]. »

Bessie « la hurleuse » — celle qu'on pouvait entendre d'un bout à l'autre de la rue — a donc commencé comme Janis par chanter dans des lieux improbables où il lui a fallu énormément de courage et de ténacité pour s'imposer. Toutes deux auront souvent improvisé un monologue entre les chansons. Dotées l'une et l'autre d'un fichu caractère, elles partagent aussi un sérieux penchant pour le bourbon et un goût immodéré pour les fêtes où elles se retrouvent entourées de toute une cour. Elles auront également eu en commun le goût de se défendre seules à la force du poing quand il l'aura fallu, ainsi que la manie de modifier les textes des chansons selon leur humeur. Mais elles ont surtout su prendre leur carrière en main, imposer leur répertoire et leurs accompagnateurs, leur façon de s'habiller, leur bisexualité et leur style de vie impudent. Bessie Smith a également eu le cran, un poing tendu en l'air et l'autre posé sur la hanche, d'affronter seule et de faire piteusement déguerpir des membres du Ku Klux Klan occupés à démonter le chapiteau sous lequel elle donnait un spectacle, en Caroline du Nord, en 1927.

À dix-sept ans, en juin 1960, Janis quitte enfin le lycée Thomas Jefferson. Elle est vraiment impatiente de fréquenter des esprits moins obtus. Elle intègre ainsi le Lamar Tech, proche de Beaumont. Toutefois, déçue par l'aspect trop technique de la branche choisie, Janis est de retour à Port Arthur avant la fin de l'année. Sous la pression de sa mère, sans vision quant à son avenir, elle entreprend à contrecœur une formation de perforatrice informatique et de dactylo. Rien de très excitant pour une jeune fille attirée par le dessin et la peinture, par la littérature, et tout particulièrement par le chant. Cette expérience, dès le début vouée à l'échec, la plonge dans une déprime profonde. Brusquement, elle prend conscience qu'une période de sa vie a pris fin. Et surtout qu'elle ne veut en aucun cas de la vie formatée dans laquelle certaines de ses camarades de classe se sont déjà engagées. Elle se retrouve désemparée dans un univers qui lui paraît exigu, sans perspectives enrichissantes. Seule face à un monde aux contours flous. Une nouvelle souffrance intérieure la gagne, qui l'oppresse.

Dès qu'elle en a l'occasion, Janis fait d'autres escapades, à Houston cette fois, où elle prend l'habitude de fréquenter les *coffeehouses* folk comme le Purple Onion Cafe où l'on sert des sodas et du café. Elle devient alors, aux yeux de certains, une sorte de *weirdo* du Texas, une désaxée en proie à toutes sortes d'excès, à commencer par l'alcool. La proximité du Mexique permet de se procurer facilement de la marijuana et du peyotl. Ce cactus *(lophophorus)* dont le nom est aztèque, considéré par beaucoup d'Indiens comme « un ami des temps immémoriaux », et même comme la « chair de Dieu », est réputé idéal pour se procurer des visions hallucinantes et colorées. On le trouve essentiellement sur les berges du Rio Grande, au nord du Mexique.

À son retour en famille, elle est soignée dans un hôpital pour une infection rénale. Un début de dépression nerveuse l'oblige à consulter un psychologue, à Beaumont. De plus, elle peine à séduire les garçons, ce qui la tourmente. Cette première année de fac, plutôt sinueuse, lui permet néanmoins d'agrandir son cercle d'amis. Elle rencontre des peintres comme Tommy Stopher et Steve Hodges qui… la découragent de peindre et de dessiner. Janis a de plus en plus l'intuition que son avenir est partout ailleurs, sauf à Port Arthur. Et que la musique, une certaine forme de musique du moins, élargit les horizons et permet de déclencher des réactions ardentes chez les auditeurs, voire de modifier leur façon de vivre et de penser.

C'est au Mexique, en 1960, à Cuernavaca, durant ses vacances, que le déjà mystique Timothy Leary fait sur lui-même l'expérience des champignons sacrés. Il en avale sept : « Je me sentis emporté par un Niagara sensoriel dans un maelström de visions et d'hallucinations transcendantales[14]. » Alors professeur de psychologie à l'université de Harvard, au Centre de recherches sur la personnalité, Leary utilise ensuite le LSD-25 comme moyen d'investigation de l'inconscient. Les effets d'une prise peuvent durer jusqu'à plusieurs heures. En 1963, il perd son poste après avoir fourni 3 500 doses de psilocybine en deux ans à quatre cents étudiants volontaires. Avec Richard Alpert, il sera l'un des pionniers du LSD-25 et créera en septembre 1966 une ligue destinée à favoriser la découverte spirituelle. Avec Ralph Metzner, il dirigera aussi la *Psychedelic Review*, créée en juin 1963. Afin d'éviter les tracasseries juridiques, il présente sa ligue comme étant de nature religieuse. Poursuivant un peu trop gaillardement ses expérimentations, il sera condamné en 1966 à trente ans de prison et à une forte amende pour trafic de marijuana, avant que le LSD ne soit déclaré illégal après une enquête du FBI ordonnée par le président Johnson.

Leary parviendra un temps à pratiquer ses expériences mystiques de fusion de toutes les religions grâce au soutien des richissimes Peggy et William Hitchcock, un banquier lui-même friand de LSD. Pour effectuer ses recherches psychédéliques dans de bonnes conditions, Leary est ainsi accueilli et protégé dans une propriété de huit mille hectares et son château, à Millbrook, où la League for Spiritual Discovery établit son siège. Selon certains fantaisistes, sa ligue aurait donné les initiales LSD à la célèbre drogue, alors que ces trois lettres signifient en fait Lyserg Saüre Diethylämid / Lysergsäure-diethylamid (acide lysergique diéthylamide). Avec un esprit messianique, Leary va jouer un rôle majeur dans l'extension de l'usage des drogues parmi les hippies, avant sa condamnation. Les musiciens de rock psychédélique, comme avant eux les jazzmen, vont utiliser la drogue comme affranchissement de la conscience ou déverrouillage de la logique.

À la fin des cours, au début de l'été 1961, les parents de Janis sont bien conscients de son malêtre à Port Arthur. Il leur paraît souhaitable que leur fille de dix-huit ans change d'air durant quelque temps. Ils lui proposent ainsi de se rendre à Los Angeles, chez ses tantes Mimi et Barbara. Janis quitte alors la maison familiale et traverse pour la première fois le pays d'est en ouest. À peine arrivée là-bas, elle trouve un poste de perforatrice de cartes IBM, puis un autre à la Bank of America.

Vite lassée de la surveillance de ses tantes, elle s'installe bientôt seule dans une chambre proche de Speedway Alley, située en bord de mer. Grisée par sa nouvelle indépendance, elle emménage près de Santa Monica et de la plage de Venice, l'enclave post-beatnik et pré-hippie fréquentée par des intellectuels, des artistes et toutes sortes de marginaux révoltés contre une société qui, selon eux, aliène les individus. Comme le coin est plutôt délabré et de réputation douteuse, la famille Joplin désapprouve ; mais Janis, entêtée, se montre intraitable quant à ses choix de vie. Cette expérience va radicalement la transformer. Un bref périple lui fait découvrir San Francisco et son quartier de North Beach ; un nouveau monde pour elle, où règnent la liberté, l'insouciance, et où l'on fait des rencontres en tout genre. Ce monde-là est précisément celui de la scène beatnik et des *coffeehouses*, de la Gas House, par exemple, où on la laisse parfois chanter du folk, où elle fume de la marijuana et se délure, trouvant confirmation de sa bisexualité pressentie au lycée. Peu à peu, elle vient à bout de ses inhibitions. Voilà l'existence qui lui convient. Les beatniks n'existent plus seulement dans ses livres. Le Texas semble soudain une planète lointaine. Janis commence à s'habiller différemment. Elle fait l'acquisition d'un pantalon kaki et d'une veste de bombardier en mouton retourné qui fera particulièrement mauvais effet lors de son retour à Port Arthur. Cette période initiatique, essentielle aussi, reste néanmoins assez méconnue. Janis en parlera rarement, comme un secret préservé, et rares auront été ceux en mesure de témoigner à ce sujet.

De retour chez ses parents en fin d'année, Janis s'apprête à reprendre la fac de Beaumont, après avoir travaillé un temps comme serveuse dans un bowling. Une expérience plutôt rude dont elle parlera non sans amertume lors d'un entretien figurant dans le documentaire *Janis, the Way She Was*. Même si elle est déterminée à poursuivre ses études, le contraste est saisissant entre le Texas et cette Californie mirifique où elle a découvert une liberté sexuelle difficilement imaginable dans sa ville natale, et une autonomie de pensée presque totale. La société texane lui paraît décidément trop étriquée et réactionnaire. Sa relation — pourtant discrète — avec une amie mariée, Patti, déclenche quelques scènes plutôt houleuses. Toutefois, les choses commencent à bouger au pays. Certains jeunes Texans en croisent d'autres qui reviennent de Californie. Bientôt, ils supputent qu'il existe là-bas un autre monde, une sorte de *terra nova* et un mode de vie nettement plus stimulant que l'ennui auquel le Texas les condamne.

Janis ressent le besoin de respirer de nouveau le vent de folie qu'elle a humé sur les plages californiennes. Pour elle, le chant va s'imposer comme l'exutoire idéal. À l'instigation de son complice Jim Langdon, elle commence à se produire fin décembre dans de petits clubs de la région, puis dans des bars comme le Halfway House de Beaumont, puis le Purple Onion de Houston, toujours contre quelques verres offerts par les propriétaires. Résultat mitigé. Le public reste pour le moins perplexe ; toutefois Janis fait son apprentissage *live*. Crânement et sans complexe. Dans de telles conditions, quasi hostiles, il faut vraiment qu'elle ait une volonté de fer et, au sens propre, le feu sacré. Une rage frénétique l'anime et la révèle à elle-même. La face masculine de sa personnalité prend alors le dessus. Et l'ombre bienveillante de Bessie Smith lui est toujours d'un précieux secours.

Janis apprend que cette égérie du blues se trouve à l'origine des *race records*, disques strictement réservés aux artistes et au public noirs. Depuis quelque temps, en effet, les compagnies de disques ont remarqué que les Noirs pourraient bien représenter un nouveau marché. L'argent n'a pas de couleur ! Mais l'évolution est lente, les chanteuses noires devant souvent se produire pour un public exclusivement blanc, lors des soirées affichées « White only ». Au cours des années 1940 et 1950, les gens avaient délaissé l'expression *race music* (dont la traduction rassurante est « musique ethnique »), qu'ils employaient jusque-là, pour adopter celle de « rhythm'n'blues », moins ségrégationniste, et que le *Billboard* leur avait imposée dès 1949. Plus encore que celle d'Odetta, la voix de Bessie Smith sidère et bouleverse Janis. Elle sent que cette chanteuse aux textes torrides, qui a commencé à chanter dans les rues enfant, met sa vie en jeu dans chaque morceau et qu'elle possède une éloquence touchante. Sa voix transmet ses douleurs et son mal de vivre. Et le blues, chant de la passion, de la douleur et de la solitude, restera son port d'attache, sur tous ses disques, et davantage encore sur scène.

Le côté rebelle de Janis se trouve joliment écorné quand on apprend que son premier enregistrement est un jingle publicitaire réalisé pour une banque de Nacogdoches, la plus ancienne ville du Texas. « This bank is your bank, this bank is my bank. » Mais l'honneur est sauf, en quelque sorte, car la musique est celle d'une *protest song* de Woody Guthrie. Ce chroniqueur amer et lucide de la Grande Dépression, chantre des hobos (vagabonds ou travailleurs itinérants), maître du *talking blues*, porte sur sa guitare offensive l'inscription : « Cette machine tue les fascistes. » Il est alors, avec Pete Seeger — lequel figure également sur la liste noire des sympathisants communistes traqués par le sénateur et avocat de criminels nazis Joe McCarthy —, l'une des influences majeures d'un certain Bob Dylan, qui commence à faire parler de lui.

Pour Janis, le retour à la vie familiale ne va pas sans heurts. Les parents sont consternés par les changements de comportement de leur fille, de plus en plus délurée. Ils commencent à regretter de l'avoir envoyée en Californie. Janis et la bande de Langdon effectuent encore de nombreuses escapades à Austin, la ville la plus ouverte de la région, quoique encore bigote et raciste. Ils se baguenaudent dans les bars et dans tous les lieux probables ou improbables où il est loisible d'écouter de la musique.

Une fois les cours achevés, à l'été 1962, Janis quitte la Lamar Tech et se met en quête d'argent de poche. Elle remplit d'abord des enveloppes à domicile pour une société de routage. On la retrouve ensuite serveuse dans un autre bowling de Port Neches, où elle doit porter un uniforme des plus conventionnels et une coiffure « décente », ce qui la contrarie singulièrement. Elle compense en effectuant plusieurs virées de l'autre côté du fleuve, en Louisiane, avec son ami d'enfance Jack Smith. Tous deux vont s'encanailler dans des bastringues plutôt malfamés, comme le Gros Chêne, où la musique et l'alcool règnent. La violence aussi. C'est un univers moite et souvent tempétueux, parmi les durs à cuire, et où les armes ne sont jamais loin de la main. C'est sûr, Janis a un caractère bien trempé pour se fondre ainsi dans cette ambiance. Voilà qui forge le tempérament, les manières et le vocabulaire. Les soirées épiques se succèdent et Janis ouvre grand les oreilles dans ce nid à musique musclée.

Janis s'inscrit alors aux Beaux-Arts, à Austin. Contre l'avis de sa mère, elle réside dans le Ghetto, ainsi dénommé avec dérision par les étudiants proscrits. Cet ensemble de baraquements militaires en bois date de la Seconde Guerre mondiale. Les lieux, redivisés en studios, sont d'un confort plutôt fruste, mais les loyers ne dépassent pas les 40 dollars mensuels. Cette communauté n'héberge pas seulement des étudiants, mais aussi des routards et une foule de marginaux. C'est notamment là, en vase clos, que l'on croise les étudiants un tant soit peu branchés et fêtards, les insoumis et les anticonformistes colportant des nouvelles venues souvent de Californie. Une faune éclectique qui traîne dans les *hillbilly bars*, des établissements plutôt rustiques où l'on écoute une musique populaire, essentiellement folk et bluegrass, lors de *hootenannies* mensuelles, des spectacles à l'occasion desquels les chanteurs improvisent sur des thèmes imposés. Là, durant les nuits blanches, circulent autant des joints que de l'alcool. Et aussi le peyotl à mâcher à la façon des Apaches ou des Comanches. Janis est à l'affût de la moindre bringue organisée lors de ces longues nuits. Malgré sa timidité naturelle, elle aime ripailler, rire, parler fort et se lancer dans des discussions animées sur les sujets les plus variés. Son langage pour le moins coloré choque souvent l'auditoire, surtout du fait que ces mots sortent de la bouche d'une fille. Janis vit au présent, le cheveu fou et jamais maquillée, ne portant pas de soutien-gorge, insouciante du lendemain, mangeant n'importe quoi, n'importe quand, semblant ne jamais dormir. Elle fait l'expérience grisante d'une nouvelle indépendance.

Dans le Ghetto, Janis côtoie des cartoonistes comme Dave Moriarty et Gilbert Shelton, le futur créateur, en 1967, des trois défoncés Fabulous Furry Freaks Brothers, les Pieds Nickelés hippies. Chez le dessinateur, elle s'incruste durant plusieurs semaines. Shelton, étudiant en sociologie, consacre l'essentiel de son temps à produire des bandes humoristiques pour le magazine *Texas Ranger*, dont il est le très artisanal directeur artistique et surtout l'homme à tout faire. Il ne publie pas encore les dessins hallucinés qu'il fera paraître dans le *Los Angeles Free Press*. Les ventes de la revue servent avant tout à organiser d'intenses fêtes chahuteuses. Très concernée, Janis participe à la vente du journal à la criée. Le barbu Gilbert Shelton joue volontiers de la guitare dans diverses chambres du Ghetto, tandis que Janis chante et l'accompagne à l'autoharp, une sorte de cithare country que l'on blottit contre sa poitrine, une harpe miniature dont l'une des expertes est alors June Carter, future épouse de Johnny Cash. Sur des clichés, on les voit tous deux entourés de cadavres de canettes de bière jonchant le sol. Shelton encourage Janis à chanter du rock, mais celle-ci lui rétorque, presque outrée : « Ah ! non, *man*, je suis une chanteuse de folk[15]. » (Janis a très tôt adopté le tic de langage *man* pour apostropher ses interlocuteurs, hommes et femmes. Selon Jeanne-Martine Vacher, c'était là une façon d'« affirmer sa liberté femelle ». Ce tic de langage, très répandu parmi la jeunesse des années 1960, était emprunté à la communauté noire qui entendait ainsi rejeter le terme « boy » utilisé de façon méprisante à leur encontre par les Blancs.) Telle est pour l'heure son ambition dans l'ambiance enfumée des cénacles estudiantins. Elle rencontre ainsi des musiciens folk dont certains sont déjà gentiment ébouriffés. Shelton témoigne qu'à cette époque déjà, Janis était considérée comme une inadaptée sociale. Selon des versions parfois contradictoires, on a ainsi rapporté une anecdote savoureuse et finalement révélatrice des reparties cinglantes de Janis. Une nuit, lors d'une fiesta bien entamée, on aurait frappé à la porte et demandé, sur un ton alarmé : « Il y a une vieille femme qui semble sur le point de mourir à quelques pas d'ici. Vous savez ça ? »

Janis, pour épater la galerie, aurait alors répliqué : « Non, mais montrez-moi les accords et je vous le chante sans problème ! »

Poussée par la surprenante audace des timides, avec son côté rebelle, vêtue le plus souvent en Levi's, T-shirt noir et sandales mexicaines, Janis chante avec cran face à un public dissipé. Elle le fait souvent dans la confusion générale, en s'accompagnant elle-même à l'autoharp. Elle s'essaie même à la batterie. Elle parvient ainsi à chanter chaque mercredi soir au foyer des étudiants de l'Union Building, le Chuckwagon, se greffant au duo les Waller Creek Boys qui, de fait, devient les Waller Creek Boys Plus One, puisque décidément Janis semble destinée à toujours se retrouver comme un des garçons de la bande. La formation joue une musique folk tendance bluegrass, hillbilly, et possède le look *ad hoc*. Il y a Powell St. John à l'harmonica, à la guitare et au banjo, et Lanny Wiggins à la guitare basse ou lui aussi au banjo. Un des amis du groupe est un certain Travis Rivers, un homme marié appelé à recroiser la vie de la native de Port Arthur. Powell et Janis ont alors une brève liaison, mais la chanteuse aime déjà papillonner d'une aventure à l'autre. Avec sa gouaille, son énergie et son humour ravageur, avec sa voix déjà tranchante, Janis produit invariablement son effet malgré une relative gaucherie sur scène. Le trio devient vite le clou de ces soirées où se succèdent d'autres artistes amateurs souvent politisés. Au répertoire, figurent des chansons de Leadbelly, Bessie Smith, Jean Ritchie (chanteuse proche de Woody Guthrie et de Pete Seeger) ou encore de Rosie Maddox (une chanteuse de bluegrass et de country). Le blues reste minoritaire au profit du folk. C'est dans ce contexte que Janis va commencer à composer quelques chansons. Et c'est là aussi qu'elle est véritablement enregistrée pour la première fois (le jingle publicitaire n'étant qu'anecdotique), en décembre 1962, encore âgée de dix-huit ans, chez John Riney, sur un magnétophone Bell. Janis chante un blues de sa composition, intitulé « What Good Can Drinkin' Do ». Déjà une belle déclaration d'intention… Aussitôt après, toujours en décembre, mais cette fois au Threadgill's, avec Powell St. John et Lanny Wiggins, Janis est enregistrée par Roy C. Ames sur un Ampex portable. Les trois morceaux captés sont « Nobody Knows You When You're Down and Out », « St. James Infirmary » et « Walk Right In ». Le trio enregistrera encore six morceaux au même endroit, en 1963, grâce à Jack Jackson, puis sept autres au Ghetto. Quand il lui arrive de passer chez ses parents, à Port Arthur, Janis porte toujours une guitare, et chante même pour eux à l'occasion. Elle commence à jouir d'une certaine notoriété locale. Le journaliste Pat Sharpe, dans le *Summer Texan* du 27 juillet 1962, lui consacre un sujet intitulé « Elle ose être différente ! » :

> Elle va pieds nus quand l'envie lui en prend, porte des Levi's en cours car ils sont plus confortables, et trimbale son autoharp partout où elle va, au cas où elle éprouverait un urgent besoin de chanter. Son nom est Janis Joplin.

De mémoire d'homme, et même spécifiquement de marin, on n'a jamais vu une fille boire autant et surtout chanter comme cela, parfois seule, le plus souvent en mouvement, avec une voix pure, non encore éraillée par l'alcool, mais déjà puissante et persuasive. Le curieux trio continue de se produire régulièrement au Chuckwagon, puis surtout le jeudi soir — contre 2 dollars, de la bière Lone Star à volonté et l'autorisation de faire circuler un tambourin en tant que sébile parmi le public — au Threadgill's Bar and Grill, une station-service convertie en taverne western, où les Noirs ne sont pas encore spécialement les bienvenus. Un lieu sans estrade où l'on joue de la musique parmi le public depuis 1946, dans une ambiance libre et bon enfant, très populaire, pas seulement estudiantine, mais où la bière coule à flots. Kenneth Threadgill, le propriétaire, qui se laisse parfois aller à chanter à la tyrolienne du Jimmie Rodgers, sa lubie personnelle, a pris Janis en sympathie. Même si la môme lève trop souvent le coude à son goût, il est épaté par son culot et par son courage. Par son talent aussi. Janis et ce père par procuration resteront toujours proches.

Affronter le public sur scène n'est pas facile pour une femme à la fois timide et en situation de pionnière. Il faut de l'audace pour imposer sa voix dans une salle au brouhaha presque incessant, et à un public essentiellement constitué d'hommes. Janis doit se faire violence, solliciter son versant masculin, se désinhiber grâce à l'alcool qu'elle entrevoit comme un signe d'émancipation. Elle doit apprendre à affronter les garçons entre les sets, à élever le ton, et parfois même à donner du poing. Pour les plus machos des étudiants, cette attitude est risible. Plusieurs d'entre eux n'hésitent pas à se moquer d'elle, à railler son audace et ses attitudes, car elle reste assez crispée sur scène, les bras souvent ballants le long du corps. Pour eux, s'en souviendra Jim Langdon, Janis était « un mec comme les autres » ! Ce n'est pas l'idéal pour former un couple, ce qu'elle envie à la plupart de ses camarades du Ghetto. Elle ne parvient pas à établir la moindre relation sentimentale durable... sinon avec une de ses toutes premières amantes, la brillante et jalouse Julie Paul, avec laquelle les disputes sont fréquentes. L'esprit bravache et l'instinct d'indépendance de Janis rebutent les hommes. Certains n'hésitent pas à la caricaturer. Mais, l'hiver venu, un événement va profondément la meurtrir. Un geste de pure méchanceté, mais de vengeance aussi, à la suite d'une rixe au Threadgill's. Ce jour-là, lors d'une algarade, elle avait ridiculisé deux étudiants. En représailles, avec un cercle étroit de complices, ceux-ci vont se débrouiller pour lui décerner le titre de « mec le plus moche du campus ». Cet événement marque sa rupture définitive avec le Texas. À l'époque, Janis a pris du poids en raison de sa consommation d'alcool, et elle souffre toujours de sa maladie de peau qui marque son visage et lui donne un aspect grêlé. Aussi ne peut-elle pas prendre à la légère ce titre « honorifique », sinon de temps à autre, pour sauver la face devant quelques-uns. De plus, le résultat du vote est affiché un peu partout sur le campus, et la feuille de chou locale, le *Daily Texan*, s'amuse à répercuter l'anecdote... Après cette histoire, Powell St. John surprend Janis en larmes. Cet épisode, qui aurait humilié n'importe quelle jeune femme, va la traumatiser à jamais, et alimenter un complexe de séduction qui l'accable. Pour y remédier, elle multiplie les conquêtes masculines sans lendemain et trouve un refuge sentimental dans la compagnie des femmes. Une de ses futures grandes amies, Sunshine, dira :

> Je crois qu'elle était plus proche des femmes que des hommes. Ses relations avec elles étaient beaucoup plus intenses. Elle aimait profondément être avec des hommes, mais elle a toujours eu besoin d'avoir autour d'elle des femmes qui constituaient son point d'ancrage, ses repères essentiels. Elle avait besoin de rentrer à la maison et d'y retrouver la complicité, la parole des femmes. Je pense que s'il y avait eu, à l'époque, de très bonnes musiciennes, de bonnes instrumentistes, elle aurait aimé travailler avec elles[16].

Elle-même ne fait plus guère de distinction entre ses penchants masculins et féminins. Garçon ou fille, cela n'a plus d'importance à ses yeux. Même si Janis hésitera souvent à s'afficher en compagnie de ses *girlfriends*. Pour l'heure, les ligues féministes sont encore balbutiantes, mais Janis se montrera toujours circonspecte à leur égard, craignant, une fois la notoriété venue, d'être récupérée et de devenir le porte-étendard caricatural des organisations lesbiennes radicales.

Cette offense va demeurer une blessure indélébile, enracinée au plus profond de sa personne. Janis supporte si mal la cruelle plaisanterie qu'elle décide de tout laisser et de repartir pour San Francisco, la ville natale de deux de ses idoles : l'écrivain Jack London et la danseuse Isadora Duncan, celle-là même qui, dès le début du siècle, imposa au monde une conception révolutionnaire de la danse. Isadora Duncan fut ainsi la première femme à danser pieds nus et à refuser le port du tutu. Là-bas, se dit Janis, en Californie, les gens sont différents, plus ouverts, plus fraternels. Ils semblent partager une philosophie anticonflictuelle, radicalement différente de celle qui domine au Texas, même chez les jeunes. Et puis, là-bas, il y a la perspective encore floue dans son esprit de devenir une *vraie* chanteuse. Janis rédige une lettre poignante à l'attention de sa famille et décide de prendre la route. Sa vie bascule. Il n'est plus question d'obtenir un diplôme universitaire, mais d'accéder à une sorte de liberté encore mal définie. De cultiver son sentiment de rébellion. Mais pour passer à l'acte il faut un coup de pouce du destin. En l'occurrence, l'apparition d'un complice.

Un mercredi de janvier 1963, peu après minuit, après avoir chanté une dernière fois au Threadgill's, Janis prend la route en stop. Elle le fait en compagnie d'une récente connaissance du Ghetto, un grand échalas rouquin à larges lunettes, à barbe imposante et déjà très longs cheveux couleur d'or, Chester « Chet » Helms. Ce dernier, plutôt jovial, beatnik habitué à butiner de communauté en communauté entre la Californie et le Texas, a remarqué Janis à plusieurs reprises au Threadgill's. Il a noté avec quelle facilité sa voix donne le frisson à ceux qui l'écoutent, comment elle captive l'auditoire malgré ses maladresses de débutante.

Or il se trouve que l'oreille de Chet est très sûre. C'est lui qui sera le véritable découvreur de la chanteuse, et en quelque sorte sa bonne fée. Il sera aussi l'un des acteurs principaux de l'éclosion culturelle de la scène hippie dans la région de San Francisco au milieu des années 1960. En fait, dès cette époque, Chet Helms, grand fan de Howlin' Wolf et de Leadbelly, s'est déjà fait un nom en Californie, État où il s'est rendu en stop dès l'âge de dix-huit ans. C'est un agitateur-né, doué d'un charisme certain, toujours en avance sur les autres pour flairer l'air du temps. Sa description paradisiaque de la scène post-beat californienne a vite fait de convaincre une Janis prête à rejoindre n'importe quel pays de cocagne. Pragmatique à l'occasion, Chet sait aussi qu'il lui sera plus facile de faire du stop avec une fille à ses côtés, fût-elle le « mec le plus moche du campus »...

Pour Janis et tant d'autres filles et garçons de son âge, San Francisco — avec ses 750 000 habitants — fait figure de cité mirage. « C'était comme le pays d'Oz, le royaume de l'hédonisme », dira Paul Kantner du Jefferson Airplane. Cette ville de marins et de poètes, ouverte sur l'océan et empêtrée dans ses bosses, avec ses funiculaires à crémaillère, lui apparaît à la fois pittoresque et bienveillante à l'égard des baby-boomers en quête d'une vie de bohème. Des jeunes qui seront bientôt des milliers, en rupture familiale et culturelle, à migrer vers la côte Ouest. Là-bas — Janis a déjà pu le constater —, on se regroupe assis sur les trottoirs pour faire la fête autour de tambours et de guitares, pour boire et discuter et danser et chanter. Chet n'est qu'un vague copain, mais Janis est d'autant plus encline à le suivre qu'il a la réputation d'être bien introduit dans le milieu folk électrique de San Francisco.

Chet et Janis partagent le même goût pour la musique folk et les amphétamines, pour des écrivains comme Jack Kerouac et Allen Ginsberg, et ils veulent croire au rêve californien naissant. San Francisco n'est-elle pas la destination finale du *Sur la route* de Kerouac ? Durant leur périple de deux jours en stop, Chet et Janis font halte chez les parents du jeune homme, à Fort Worth, mais ceux-ci, des dévots fondamentalistes à l'esprit étriqué, sont horrifiés par leur allure de clochards — fort peu célestes à leur goût... — et par leurs projets chimériques. Le ton monte et les deux aventuriers reprennent aussitôt la route, un peu avant minuit. Deux jours plus tard, dans un état lamentable de hobos crottés et dépenaillés, sans avoir dormi tant ils étaient pressés de fuir, ils atteignent le quartier de North Beach, penché vers la mer. Domaine des immigrants italiens et français, à l'origine, le secteur est devenu l'équivalent du Quartier latin parisien, avec ses artistes, ses étudiants fêtards et ses intellos un temps *hipsters* (c'est-à-dire branchés), puis beat, puis post-beat, puis pré-hippies. Le phénomène des soirées *jazz and poetry* a débuté ici, au milieu des années 1950. Afin d'attirer des filles, on placardait souvent, comme à New York, un petit panonceau où était écrit à la main : *Welcome girls of the beat generation (14 to 40)*. Bienvenue aux filles de la beat generation, âgées de quatorze à quarante ans...

Afin d'épater Janis — et après un bain salvateur chez son ami bassiste David Freiberg —, Chet se débrouille pour la faire chanter le soir même de leur arrivée. Janis interprète alors une poignée de chansons plutôt country au Fox and Hound de Lee Fraley, qui va très vite devenir le Coffee and Confusion de Sylvia Fennel, comme le révèle sur son site, photo à l'appui, Dave Archer, l'ancien portier des lieux. Une *coffeehouse* à l'ambiance débridée, arrimée au 1339 Grant Avenue. Les *coffeehouses* sont des établissements à la croisée du café enfumé et de la salle de spectacle où, pour le prix d'un simple soda, on peut jouer aux échecs et participer à des conversations enflammées. On peut surtout assister à un spectacle improvisé, musical ou poétique. Les patrons des night-clubs, irrités par cette concurrence à leurs yeux déloyale, n'hésitent pas à faire intervenir la police dans le but d'empêcher l'éclosion de ces lieux qui commencent à leur nuire. Ils se plaignent du tapage nocturne, ou prétendent qu'on y vend de l'alcool sans patente.

Chet connaît effectivement beaucoup de monde. Janis est rassurée, même si, les premiers soirs, elle doit se résoudre à dormir par terre ici ou là. En attendant, la voici dans ce bar enfumé, pour une courte prestation en catimini, où elle chante l'une de ses propres compositions, « Stealin' Stealin' ». En dépit de la fatigue, elle parvient à décrocher des applaudissements enthousiastes, sans doute parce qu'elle est la première femme blanche à oser chanter dans le style blues de Bessie Smith. Janis réussit même le bel exploit de grappiller une somme mirobolante de plus de 50 dollars en passant le chapeau. Il n'en faut pas davantage pour qu'elle soit conquise par cette ambiance chaleureuse, fraternelle et affranchie.

En 1953, Peter D. Martin, *alias* Shig, et le poète Lawrence Ferlinghetti ont ouvert la librairie City Lights Books, au 261 Columbus Avenue. Ils créèrent rapidement la maison d'édition du même nom. Depuis lors, c'est le point de ralliement des poètes beat et de nombreux écrivains post-beat édités à cette enseigne. Janis assiste parfois à des lectures publiques. Elle découvre les poètes e.e. cummings — dont le nom sans majuscules l'intrigue —, John Clennon, Gregory Corso et Gary Snyder. Toujours lectrice passionnée, elle découvre des écrivains tels que Friedrich Nietzsche et Hermann Hesse *(Le Voyage à l'Est)*. Parmi ses livres fétiches, figure le roman *Jude l'obscur* de l'anticonformiste Thomas Hardy, ouvrage à scandale, jugé indécent et irréligieux au moment de sa parution en 1895. Janis fait aussi la découverte des lettres et poèmes de l'Anglais Wilfred Owen, un auteur jamais publié de son vivant mais très vite devenu une sorte de « classique » de la littérature britannique, après sa mort au front en novembre 1918, sur les berges du canal de la Sambre, dans le nord de la France, à l'âge de vingt-cinq ans, sept jours avant l'Armistice. Janis est particulièrement fascinée par ce chant antimilitariste « à la fois sombre et lumineux, lucide et déchirant », habité d'une compassion pour l'homme meurtri, humilié, dépassé par son destin :

> Et quand j'écoute la Terre, elle dit :
> Mon cœur de feu s'éteint dans la douleur. C'est la mort.
> Mes vieilles cicatrices resteront sans gloire
> Et mes larmes titanesques, les mers, rien ne les séchera[17].

Après de telles découvertes littéraires et musicales, le Texas paraît soudain à Janis comme une planète étriquée, perdue dans l'infini le plus nébuleux. Elle a trouvé son monde, celui auquel elle aspirait plus ou moins consciemment. Un monde plus respectueux à son égard, où nul ne critique sa conduite scabreuse ou sa façon débraillée de s'attifer. Tout le monde ici lui semble original et ouvert sur les autres. Grâce au soutien de Chet Helms, toujours, Janis se produit dans d'autres salles qui ne paient pas de mine. On la voit régulièrement à la Coffee Gallery de Leo Siegler, sur Grant Avenue. C'est là que l'entend pour la première fois Nick Gravenites, un de ses futurs compositeurs, ainsi que Bobby Neuwirth, qui vont devenir de très proches amis. Elle fait aussi la rencontre d'une serveuse de la boîte, Pat Nichols, une métisse Menominee que chacun s'accorde à appeler Sunshine (un des surnoms du LSD). Cette jeune fille, âgée de quatorze ans, a vécu plusieurs étés dans une réserve indienne du Wisconsin. Alors éprise de George Hunter, le fondateur des Charlatans, elle va rester l'une des principales amies de Janis jusqu'à sa mort. Elle a connu de sérieux problèmes durant son enfance, dus au racisme, bien sûr, mais aussi au fait que, dès l'âge de treize ans, elle était mère d'un fils qu'elle dut laisser à une famille d'adoption.

Il arrive à Janis de se produire aux côtés de musiciens pour l'heure encore inconnus, mais destinés à bientôt fréquenter les chemins de la célébrité, comme David Crosby (des Byrds), Martin Balin (futur Jefferson Airplane), David Freiberg (futur Quicksilver Messenger Service), Tim Hardin ou encore James Gurley, son guitariste en devenir au sein de Big Brother and the Holding Company. La scène psychédélique de San Francisco est en gestation dans ce quartier. Janis fréquente aussi l'Anxious Asp, un bar pour lesbiennes de North Beach, où elle noue une liaison durable avec une jeune Noire. Par ailleurs, toujours attentif, Chet Helms lui fait rencontrer le guitariste Jorma Kaukonen, avec lequel elle travaillera bientôt.

Mais Janis va peu à peu s'affranchir de Chet Helms, pas forcément le bienvenu dans l'univers strictement féminin où évoluent ses nouvelles relations. Elle chante dans différentes *coffeehouses* de North Beach, le plus souvent seule et a *cappella*, d'une voix puissante, ou en s'accompagnant à l'autoharp. Elle interprète surtout des morceaux folk, mais aussi des titres blues au tempo assez lent, tirés du répertoire de Bessie Smith, ainsi que des chansons de Ma Rainey, dite la « Mère du blues » et figure majeure du blues rural au sud des États-Unis. Janis est très intéressée par ce type de femmes qui se comportent comme des hommes, dans leur « combat quotidien pour la scène (qu'elles doivent disputer à des collègues masculins)[18] ». Côté folk, elle chante à l'occasion avec le duo Roger Perkins et Larry Hanks, et avec Billy Roberts, l'auteur de « Hey Joe ». En compagnie de ces joyeux drilles et d'un certain Gert Cherito, elle interprète deux titres — « Black Mountain Blues » et « Columbus Stockade » — le 18 janvier 1963, dans les locaux de la radio communautaire KPFA de San Francisco.

C'est à cette époque que deux de ses futurs musiciens au sein de Big Brother and the Holding Company, Peter Albin et Sam Andrew, ont l'occasion de la voir pour la première fois. Ils remarquent certes ses qualités vocales, mais également le fait qu'elle ne porte pas de soutien-gorge, ce qui est encore d'une audace rare. Dans un premier temps, ils la voient surtout comme une paumée autodestructrice. Pour eux et d'autres habitués du quartier, elle est une sorte de *speed freak*, essentiellement préoccupée de tester des produits comme les amphétamines et la méthédrine (l'« accélérateur »), sans négliger tout un assortiment d'alcools. En fait, dans l'euphorie de sa liberté nouvelle, Janis ne résiste pas aux tentations. D'ailleurs, elle n'en a nullement l'intention. Cet abus de boisson et de drogues va détériorer sa santé et tenir Chet Helms à distance pour un temps, lassé de lui conseiller la prudence. Toutefois, il a remarqué que des responsables du label RCA Victor rôdent dans les parages, attirés par son talent, avant qu'ils ne s'éclipsent devant sa personnalité à leurs yeux ingérable.

Pour la première fois, Janis est attirée par l'héroïne, le *smack*, qu'elle voit naïvement comme un antidouleur et un catalyseur d'énergie. Aux abois, elle vit dans un sous-sol sordide sur Sacramento Street. Les temps deviennent particulièrement maussades. Les points de repère et les perspectives d'avenir s'estompent. Le 2 février 1963, à Berkeley, affamée ou en manque, Janis est arrêtée pour vol à l'étalage. Une photo anthropométrique, immatriculée 19433, figure dans les archives de la police. Janis se retrouve donc fichée. Elle enchaîne les aventures, surtout avec des femmes, comme Linda Gottfried, impressionnée par sa façon de travailler par-dessus des airs diffusés à la radio, ou même, en de rares occasions, dans des églises où elle étudie la façon de chanter le gospel. Ou comme la noire androgyne Jae Whitaker, à laquelle Janis révèle qu'elle a l'impression d'être la réincarnation de Bessie Smith.

Mal en point et presque déchue, Janis s'approprie l'esprit du blues, musique du vécu qui, bizarrement, lui vaudra aussi d'être comparée à Édith Piaf, dont elle écoute passionnément les disques chez son ami collectionneur Kenai, ancien assistant de François Reichenbach. Une citation de Frank Sinatra semble alors taillée sur mesure pour elle : « En fait, je suis pour tout ce qui peut aider à survivre un jour de plus, que ce soit une prière, des tranquillisants ou une bouteille de Jack Daniel's[19]. » Janis aurait tout juste remplacé la marque d'alcool par Southern Comfort...

Durant l'été 1963, Janis apparaît discrètement au Monterey Folk Festival, à l'écart de la scène principale. Remarquée cependant par une compagnie de disques, elle manque l'opportunité, saoule, victime d'un accident de Vespa qui la fait passer par la case hôpital. Ensuite, elle est sérieusement blessée à la mâchoire lors d'un combat de rue avec un motard. Janis finit même par devenir indésirable à la Coffee Gallery où elle déclenche plusieurs fois de violents esclandres. Avant que l'acide n'envahisse la Californie, les amphétamines font de sérieux ravages, mais cette drogue n'est pas encore déclarée illégale. Explorer l'inconscient semble un but à atteindre, notamment parmi les artistes et les étudiants. Janis, de son côté, est persuadée que pour chanter le blues il faut connaître des épreuves, faire l'expérience de la douleur et multiplier les excès. La technique seule ne suffit pas. De toute façon, rien n'est facile pour la jeune Texane, le public n'est pas prêt à adopter une chanteuse puissante et rauque comme elle, qui n'entend faire aucun compromis. La mode est plutôt aux voix pures et lisses comme celles de Joan Baez ou de Judy Collins, des chanteuses que Janis juge mielleuses, fades, et qu'elle qualifie de « saccharine pap », c'est-à-dire de « bouillie édulcorée ».

Le président John Fitzgerald Kennedy est assassiné le 22 novembre 1963, à Dallas, au Texas. Un État très hostile à ses idées. Un État qui, dans l'inconscient collectif, devient l'assassin du Président. En somme, un État méprisé dans le reste du pays. Mais Lyndon Johnson, pourtant sénateur du

Texas, devient le nouveau Président. Ce même jour exactement, victime d'un cancer, disparaît le romancier visionnaire Aldous Huxley. Le moment était peut-être venu pour le prophète de la révolution psychédélique d'accéder au meilleur des mondes possibles.

Janis partage son modeste refuge avec des amies qui se succèdent à cadence rapide. Par esprit de fronde et pour provoquer les bien-pensants, elle continue de fréquenter des lesbiennes jadis rencontrées à la fac de Beaumont et au Ghetto, où elle confia à quelques proches avoir *décidé* de devenir homosexuelle. Elle refuse néanmoins de s'enfermer dans un cercle trop restreint. D'autant que la société, même dans les milieux progressistes, ne se montre guère tolérante à l'égard de l'homosexualité. Le Gay Liberation Front ne sera constitué qu'en juillet 1969, avec son journal *Come Out* en novembre. Janis, de toute façon, ne peut vivre sans rapports physiques avec les hommes, qui restent prioritaires, surtout lorsqu'ils sont plus jeunes, plus fragiles, et qu'elle domine la situation. Comme elle se retrouve peu à peu écartée du circuit des *coffeehouses*, elle commence à vivre de petits boulots — notamment à l'American Can Company —, de resquilles diverses, et même de la quête quand on accepte encore de la laisser chanter. Elle en est réduite à vivre d'aides publiques grappillées ici ou là. Mais Janis ne désarme jamais complètement et s'organise pour ouvrir un compte en banque qu'elle tient scrupuleusement à jour, ce qui est assez surprenant quand on considère sa marginalité à cette époque.

À la fin de l'année, Janis est de retour en famille à Port Arthur. Même si elle s'éloigne chaque jour davantage du monde texan et de la plupart de ses connaissances locales qui ont, dans la plupart des cas, adopté des vies bien rangées, elle ne coupe jamais les ponts avec ses parents. Plus tard, devenue célèbre, elle gardera même l'habitude d'appeler sa mère ou de lui écrire, généralement dans les périodes d'enthousiasme, comme si elle voulait lui prouver qu'elle est sur la bonne voie, qu'elle réussit et qu'elle vit des moments hors du commun.

Le 9 février 1964, les Beatles sont invités au Ed Sullivan Show et créent une véritable onde de choc aux États-Unis devant 73 millions de téléspectateurs. En avril, les cinq premières places du Top des 45 tours sont occupées par des chansons du groupe de Liverpool. L'heure est à l'invasion anglaise, la British Invasion, sur les brisées des Beatles. Le record d'audience est pulvérisé à la télévision américaine, et d'autres groupes anglais comme les Rolling Stones, les New Animals d'Eric Burdon, les Who, les Kinks, Cream et Led Zeppelin vont s'engouffrer dans la brèche et gravir les hit-parades. Mais, à leur tour, ils seront influencés, lorsque l'explosion psychédélique se produira en Californie.

À l'université de Berkeley, à l'est de la Baie, apparaissent de nouveaux mouvements contestataires, entre autres inspirés par les chansons de Bob

Dylan et des auteurs de *protest songs*. Les étudiants de Berkeley ne se mêleront qu'avec circonspection aux hippies de la Baie, pas assez politisés à leur sens et trop portés vers les plaisirs de l'instant présent. Certains étudiants branchés vont toutefois décider de rebaptiser leur université « Trip City ».

Du côté de Los Angeles, des groupes atypiques et anticonformistes, comme Frank Zappa and The Mothers of Invention, par exemple, commencent à faire leur apparition, tandis qu'en Angleterre une lutte virulente fait rage entre mods, élégants élitistes à scooter, et rockers, nostalgiques des années 1950.

Après avoir économisé quelque argent en travaillant une nouvelle fois comme perforatrice durant l'été 1964, Janis entreprend une expédition à New York avec son amie Linda Poole. Mais très vite l'alcool et les drogues mènent le bal. Les deux femmes partagent un appartement avec un acteur homosexuel, Ken Hill, et une autre amie, Andy Rice, dans le Lower East Side, un quartier alors comparable au Haight-Ashbury de San Francisco, du moins par sa faune. Janis, durant cette période de grande confusion relationnelle, se lie à un couple, Edward et Janice Knoll, auquel elle impose la présence d'une nouvelle amie, Adrianne. Janis chante occasionnellement du folk blues au Slug's, un club sans envergure de Greenwich Village. La plupart du temps, elle reste enfermée avec ses amis à se défoncer aux amphétamines. Heureusement, l'expérience tourne court et Janis revient à

San Francisco en septembre, après un crochet par Port Arthur.

Elle s'installe d'abord dans un meublé crasseux sur Geary Street, qu'elle partage un temps avec Linda Wauldron, l'une de ses maîtresses noires. Elle retrouve aussi son fidèle ami beat Kenai, celui-là même qui lui a fait découvrir Édith Piaf et qui loge près de la Coffee Gallery où il travaille. Elle se rend fréquemment chez lui pour participer à des fêtes dans son appartement transformé en quartier général et où traînent notamment Mike Bloomfield et David Crosby, avec lequel Janis chante ici et là, le soir, en faisant passer le chapeau. Kenai, qui fait pousser de l'herbe magique sur son balcon, se rend compte que ses amis passent rapidement aux amphétamines puis, dans certains cas, à l'héroïne. Janis, qui ne sait pas résister, estime qu'elle traverse une phase de découvertes. Pour se le permettre, elle doit vendre de la dope dans les rues, et traquer le chaland dans des lieux glauques. Elle touche le fond, vit au jour le jour, et en est réduite à manger à la cantine de l'Armée du Salut. On la voit traîner dans des parcs avec un ramassis de paumés. Elle dépérit lentement mais sûrement.

Elle commence alors une dépression nerveuse. L'année de sa mort, Janis avouera à la chanteuse Bonnie : « Moi, j'étais même pas chanteuse avant de le devenir. Je vendais de la dope et je traînais dans les rues à la recherche d'un endroit où pioncer et d'un mec à baiser. [...] J'ai toujours voulu être une beatnik[20]. » Plus une beatnik qu'une hippie, en fait, comme elle le précisera plus tard sans ambages :

> Je ne suis pas une hippie. Les hippies pensent que le monde pourrait être meilleur. Les beatniks, de leur côté, croient qu'il ne peut pas s'améliorer et l'envoient dinguer en se contentant d'être défoncés et de prendre du bon temps[21].

Une déclaration qui, sur le coup, en laissera plus d'un pantois, surtout parmi son public le plus acquis. Janis Joplin se défendant d'être une hippie ! Elle fera plusieurs autres remarques assez peu en phase avec un mouvement que, pour certains, elle personnifie, voire qu'elle incarne.

Janis partage bientôt un autre appartement, en sous-sol et sans fenêtre, sur Baker Street, avec Linda Gottfried. Un jour, elle reçoit une visite impromptue. Son père, inquiet du sort de sa fille, vient la voir à San Francisco. Il ne porte aucun jugement réprobateur sur le mode de vie de sa fille, même s'il le désapprouve. Il réalise que Janis est engagée dans une voie contraire à celle qu'elle aurait empruntée à Port Arthur. Mais il va respecter ce choix, alors que Dorothy Joplin rêve toujours de voir son aînée devenir institutrice, ou même secrétaire. Après le départ de son père, Janis sombre dans la déprime en constatant à quel point les choses n'ont guère évolué depuis son arrivée à San Francisco. Elle n'est qu'une chanteuse de hasard, à peine tolérée dans les bars du voisinage. Son ami George Hunter, persuadé d'aller au-devant des ennuis, décline sa proposition d'intégrer le groupe les Charlatans. Il est certain que Janis est incapable de résister aux tentations qui l'éloignent de son art. Elle se sent perdue, accro aux drogues et à l'alcool. Entourée de gens qui partagent le même problème, elle court droit au précipice.

Janis retrouve alors une amie connue à North Beach durant la sale période des *coffeehouses*, Pat Nichols, dite Sunshine. Un surnom qui sonne particulièrement bien, alors que survient la mode des sobriquet extravagants. Elle apprécie beaucoup cette jeune femme aussi rigolote que son pseudonyme, et qui deviendra plus tard — avec Suzy Perry et Linda Gravenites — l'une de ses amies les plus intimes au sein d'un quatuor d'amazones délurées et provocatrices, les Capricorn Ladies, nées sous le même signe astral. En compagnie de Sunshine, qui partage sa passion pour la lecture, la boisson et les fantaisies vestimentaires et verbales, Janis prend de l'héroïne et continue de vendre des amphétamines pour survivre.

Janis se prend par ailleurs d'une nouvelle passion pour Billie Holiday, une chanteuse de blues noire, surnommée « Lady Day ». Née à Baltimore, Billie Holiday a disparu en 1959, à l'âge de quarante-quatre ans. Elle aussi a souffert de se sentir *the loneliest girl in the world* ! C'était une adepte de l'alcool, de l'opium et de l'héroïne, traquée par les forces de l'ordre. Une chanteuse toute en fulgurances et languide à la fois, qui a su « instrumentaliser » sa voix, ce qui fascine Janis. Billie Holiday lui donne le goût des big bands et des cuivres.

L'écrivain Ken Kesey est l'auteur baroudeur de *Vol au-dessus d'un nid de coucou.* Ce roman à succès, paru début 1962, sera porté à l'écran dès 1975 par Milos Forman, avec une éblouissante interprétation de Jack Nicholson. Très vite devenu célèbre, Ken Kesey organise de « survitaminées » fiestas musicales entre dopeniks dans sa villa isolée dans les collines de La Honda. Là seront initiés aux hallucinogènes de nombreux artistes (comme Jerry Garcia) et étudiants, ainsi que divers aventuriers comme Neal Cassady. Et même les Hell's Angels proches de Hunter Thompson, invités là le 7 août 1965 (date devenue historique) par la communauté des Merry Pranksters (les joyeux drilles ou gais lurons) pour leur faire découvrir un nouveau produit, le LSD. Sans doute dans le but de les « pacifier »... À la fin des années 1950, Kesey (contre 20 dollars la séance) a payé ses études en tant que cobaye pour le Menlo Park Veterans Hospital, un établissement chargé d'expérimenter les drogues hallucinogènes. Mais, à l'été 1964, il s'embarque dans un poussif bus de ramassage scolaire, un International Harvester 1939 acheté d'occasion, avec les Merry Pranksters, la première véritable cellule psychédélique américaine, avec sa communauté, la Hog Farm de Ken Babbs et Wavy Gravy. Le véhicule est nommé Furthur, contraction des mots *further* (plus loin) et *future.* Après avoir repeint le bus à la peinture phosphorescente Day-Glo dans les tons les plus criards (jaune vif, vert pomme et rose pétant) par des artistes bien allumés, et avoir tendu des bâches affichant « Acid Test Graduation » sur les flancs de la guimbarde, l'écrivain part sillonner les routes du pays. Le but est d'inciter le public à tenter l'expérience de l'acide (« Electric Kool Aid Acid Test »), encore légalement toléré jusqu'en octobre 1966. Il est donc prévu de porter la « bonne nouvelle » un peu partout, notamment dans les facs et collèges, jusqu'à la côte Est et New York. On organise ainsi des *acid parties*, des sessions de consommation collective de LSD, cette « vitamine cérébrale », selon l'expression d'Allen Ginsberg. Ken Babbs et Neal Cassady — en quelque sorte le passeur de témoin entre beatniks et hippies — sont les chauffeurs hallucinés de cette expédition rejouant une version déjantée du *On the Road* de Kerouac. Le FBI, engagé de 1956 à 1971 dans le Cointelpro, un programme visant à neutraliser les dissidents politiques, va suivre de très près cette aventure rocambolesque. Le précieux scribe de cette affaire sera Tom Wolfe, le dandy reporter et auteur du *Bûcher des vanités*, mais surtout de *Acid Test*, livre qui évoque à la fois l'univers des Freak Brothers et celui des Merry Pranksters.

Durant quelques semaines, fin 1964 et début 1965, Janis chante à l'occasion avec l'« Homme aux chicots », le libertaire Jorma Kaukonen, brillant guitariste de blues d'origine finlandaise, fan de Muddy Waters, de Jimmy Reed et du révérend Gary Davies. As du *fingerpicking*, Kaukonen rejoindra le Jefferson Airplane de Paul Kantner courant 1965, puis formera en 1969 le brillantissime trio Hot Tuna. Pour l'heure, Jorma donne des cours de guitare à Bob Weir, futur membre majeur du Grateful Dead (groupe d'abord connu sous le nom des Warlocks). Mais Janis apprend beaucoup de choses en sa compagnie. Elle se produit dans des petits clubs de la Baie, comme le Shelter, répétant souvent des morceaux de blues dans l'appartement du guitariste. Il existe d'ailleurs une passionnante bande enregistrée, datant du premier trimestre 1965, comportant une version du « Trouble in Mind » de Richard M. Jones. Cette version, enregistrée chez Kaukonen, est surnommée la « Typewriter Tape ». On entend en effet distinctement Margaretta Kaukonen taper à la machine à écrire, dans la même pièce, quasiment en rythme derrière la voix de Janis et la guitare de Jorma ! L'effet produit est incroyablement littéraire, et très beat dans l'esprit. On pourrait presque imaginer Jack Kerouac constituer le troisième membre de ce trio en chambre !

Un événement nouveau va précipiter les choses. Depuis la fin 1964, Janis fréquente un jeune homme dont tout le monde tait le nom, prétendument issu d'un milieu aisé. Il répète à qui veut l'entendre qu'il a vécu en Europe et au Canada. Il s'agit en fait d'un mythomane qui brode sans cesse d'invraisemblables histoires. Tous ceux qui l'ont côtoyé à cette époque brossent un portrait différent du personnage. Mais Janis ne semble pas se rendre compte à qui elle a affaire. Avec lui, elle poursuit son expérimentation des drogues, jusqu'à ce qu'il se retrouve lui-même sur le flanc, à l'hôpital, victime de terribles hallucinations. Janis n'est guère plus vaillante physiquement après ces voyages chimiques. Traînant dans les parcs et les hôtels minables, faisant halte dans des chambres meublées ou des taudis en sous-sol, elle s'enfonce dans un trou noir dont elle ne voit plus l'issue. La chanteuse Janis Joplin est sans avenir. Chanter le blues lui semble réservé aux Noirs. Inutile d'insister. Retourner à Port Arthur représenterait sans doute un terrible échec, mais sa famille semble la seule échappatoire possible au cauchemar qu'elle s'est forgée. Elle écrit alors une lettre déchirante, adressée à son père, où elle avoue avoir perdu toute foi en Dieu et considérer la vie comme une mauvaise plaisanterie. L'invraisemblable fiancé, qui prétend à la fois être diplômé de l'université McGill et être un ancien militaire français lors de la guerre d'Algérie, lui apparaît comme une bouée de secours, mais c'est une bouée percée selon l'avis des proches de Janis. Qui le rejettent tous.

Sans grand espoir et de manière artisanale, Janis enregistre quatre morceaux dont « Black Mountain Blues » et « River Jordan », un gospel lui rappelant sans doute la chorale de son enfance. Ces titres figureront sur le double album posthume sobrement intitulé *Janis*. La chanteuse est accompagnée par une obscure formation style Dixieland, le Dick Oxtot Oakland Athletics Jazz Band. Le groupe joue du banjo, du tuba, du violon, du trombone et de la clarinette. La voix de Janis sonne plutôt country, avec des accents traînants, à la fois purs et métalliques, rappelant parfois Bessie Smith, notamment sur le titre « Mary Jane ».

En février 1965, l'activiste Malcolm X, le leader du Black Nationalist Party, est abattu après avoir quitté les Black Muslims pour fonder l'OAAU, l'Organisation de l'unité afro-américaine. Il avait alors osé déclarer, et qui plus est dans *Playboy* :

> Le Christ n'était pas blanc. Le Christ était noir. On a forcé le pauvre nègre à croire que le Christ était blanc pour lui faire vénérer l'homme blanc[22].

Parallèlement à ses problèmes récurrents de racisme, la société américaine fait face à un autre fléau. La guerre au Viêt-nam, à laquelle les Américains sont mêlés depuis mars 1962, s'est considérablement intensifiée en 1964. Au lieu de s'en tenir à leur rôle de « conseillers militaires », les Américains commencent à bombarder le pays et à y dépêcher des troupes qui rassemblent bientôt 250 000 hommes. Aux États-Unis, de nombreuses forces de résistance pacifistes — notamment dans les milieux estudiantins frappés par la conscription — se liguent pour dénoncer cette guerre inutile. Une foule de jeunes gens se retrouvent du jour au lendemain dans des camps d'entraînement au Kentucky, puis sont jetés dans une jungle étouffante en Asie.

Amaigrie, émaciée, gavée d'amphétamines, catatonique, terrifiée par son propre état, Janis tente de se faire admettre en mai au San Francisco General Hospital. En vain. Elle a beau hurler qu'elle a parfois la sensation de sombrer dans la démence, les soignants n'en croient rien. Il est vrai qu'à cette époque nombre de paumés tentent de se faire interner quelque temps, ne serait-ce que pour manger à leur faim et se procurer un gîte convenable. Certains cherchent aussi à échapper de cette manière aux drogues.

Janis continue donc à fréquenter son élégant « fiancé », le beau parleur devenu dealer sans scrupule, qui travaille en fait pour une filière dont la tête de pont se trouve au Canada. Elle le suit brièvement jusqu'à Seattle, dont il est originaire. Sunshine et Linda Wauldron ont alors la présence d'esprit de récupérer ses affaires abandonnées, Janis étant partie sur un coup de tête. La voilà amoureuse, du moins cherche-t-elle à le croire, au point de vouloir épouser le redoutable aventurier. Une idylle placée sous le coup de la dépendance et du désespoir.

En même temps, Janis, qui n'entrevoit plus la moindre perspective d'avenir, se décide à lutter contre son asservissement aux drogues. De retour à San Francisco après avoir momentanément laissé son fiancé et ses affaires louches à Seattle, repentante, humiliée, elle en est réduite à faire la manche auprès de ses relations pour se payer un billet de retour en car vers le Texas. Persuadé que Janis doit s'éloigner au plus vite des menaces qui planent sur elle, Chet Helms organise en mai une curieuse frairie dont les bénéfices doivent faciliter le rapatriement de Janis. La voilà donc revenue pour plusieurs mois chez ses parents. En constatant l'état lamentable dans lequel leur fille aînée revient de Californie, la peur les gagne. L'héroïne, la méthédrine, le speed, la malnutrition et le stress l'ont beaucoup amaigrie. Son comportement est erratique, hors de contrôle. Elle pèse à peine plus de quarante kilos pour un mètre soixante-cinq. Désormais, elle porte des habits aux manches longues afin de dissimuler les traces d'aiguille sur ses bras.

Pour Janis, cette situation d'échec est humiliante et très difficile à assumer vis-à-vis de sa mère triomphante. Ce retour à la case départ signifie qu'elle s'est bercée d'illusions, qu'elle a cru en un mirage. Plusieurs mois vont lui être nécessaires pour refaire surface, avec l'aide d'un psychologue. Par ailleurs, Janis prend conscience qu'elle peut toujours compter sur sa famille, sorte de soupape de sécurité. Elle ne l'oubliera jamais. Ce sentiment de reconnaissance l'empêchera toujours de rompre avec les siens. Contrairement à Jim Morrison qui, lui, coupera les ponts avec sa famille, au point de se déclarer orphelin dans certaines interviews.

Janis tente alors d'adopter la vie rangée d'une fille de bonne famille, portant des talons hauts, adepte de la canasta et prête à embrasser une nouvelle fois une carrière de perforatrice. Elle cherche à devenir son propre négatif, allant jusqu'à reprendre les autres lorsqu'ils emploient un langage incongru ou s'ils lèvent le coude trop facilement. Un comble ! Près de sa sœur attentive, elle porte à nouveau le chignon ou adopte une coiffure en forme de ruche. Voilà qu'elle se maquille comme les pimbêches du voisinage, et s'habille de façon ultraclassique. Sevrage total. Souffrance aiguë. Abandon de toute ambition artistique. Elle se prend à jouer à des jeux de société pour renouer quelques liens avec des gens insipides et dépourvus de conversation. Elle fume d'une main tremblante, fait des efforts inouïs pour correspondre à la norme sociale, mariage compris, et se transformer en ce qu'elle ne sera jamais. Port Arthur est bâti pour ceux qui respectent la norme. Pas pour les indociles ou les déviants. Elle ne le sait que trop bien.

Janis annonce en effet à ses parents qu'elle veut se marier avec le curieux fiancé... lequel est déjà engagé par ailleurs. Elle se lance dans la constitution de son trousseau et se soumet aux recommandations morales de sa mère. Elle écrit chaque jour au bien-aimé. Parallèlement, elle reprend avec amertume et sans conviction ses études à l'université Lamar, en sociologie et histoire cette fois, ne se liant à quiconque. Mais le soi-disant « fiancé » se fait rare du côté des raffineries, quoiqu'il ait officiellement demandé la main de Janis lors d'un voyage éclair. Tandis que Dorothy confectionne une robe de mariée, le mythomane se volatilise, prétextant un deuil dans sa famille. Pour Janis, l'affront est terrible. À nouveau humiliée, elle se fait à l'idée qu'elle ne pourra décidément jamais vivre comme les autres jeunes de sa ville, mais ne veut plus être une beatnik. Elle s'obstine à intégrer un milieu qui n'est pas le sien. Ses rares amis sont mariés ou exilés en Europe. Les autres sont rebutés par son attitude renfrognée et dépressive. Elle n'a même plus le goût de se lancer dans des affaires de sexe. Elle consulte un thérapeute plein d'intuition, Bernard Giarratano, qui affirme que, dans son cas, croupir à Port Arthur n'est sûrement pas la meilleure solution à long terme. Elle doit trouver une échappatoire, et seul le chant peut lui permettre de rebondir, de retrouver un minimum de dignité. Peu à peu, quoique crispée, on va donc la voir réapparaître dans les bars et les *coffeehouses* de Beaumont et d'Austin. Pour y chanter. Et pour y boire aussi.

Pendant ce temps, à San Francisco, Sam Andrew élargit ses horizons musicaux. Il écoute du jazz et du blues, mais aussi de la musique classique (Telemann, Schütz, Bach...) et du rock. Très tôt durant son adolescence, il avait formé un groupe, les Cool Notes, qui jouait du doo-wop. Fils d'un officier de l'armée de l'air, il a pas mal bourlingué à travers le monde, notamment au Japon et à Paris, en 1963 et 1964 — il parle ainsi une demi-douzaine de langues.

Par une belle journée du printemps 1965, le jeune guitariste déambule nonchalamment dans le quartier de Haight-Ashbury, communément appelé « Hashbury » en référence à la drogue. Soudain, il est stoppé net par le son d'une guitare provenant d'un immeuble victorien. Cette façon savoureuse de jouer le blues, un peu à la façon de John Lee Hooker, le séduit irrésistiblement. Sam entreprend aussitôt de repérer d'où provient cette musique. Bientôt, il gravit un escalier jusqu'au dernier étage de l'immeuble et frappe à une porte. Un type de son âge, au regard de jais et portant les cheveux longs, l'accueille dans une vaste pièce. Il se nomme Peter Albin. C'est un garçon au regard ténébreux, mais aux manières très décontractées, qui a pris l'habitude de jouer des heures durant, allongé sur son lit autour duquel traîne une palanquée de disques. Le courant passe immédiatement entre les deux fondus de musique. Sam propose sur-le-champ à Peter de créer un groupe. Sans ce coup du destin, sans la curiosité du jeune promeneur, il n'y aurait sans doute jamais eu de Big Brother and the Holding Company. Et Janis Joplin aurait certainement végété au fin fond du Texas.

Durant l'été, Peter Albin et Sam Andrew persévèrent dans leur idée de constituer une formation tendance rhythm'n'blues au tempo saccadé, quasi sexuel à leur sens. Ils nomment d'abord le groupe Blue Yard Hill, dont les membres alternent constamment, et répètent dans un vaste manoir victorien qui appartient à un oncle de Peter et est régi par Rodney, le frère du guitariste. La bâtisse, située au 1090 Page Street, est proche du district de Haight-Ashbury, au pied des Twin Peaks. Construite en 1890, elle a échappé au tremblement de terre de 1906, et fit jadis office de salle de bal. Pour les besoins de la nouvelle cause communautaire, elle a maintenant été divisée en une vingtaine de chambres exiguës, des *crash-pads* ; des piaules que se partagent des étudiants, des artistes et divers marginaux de passage. L'entresol est constitué d'un gigantesque hall recouvert d'un parquet. Les murs sont peints à la chaux et couverts de graffitis, les meubles quasi inexistants. Les musiciens et leurs amis vivent en harmonie dans cette maison, autour de Chet Helms qui n'est pas spécifiquement leur manager, mais plutôt une sorte d'activiste-affairiste visionnaire ; un « gros bonnet », selon les termes employés par Janis lors de son retour à San Francisco. Chet exerce une influence spirituelle et culturelle sur l'ensemble de cette petite société, et même un peu au-delà dans le quartier. Il s'occupe, entre autres, des affaires de Captain Beefheart and his Magic Band, la formation du génial et farfelu Don Van Vliet, un ami de lycée de Frank Zappa, qui produira d'ailleurs son album *Trout Mask Replica* dès 1969.

Un jour, Chet Helms se pointe dans l'immeuble communautaire, flanqué d'un échalas barbu et aux cheveux extrêmement longs, du nom de James Gurley. Ce dernier vient de Detroit où son père, cascadeur automobile, traversait à toute vitesse des murs de flammes avec le fiston juché sur le capot ! Le genre d'occupation « décoiffante » qui marque à vie un jeune homme, même atteignant la vingtaine d'années.

James, bardé d'amulettes, a l'allure d'un « prophète mystique ». D'après Sam Andrew, il s'agit même d'un type assez sauvage et fruste, quoique diplômé et grand fan de Jack Kerouac, passionné de tours de magie. Mais aussi d'un guitariste instinctif aux doigts si agiles que certains le gratifieront bientôt d'un sobriquet flatteur : « L'homme aux doigts les plus rapides de l'Ouest. » Autodidacte, il a appris à jouer de la guitare dans sa ville de Detroit, enfermé des jours durant dans sa chambre, s'acharnant à jouer sur des disques à la façon du bluesman vagabond texan Sam Lightnin' Hopkins. Même si son influence majeure avouée reste John Coltrane, qu'il voit en concert à Detroit, en 1962. Un concert marathon qui s'achève au-delà de deux heures du matin, les autres musiciens, épuisés, ayant fini par laisser Coltrane seul sur scène. Le choc est tel que James décide qu'il jouera de la guitare comme Coltrane joue du saxophone.

Depuis le début de l'été, Sam Andrew et Peter Albin ont rassemblé autour d'eux d'autres musiciens. Pour l'heure, il n'y a pas de chanteur attitré, on se partage les parties vocales. Mais un sérieux problème demeure à la batterie. Le groupe joue alternativement avec deux frappeurs. Le premier, Chuck Jones, amateur de musique surf, a l'avantage de vivre sur place. Mais, souffrant de poliomyélite aux jambes, son jeu de pied demeure très limité. Le second, David Eskison, sera remplacé l'année suivante par Dave Getz. La toute première photo promotionnelle de Blue Yard Hill réunit donc Chuck Jones, Sam Andrew, James Gurley, Peter Albin et Chet Helms.

Le groupe échafaude une amorce de répertoire avec le traditionnel « Down on Me » dont les paroles correspondent si bien à la paranoïa de Janis (« Il semble que chacun, en ce bas monde, soit contre moi, contre moi[23] ! ») qu'on lui attribuera les arrangements dans la discographie officielle du groupe. Janis et les musiciens ont découvert ce titre sur un enregistrement du musicologue John Lomax, le découvreur de Leadbelly.

Un soir de septembre 1965, un brainstorming est organisé afin d'arrêter le nom du groupe. Les propositions les plus farfelues fusent : Tom Swift and his Electric Grandmother (une appellation qui aurait été délicate à porter pour Janis), The Joy Boy, The Greenleaf Boys, Naked Lunch (en référence au roman de William Burroughs), The Acapulco Singers, Dow Jones and the Industrialists, etc. Les musiciens, suite à une partie de Monopoly, comme le voudrait la légende, optent finalement pour The Holding Company (un gag désignant à la fois une grosse société et le fait de détenir de la drogue, « To hold drugs »), mais Chet Helms s'interpose et, en référence à George Orwell, ajoute Big Brother. Le groupe prend donc pour dénomination Big Brother and the Holding Company, ce qui confère à l'ensemble une aura mystérieuse et planante. Le premier poster reproduisant ce nom à rallonge est imprimé à l'occasion d'un concert donné au Oakland Theatre de Berkeley.

Peter Albin assigne à la toute nouvelle formation une mission bien symbolique des idées hippies en vigueur : un groupe destiné à parler à tous les enfants de la Terre. Très tôt, les membres du groupe se revendiquent comme des musiciens autodidactes et primitifs. La démarche musicale est encore hésitante, même si domine un blues teinté de bluegrass et de rhythm'n'blues. James Gurley a pris l'habitude de jouer sur une guitare non amplifiée, sur laquelle il a lui-même accolé un micro DeArmond maintenu par un système de cure-dents. Le son produit est si bizarre que Gurley apporte aussitôt une touche de folie à l'ensemble. Sa façon de jouer de la *lead guitar* est résolument novatrice ; une fusion psychédélique de jazz progressif et de rock dur électrifié, avec des distorsions. Maniaque de son instrument, il est capable de s'enfermer pendant des heures dans un placard avec un stéthoscope fixé à sa guitare, cela afin de décortiquer les sons produits. Il lui arrive aussi de jouer plusieurs heures durant de façon hypnotique, en regardant la télévision dont il a préalablement coupé le son.

La « nouvelle bohème » de San Francisco prend de l'ampleur et s'organise en « familles d'amis » ou communautés. De nombreux marginaux quittent North Beach, trop surveillé par la police, pour se déplacer vers Haight-Ashbury. Ils souhaitent s'approprier ce quartier aux loyers modérés et aux étranges vibrations. Les cheveux ont poussé. La mode vestimentaire évolue vers des codes de plus en plus repérables. Un mysticisme polymorphe se développe. La musique s'est électrifiée et la consommation de LSD rejaillit sur les activités artistiques. La guerre au Viêt-nam commence à souder les consciences dans un esprit résolument antimilitariste. La Nouvelle Gauche, estudiantine pour l'essentiel, émerge rapidement. Tous les moyens sont bons pour se faire réformer. On prétend qu'on est dingue, drogué, communiste ou homosexuel. Certains imprudents tentent même le grand chelem, et endossent les quatre « tares » devant le conseil de révision…

Un mouvement amorcé en 1964 par les étudiants radicaux de Berkeley débouche sur la fondation du Free Speech Movement — une dénomination qui laisse deviner quelle place on accordait jusque-là aux propos anticonformistes. Des happenings et des sit-in (action de résistance pacifiste consistant à occuper un lieu en s'asseyant jusqu'à en être délogé par les forces de l'ordre) pacifistes avec concerts gratuits s'organisent ici et là dans le pays, mais avant tout sur la côte Ouest. Les Noirs restent encore très minoritaires dans ce mouvement, ce qui est frappant lorsque l'on se penche sur les photographies d'époque. L'intégration raciale est lente et les Noirs restent prudemment dans leurs quartiers ou leurs ghettos, mais ils sont plus politisés (grâce aux Panthères noires) que les hippies et peu attirés par les paradis artificiels. Ils se montrent d'ailleurs méfiants à l'égard du « ghetto blanc » autoconstitué (un nouveau concept !) qui s'élargit sous leurs yeux. Un ghetto qui, dans une certaine mesure, leur apparaît comme concurrent du leur. D'autant que depuis 1962, comme par hasard, les Noirs se retrouvent plus souvent qu'à leur tour aux premières loges dans les rizières vietnamiennes. Sans doute histoire de vérifier le pitoyable libelle de John Wayne : « Je crois à la suprématie blanche jusqu'à ce que l'éducation des Noirs leur permette d'être responsables[24]. » En attendant, les Noirs sont suffisamment « responsables » pour aller se faire tuer au Viêt-nam au profit des Blancs, comme le stigmatise leur leader Stokely Carmichael :

> Les Blancs envoient des Noirs faire la guerre à des Jaunes pour défendre une terre qu'ils ont volée aux Rouges[25].

Pendant ce temps, la majorité des citoyens se taisent, murés dans une paranoïa anticommuniste sans nuances. Dans les années 1960, certains manifestants brandissent fièrement des pancartes portant un message aussi limpide que simpliste : *The only good communist is a dead communist.* Il faut se rappeler que le sénateur républicain Joseph Raymond McCarthy n'a été blâmé par le Sénat qu'en décembre 1954, pour ses excès de zèle finalement reconnus comme hors la loi. Une bonne partie de la population garde cependant un souvenir nostalgique du maccarthysme et de son acharnée « chasse aux sorcières » qui a frappé lourdement dans les rangs de l'intelligentsia, notamment parmi les cinéastes dénoncés par leurs pairs pour leurs idées de gauche.

Dans ce contexte, le 16 octobre 1965, au Longshoremen's Hall de San Francisco, a lieu le premier véritable concert *acid rock*. Une fête communautaire, un *acid test* où les clans partageant le même idéal se découvrent les uns les autres pour la première fois grâce à la musique, élément fédérateur du mouvement hippie. L'initiative de l'événement revient notamment à Alton Kelley, à Chet Helms et à son collectif d'artistes, le Family Dog.

Lors de cette manifestation malicieusement intitulée « A Tribute to Dr. Strange », une quantité massive de LSD-25 est mise en circulation. Cette substance hallucinogène sera collectivement adoptée par une fraction générationnelle aux pupilles dilatées, alors que la prise d'héroïne va rester une pratique plutôt solitaire et déconsidérée. Ouvertement hostile à l'establishment, le concert est festif et dansant. Une véritable bacchanale musicale à laquelle participent quelques centaines de privilégiés avertis. Les Charlatans du batteur Dan Hicks et du graphiste George Hunter, avec lequel Janis aura une liaison, se produisent ce jour-là. Cette formation, fondée dès 1964, est le premier groupe de San Francisco répertorié « rock blues folk psyché ». Les Charlatans arborent un look résolument western, avec port du Stetson, large ceinturon et gilet de cow-boy. Des attributs country qui poussent le groupe à reprendre d'entrée de jeu le « Folsom Prison Blues » de Johnny Cash. Les Charlatans sont suivis sur scène par une première mouture du Jefferson Airplane, sans Grace Slick qui est alors membre du groupe Great Society, autre associé à la fête, et par les Marbles d'Oakland. L'événement, devenu historique, est généralement considéré comme l'amorce fondatrice du mouvement hippie et psychédélique, celui de la *love generation*. Avec l'apparition du slogan « Peace and Love » et des *peace parades*. Avec aussi l'impression du premier poster psychédélique (version western) recensé, *The Seed*, pour un concert donné au Red Dog Saloon de Virginia City, au Nevada, le 21 juin 1965 ; l'affiche est due à George Hunter et Mike Ferguson. Bill Ham et Elias Romero, de leur côté, expérimentent déjà leurs light shows (des projecteurs filtrés avec des liquides huileux pigmentés et des images folles), tout comme le fit Seymour Locks dès les années 1950. Quant au fameux sigle de paix représenté par un cercle dans lequel figure un Y renversé, sa création remonte en fait à 1958, lors de la première marche antinucléaire d'Aldermaston, en Angleterre.

Le 6 novembre 1965, une nouvelle salle de spectacle ouvre discrètement ses portes à San Francisco, le Fillmore Auditorium. À l'affiche : le Jefferson Airplane, les Fugs, Sandy Bull, le John Handy Quintet, le Committee et le poète beat Lawrence Ferlinghetti dont le recueil *A Coney Island of the Mind* se vendra avant la fin des années 1970 à plus de 500 000 exemplaires. Depuis quelque temps, les concerts organisés dans la région sont souvent de véritables happenings, dont la durée peut dépasser une dizaine d'heures. Fédérateurs, ils accueillent plusieurs groupes à la suite, dont les prestations sont entrecoupées par celles de poètes, de marionnettistes, de mimes ou de danseurs. Le public, qui ne se différencie plus guère de musiciens à leur image, participe, chante, danse, montant même parfois sur scène.

À la même époque, Bob Dylan se produit pour la première fois au sein d'une formation électrique, le Paul Butterfield Blues Band, lors du festival folk de Newport. C'est un cataclysme, même si la guitare électrique était déjà utilisée avant guerre au sein de certains big bands, ainsi que par le bluesman texan T-Bone Walker dès 1937. Dylan, sifflé, hué par une partie des 15 000 spectateurs, crée un véritable schisme au sein de la scène folk qui, dès lors, se scinde en deux clans distincts. Pete Seeger avouera que s'il avait eu une hache sous la main ce jour-là, il se serait immédiatement précipité sur scène pour massacrer les câbles ! Pour beaucoup, en effet, l'heure est venue de choisir son camp entre tradition et modernisme.

La majeure partie des musiciens de rock psychédélique viennent de la famille folk électrifiée.

Depuis plusieurs mois, Jim Langdon, le fidèle ami de lycée de Janis, désormais marié et père de deux enfants, est devenu échotier pour l'*Austin American-Statesman*, où il tient une chronique intitulée « Nightbeat ». Féru de jazz avant tout, il est devenu un critique réputé et va se porter au secours de Janis. Grâce à ses relations, il lui offre la possibilité de se produire seule à la guitare, d'abord dans un modeste festival de blues, au Texas Union Auditorium, puis à la Halfway House de Beaumont, à Houston, mais plus souvent à Austin dans un club folk, le Eleventh Door. Janis confesse à Jim qu'elle craint de retomber dans la drogue et la déchéance. Il faudra de longs mois à Langdon pour la convaincre de renouer avec sa véritable passion. Finalement, l'envie de chanter et de monter sur scène l'emporte. Janis se convainc qu'elle n'a rien d'autre à espérer au Texas, en dépit de ses cours à la fac. Elle chante donc à l'Eleventh Door. Les réactions sont plutôt contrastées, mais une partie du public se montre enthousiaste. Langdon, décidément bienveillant à l'égard de Janis, publie un article dithyrambique dans l'*Austin American-Statesman*, intitulé : « La plus grande chanteuse de blues blanche de toute l'Amérique. » Rien de moins. Le genre de papier susceptible de requinquer une morte. Or Janis n'est que moribonde. Ce geste amical et sincère va la sauver du marasme où elle croupit. Quant à Langdon, il se fait rabrouer par son rédacteur en chef, qui lui reproche cet enthousiasme débordant : « Comment pouvez-vous dire un truc pareil au sujet d'une totale inconnue ? »

À la lecture de l'article, quelqu'un d'autre fulmine contre lui. La propre mère de Janis s'inquiète à l'idée que sa fille aînée renoue avec les anciens démons qui l'ont fait vaciller au bord du gouffre. Elle somme par conséquent Langdon de cesser immédiatement d'encourager Janis. Selon elle, le journaliste ne lui cause que du tort en agissant de la sorte. Dorothy Joplin voit s'écrouler ses efforts pour faire rentrer Janis dans la norme. Elle ne tolère pas que son aînée rechute dans un milieu interlope dont elle a réchappé de justesse un mois ou deux plus tôt. Elle veut que sa fille trouve un emploi stable, déniche un bon petit mari et rentre définitivement dans le rang. Mais Langdon se moque de tout cela, pour la simple raison qu'il est persuadé que Janis possède un talent unique.

Janis entre en contact avec une formation en gestation à Austin, dont les membres traînent parfois à l'Eleventh Door. Il est vite question que Janis intègre la bande, projet qui finalement restera sans suite.

Ce groupe expérimental se nomme les 13th Floor Elevators. Son chanteur et guitariste torturé, le poupin Roky Erickson, âgé de dix-huit ans, est le fils d'une cantatrice. Mais il est surtout un adepte forcené des hallucinogènes, et en particulier de certains champignons mexicains. Une première ébauche de la formation incluait le vieux complice de Janis, Powell St. John, à l'harmonica. Cette formation *garage* avant l'heure, d'inspiration rhythm'n'blues, bénéficie des paroles du poète mystique Tommy Hall, auquel on doit cette mémorable réplique : « Si vous cherchez à vous envoyer en l'air avec une bouteille de Coca, pourquoi pas, mais c'est tout de même plus efficace avec les produits psychédéliques. »

Les premiers essais du groupe sonnent franchement psychédélique, ce qui est tout à fait remarquable pour l'époque, à plus forte raison au Texas ! Son premier album, très *cut-up* tant au niveau des textes qu'à celui de la musique et des bruitages, paraîtra en août de l'année suivante, sous le titre *The Psychedelic Sounds of the 13th Floor Elevators.*

Après avoir frôlé de sérieux ennuis pour possession de marijuana, le myrmidon Erickson et son groupe prendront la poudre d'escampette (à défaut d'autre poudre plus pernicieuse) et se réfugieront en Californie, où la découverte de la méthédrine et du LSD leur sera fatale.

Langdon, quant à lui, n'a de cesse de défendre Janis dans son journal, en dépit des admonestations patronales et des proches de Dorothy Joplin. Par courrier, Janis le remerciera plus tard chaleureusement pour ce soutien déterminant. Sans lui, en effet, que serait-elle devenue ? Elle comprend que le chant sera son exutoire toute sa vie durant. Elle s'en persuade et se sent désormais prête à tout sacrifier pour son art.

Les aventuriers électriques
1966

Nous étions tous dans le même bateau dans les années 1960. Un bateau en partance pour découvrir un nouveau monde[1].

JOHN LENNON

Le ciel s'appuie sur moi, moi, la seule à être debout / Parmi les horizontales[2].

SYLVIA PLATH

Au Texas, courant janvier, Janis continue de se produire dans des petits clubs d'Austin. Elle interprète principalement le répertoire de Bessie Smith, ainsi que des classiques du folk et du blues.

Depuis l'année précédente, en Californie, une vaste fête collective allume ses premiers lampions pour un bal aux illusions qui va durer une demi-décennie. Dès le début des années 1970, les utopies majeures auront vécu. Et pas seulement dans l'Ouest américain. Le monde entier va progressivement accumuler les désillusions et renoncer peu à peu à ses rêves en un univers meilleur et plus convivial. Les occasions de déchanter vont d'ailleurs se multiplier. Crise pétrolière, pérennisation du chômage, réchauffement accéléré du globe, extension permanente de la famine et de la paupérisation d'une grande partie de la planète, impérialisme aveugle, chape de plomb répandue par les multiples obscurantismes religieux, pandémies favorisant un retour aux valeurs morales réactionnaires, déchirements ethniques et guerres mondialisées provoquent la fin des révolutions.

Le premier concert officiel de Big Brother and the Holding Company est organisé à l'Open Theater de Berkeley. Le groupe joue accompagné de Donald Buchla et d'un synthétiseur primitif de sa conception, nommé Buchlabox. Puis survient le fameux week-end à rallonge du 21 au 23 janvier 1966, où la formation se produit dans une salle pour dockers en béton, le Longshoremen's Hall, tout juste avant le passage du Grateful Dead. Cette manifestation multiculturelle de trois soirs, le Trips Festival, se situe bien dans la continuité des trois fêtes folles de 1965 organisées dans le même lieu, sauf que cette fois Ken Kesey — qui devra s'exiler au Mexique à la suite d'une inculpation pour une simple détention de quatre grammes de marijuana — et sa bande de cinglés prosélytes, les Merry Pranksters, parrainent la soirée du samedi en distribuant joyeusement de l'acide. En fait de parrainage, la soirée génère 12 500 dollars de recette, ce qui ouvre soudain de sérieuses perspectives à un certain Bill Graham…

Le répertoire de Big Brother and the Holding Company, qui n'a toujours pas de chanteur attitré, se situe alors dans une veine blues et jazz progressif, avec des envolées expérimentales dans les distorsions, à partir de morceaux de John Coltrane de Pharoah Sanders ou de Sun Ra. Le jazz est en pleine mutation. Nombreux sont ceux qui tentent de transcender le genre, d'inventer une autre musique, davantage portée sur le blues et le rock. Le Longshoremen's Hall aura bel et bien été le creuset de la scène *acid rock* de San Francisco, non seulement avec le Grateful Dead, mais aussi avec des formations comme le Jefferson Airplane.

Le 19 février 1966, les musiciens de Big Brother and the Holding Company montent sur les tréteaux du Fillmore de San Francisco, à l'occasion du premier Tribal Stomp. À cette occasion, le batteur poliomyélitique Chuck Jones apparaît pour la dernière fois au sein du groupe. Il devra être remplacé dès le mois suivant, la cadence des concerts devenant pour lui insoutenable.

De son côté, en mars 1966, au Texas, Janis a l'occasion de chanter lors d'un modeste concert hommage à l'attention d'un chanteur de blues aveugle, Teodar Jackson. Elle interprète notamment un chant traditionnel texan, « Goin' to Brownsville » — que Big Brother and the Holding Company et Janis reprendront par la suite sous le titre « Catch Me, Daddy », en s'accordant au passage le crédit d'auteurs... — et le « Cod'ine » de Buffy Sainte-Marie, la chanteuse Cree originaire du Saskatchewan, très impliquée dans la défense de la cause amérindienne.

Le 10 mai, quelques jours après sa prestation au Blues Festival, Janis informe Jim Langdon qu'elle est tentée d'intégrer un groupe d'Austin, les 13th Floor Elevators.

À San Francisco, David Getz, intrigué par la longueur des cheveux du dénommé Peter Albin, l'aborde dans un café où celui-ci a pris ses habitudes. Par curiosité, il lui demande ce qu'il peut bien fabriquer dans la vie. Amusé, Albin répond qu'il joue de la basse dans un groupe de rock. En apprenant qu'il s'agit de Big Brother and the Holding Company, Dave répond qu'il connaît l'existence du groupe. Toutefois, non sans une certaine audace, il ajoute insidieusement que cette formation, en dépit d'une réputation flatteuse, est connue pour ses déficiences côté batterie. Ne manquant décidément pas de culot, Dave précise qu'il ferait lui-même mieux l'affaire, et qu'en cas de changement au poste il pose tout bonnement sa candidature. Peter juge le gars pour le moins audacieux mais, le trouvant sympathique, il note négligemment ses coordonnées.

Il faut reconnaître que le problème de la batterie, récurrent, nuit indéniablement à la notoriété du groupe. Quelques jours plus tard, Albin retrouve le bout de papier où est griffonné le numéro de téléphone. Après un instant d'hésitation, il décroche le combiné et appelle Getz, qui lui est pourtant pratiquement inconnu. Big Brother and the Holding Company doit bientôt se produire en concert au Matrix, sur Fillmore Street. Cette ancienne pizzeria transformée en salle de concerts appartient en partie à Marty Balin du Jefferson Airplane. À cette occasion, Albin tente un fameux coup de poker en proposant sans détour à Getz de faire un essai. Un essai aussitôt transformé. Le groupe est épaté par ce bluffeur qui les sidère lors d'une improvisation magique sur un morceau des Rolling Stones. Une plaisanterie qui va durer près d'une heure... Le groupe a trouvé sa formule définitive, du moins sur le plan instrumental, car il reste un détail primordial à régler. Qui assurera les parties vocales ?

Jusque-là, les trois guitaristes se sont tant bien que mal partagé la tâche, mais aucun n'entend assumer pleinement le rôle. La force et l'originalité du groupe tiennent essentiellement à ses morceaux de bravoure aux guitares. Chanter, c'est par conséquent se disperser. Or chacun veut se concentrer sur son instrument. James Gurley s'est imposé comme l'attraction principale de la formation. Les concerts, sans concessions et toujours sur le fil du rasoir, surprennent le public par ses solos sauvages et virtuoses, sans cesse inventifs. Indomptable, Gurley est un homme-guitare qui répugne à chanter. Quand il joue les parties les plus délicates ou les plus rapides, sa concentration est extrême et défigure son visage taillé à la serpe. Sa mâchoire se distord en mouvements douloureux, accompagnant les sons torturés de son instrument. Albin et Andrew n'ont pas davantage des âmes de chanteurs, ni d'ailleurs un registre vocal suffisamment étendu. Il faut par conséquent remédier à la situation si la formation entend progresser et dépasser le statut de groupe expérimental. Les morceaux purement instrumentaux restent trop nombreux et la présence d'un véritable chanteur devient primordiale. La solution viendra de l'homme providentiel, Chet Helms, qui jusqu'à l'été 1966 va, sinon manager le groupe, du moins veiller à son évolution. Ensuite, il sera trop accaparé par ses diverses activités, dont celle d'organisateur de concerts, pour s'occuper de Big Brother. En effet, deux salles de spectacle concurrentes vont devenir le berceau commun de la musique psychédélique, et celui des authentiques hippies.

Bill Graham, de son vrai nom Wolfgang Wolodja Grajonca, est un émigré juif originaire de Berlin. À l'âge de dix ans, il a échappé aux camps de la mort, contrairement à son père. Naturalisé américain en 1949 à New York, avant de s'exiler à San Francisco, il a été décoré à l'occasion de la guerre de Corée et diplômé comme ingénieur-conseil. Il s'occupe ensuite de la Mime Troupe, une compagnie de théâtre de rue politisée. En février 1966, secondé par sa femme Bonnie, par John Walker et Maruska Greene, le jeune trentenaire loue sur Geary Street l'ancien Majestic Hall, une salle située en étage. Graham rebaptise aussitôt le lieu Fillmore Auditorium. Début 1968, à l'occasion d'un renouvellement de bail, Bill Graham transférera ses activités au coin de Market Street et Van Ness Avenue. Il acquiert alors le Carousel Ballroom, lieu qui accueillit les principaux big bands des années 1930 et 1940, et qu'il rebaptise Fillmore West. Il en porte la jauge à trois mille spectateurs. Organisateur-né, il va diriger la salle avec le pragmatisme d'un baroudeur new-yorkais, se levant aux aurores et se méfiant des drogues : « Avec ce spectacle "son et lumière" nouveau genre, j'ai trouvé une véritable mine d'or. [...] Et lorsque, dans les premiers temps, j'ai gagné 12 000 dollars en une soirée, avec Jefferson Airplane, Muddy Waters et le Butterfield Blues Band, je crois les avoir mérités, car j'avais pris des risques, ces musiciens étant parfaitement inconnus[3]. » C'est un chef d'entreprise, auquel certains reprochent de s'enrichir sur le dos de la communauté hippie, mais il est sincèrement épris de musiques nouvelles : « Tout ce que je peux dire, c'est que je n'ai jamais été hippie. Est-ce une question d'âge ? C'est possible. En tout cas, je n'ai jamais prétendu vendre de l'amour, mais plutôt du talent et de l'ambiance. » Un jour, il lance à l'endroit des Doors : « Ces putains de hippies. Ils voudraient que tout soit gratuit. Ils ne comprennent pas que je dirige une affaire. J'ai des gens à payer, moi. Vous voulez être payés, n'est-ce pas, les gars ? » Tout sauf un naïf, mais il possède une oreille musicale perspicace, dans presque tous les genres, ce qui est remarquable. Les concerts qu'il met sur pied mélangent souvent le folk, le jazz, la soul, le blues, le rock, et même les musiques ethniques, sans la moindre discrimination. Les groupes psychédéliques de San Francisco, toujours mis en avant, croisent ainsi le fer avec de grands groupes anglais et avec des artistes comme Charles Lloyd, Muddy Waters, les Staples ou Roland Kirk.

Chet Helms, nettement plus proche de la philosophie hippie et psychédélique, toujours porté vers l'expérimentation, moins homme d'affaires que son concurrent direct Bill Graham, est propriétaire, entre autres, d'une boutique de posters.

Mais il se montre assez laxiste. Il laisse entrer sans payer toute une kyrielle d'individus, et il ne règle pas toujours rubis sur l'ongle les groupes engagés par son établissement.

Le 22 avril 1966, Helms, alors âgé de vingt-cinq ans, transplante son activité vers l'Avalon Ballroom, un ancien conservatoire de danse. Ce bâtiment, construit en 1911, se situe lui aussi sur Van Ness Avenue, mais cette fois à l'angle de Sutter Street. La vaste salle aux murs rouges, située à l'étage, possède un parquet, un balcon à colonnades dorées en forme de L et des miroirs à profusion. Elle peut accueillir jusqu'à 2 000 personnes. Helms perdra toutefois son permis d'exploitation à la suite de plaintes répétées pour tapage nocturne, et la salle sera transformée en cinéma multiplex dans les années 1970. Mais à partir des concerts d'ouverture des 22 et 23 avril, avec The Blues Project et The Great Society, l'Avalon va jouer un rôle moteur et favoriser toute l'activité psychédélique de la seconde partie des années 1960, en lançant des groupes comme Moby Grape ou le Steve Miller Blues Band, et en réservant le plus souvent ses concerts du nouvel an à l'emblématique Country Joe and the Fish. Janis déclarera toujours préférer l'Avalon où, à son avis, se trouve le vrai public de son groupe. Dans le *Mojo Navigator*, elle précisera même par boutade, détail qui fit enrager Bill Graham, qu'on va à l'Avalon pour la musique, et au Fillmore pour ferrer un matelot. Big Brother and the Holding Company finira même par devenir le groupe maison, fin 1966 et courant 1967. Graham, contrarié par cette spécificité, rechignera à inviter Big Brother, même s'il en crève d'envie puisque sur scène le succès est assuré. Il faut dire que l'Avalon est devenu le véritable bastion hippie, bien plus cool que le Fillmore où la clientèle se révèle plus mélangée et le panel d'artistes plus varié, allant d'Aretha Franklin à Frank Zappa, en passant par des jazzmen d'avant-garde. À l'Avalon, où les posters portent souvent imprimée la mention *Dance & concert*, on ne se contente pas d'assister à un spectacle, on y danse aussi, la salle étant conçue pour cela au départ, et on y voit des projections stroboscopiques qui découpent les mouvements des danseurs et des musiciens sur la scène, les murs, le plafond et le public. Les jeux de lumière, les collages mouvants sont filtrés par un système de masques et les bulles d'un liquide gélatineux coloré. Difficile alors pour les spectateurs de ne pas se sentir propulsés dans une autre dimension, directement intégrés au spectacle. Surtout sous l'effet d'une drogue comme le LSD.

Les relations entre Graham et Janis seront tantôt affectueuses, tantôt conflictuelles, car Janis et surtout ses nombreux « amis » tentent souvent de resquiller. De plus, Bill n'apprécie guère les critiques de Janis envers sa salle et surtout son public. On y croise, en effet, autant des soldats en goguette que des nantis venus comme au zoo pour reluquer des caricatures de freaks.

En dépit de leurs différences, ces deux salles vont symboliser le son de San Francisco et l'esthétique de la fin des années 1960. Durant un temps, des bus spéciaux vont même les relier, favorisant ainsi l'éclosion et l'épanouissement de groupes locaux comme les Charlatans, le Grateful Dead, Quicksilver Messenger Service, Jefferson Airplane, Country Joe and the Fish, Moby Grape ou Big Brother and the Holding Company. Mais des groupes ou des artistes britanniques comme les Who, Cream, Eric Burdon (avec ou sans les New Animals), Van Morrison (avec ou sans Them), Pink Floyd ou Led Zeppelin s'y produiront aussi. Sans parler, bien sûr, de groupes américains étrangers à la Baie de San Francisco, comme les Doors, Love, les Seeds, les Byrds, les Lovin' Spoonful ou le Velvet Underground. Ainsi qu'une flopée de jazzmen venus d'horizons les plus divers.

Début mai 1966, la chance va enfin voler au secours de Janis. Peu à peu, de communauté en communauté, des réseaux se sont constitués d'une côte à l'autre des États-Unis. Ainsi les rumeurs remontent-elles rapidement vers la Californie. Le très malin Chet Helms, sans cesse sur le qui-vive artistique, n'a pas manqué de remarquer les récents succès de deux groupes dotés d'une chanteuse, Jefferson Airplane, avec Signe Toly Anderson, et The Great Society, avec Grace Slick. Cette dernière est bientôt transférée au sein du Jefferson Airplane en lieu et place de Signe Toly Anderson, qui s'éclipse pour cause de maternité. C'est avec cette nouvelle chanteuse que le groupe connaîtra le succès dès février 1967, avec l'album *Surrealistic Pillow* et des titres phares comme « Somebody to Love » et le ravelo-carrollien « White Rabbitt » qui fait en même temps allusion à *Alice au pays des merveilles* (où les pilules de maman ne font aucun effet) et à diverses drogues. Un phénomène inédit jusqu'à ce jour. C'est l'étincelle. Helms se dit que voilà sans doute la touche originale qui fait défaut à Big Brother and the Holding Company, groupe jouissant d'une réputation naissante mais encore assez limitée. Helms a compris que, dans sa configuration actuelle, le groupe risque de stagner. C'est alors que lui vient l'idée lumineuse de lui adjoindre une vocaliste. Les musiciens auditionnent ainsi Mary Ellen, qui se produit alors sur une scène locale au sein des Ace Cups, et surtout la séduisante Lynn Hughes, une proche amie des Charlatans. Cette dernière possède une voix superbe et une solide réputation en Californie, mais l'affaire échoue d'un rien.

Chet Helms tient ses réseaux en état d'alerte permanent, notamment au Texas, région qu'il connaît particulièrement bien pour y avoir habité adolescent. Ainsi a-t-il été informé à plusieurs reprises des exploits d'une certaine Janis Joplin à Austin. Janis ? S'agirait-il de son ancienne copine de l'université du Texas ? Tiens donc... Pourquoi pas ? Cette fille a du tempérament à revendre et une voix d'une indéniable puissance. Il a aussitôt le sentiment d'avoir trouvé la solution. Voilà, c'est sûrement elle qui collerait le mieux au profil de Big Brother, d'autant que Peter Albin et James Gurley se souviennent vaguement l'avoir entendue se produire à San Francisco dans une quelconque *coffeehouse*. Chet suggère donc à la formation cette chanteuse qu'il connaît depuis son passage momentané au Ghetto. Les musiciens n'ont rien contre le fait de tenter ce coup de poker. Chet décide alors d'expédier illico de San Francisco un émissaire au Texas, en la personne de Travis Rivers, un ancien libraire sur Haight Street. Le genre de type capable de se laisser pousser les cheveux en 1963, en se jurant de ne plus les couper tant que les troupes américaines n'auront pas quitté le Viêt-nam ! Travis, un costaud au charme franchement rustique, a donc pour mission de convaincre par tous les moyens Janis de rappliquer en Californie. En fait, Travis et Janis se sont déjà croisés au Texas en 1962, au Ghetto, lieu de tous les brassages. Selon Travis, d'ailleurs, c'est lui-même qui aurait suggéré le nom de Janis à Chet pour intégrer Big Brother and the Holding Company.

C'est sans difficulté que Travis va retrouver Janis à Austin. Les filles dans son genre sont rares dans le secteur, même si elle a sérieusement freiné sa consommation d'alcool. À vrai dire, c'est Janis elle-même, grâce à un ami commun, qui se présente à l'hôtel de Travis ! Tous deux se rendent dans un bar musical nommé Fred, où se produit Boz Scaggs, un chanteur soul à la voix suave qui a appris à jouer de la guitare auprès de Steve Miller. La nouvelle dont Travis est porteur sidère Janis. L'extirpe de la torpeur où elle commence sérieusement à s'enliser. Requinquée à la fois physiquement et psychologiquement grâce à la vigilance maternelle, elle hésite néanmoins à quitter la région. Il y a le risque de retomber dans la drogue, et aussi une grande inconnue qui consiste à intégrer une formation rock. Mais, redevenue ambitieuse, elle se sent prête à quitter encore ce Sud si peu taillé pour elle. Cette fois sera la bonne, comme elle cherche à s'en persuader. La voici bientôt prête à couper les ponts. Les yeux rivés sur la scène de chez Fred, elle laisse échapper avec une étonnante force de conviction : « Oui, c'est vraiment ça que je veux faire[4] ! » À elle de ne pas retomber dans les mêmes travers que par le passé...

Je ne chantais pratiquement plus avant qu'ils fassent de moi une artiste de rock. Je le faisais juste à l'occasion, histoire de boire une bière gratos, mais je ne songeais plus vraiment à devenir chanteuse[5].

Cependant, elle est encore considérée comme une convalescente dans le cocon familial qui la protège momentanément.

De son côté, Travis se montre si persuasif qu'il devient l'amant de Janis. Un amant tout à fait passionné. Janis hésite tout de même. Mais quelles perspectives se présentent si elle demeure à Port Arthur ou à Austin ? Devenir, au mieux, une petite gloire locale ? Ou une institutrice comme le souhaite sa mère ? Ou, au pire, une de ces femmes au foyer aigries par le piaillement des marmots ? Non, impossible, elle doit résolument franchir le pas, tenter l'aventure, suivre un destin dont elle n'a sur le coup qu'une vague représentation. « La route poussiéreuse t'appelle à repartir / la route poussiéreuse t'appelle, tu iras jusqu'au bout », a-t-elle déjà chanté, le jour de ses vingt ans, au Threadgill's. C'est donc décidé. Si, en cas d'échec, Chet lui assure le retour en autocar, c'est d'accord, elle abandonne ses études et fait son balluchon pour retourner en Californie. Qu'a-t-elle à perdre, à peine âgée de vingt-trois ans ? Même si elle ne connaît pratiquement rien de ce Big Brother and the Holding Company et n'a qu'une vague idée de la direction musicale qu'elle veut prendre, le blues l'attire toujours plus.

Le 27 mai 1966, Janis annonce à des parents dépités qu'elle quitte le Texas pour tenter à nouveau sa chance en Californie. Les objurgations familiales restent sans effet. Janis tente de rassurer ses proches qui l'ont sauvée il y a peu de l'effondrement : si jamais les choses devaient mal tourner, elle serait de retour dès le semestre suivant. Promis ! Finalement, tout le monde se calme. À tel point que les parents de Janis finissent par lui donner leur approbation, et promettent même de lui envoyer un peu d'argent au début, afin de lui éviter de plonger à nouveau dans ses égarements passés, sous l'effet de la faim ou de la déprime. Ils iront jusqu'à lui adresser des télégrammes de félicitations, comme suite au festival de Monterey, même si sa façon de vivre les rebute. Mais, en ce jour de mai, Janis achève définitivement son chassé-croisé universitaire. Il est temps de passer à l'action. Les voix de Bessie Smith et de Billie Holiday la hantent chaque jour davantage. À tel point qu'elle emporte avec elle la biographie de Billie Holiday intitulée *Lady Sings the Blues*, qui restera un de ses livres de chevet. Janis passe aussi faire ses adieux à ses amis les plus précieux, comme Powell St. John et Jim Langdon.

De Houston, en cette fin mai, Travis téléphone à Chet Helms pour l'avertir qu'il a rempli sa mission. Il ramène Janis dans le coupé Chevrolet Bel

Air 53 qu'un ami lui a prêté. Chet Helms le félicite chaleureusement et s'engage à assurer le retour en autocar si les affaires devaient mal tourner.

Le 4 juin 1966, après un périple de plusieurs jours ponctué de haltes sentimentales au Nouveau-Mexique et en Arizona, voilà donc Janis de retour en Californie où elle doit auditionner avec Big Brother and the Holding Company. La rencontre a lieu par un après-midi ensoleillé sur Henry Street, dans une vaste grange désaffectée reconvertie à la fois en salle de répétitions et en quartier général de graphistes. Le groupe ferraille au rez-de-chaussée, tandis que l'étage est occupé par l'atelier d'Alton Kelley, Stanley « Mouse » Miller et Suzy Perry. Ces concepteurs de posters psychédéliques et de pochettes de disques deviendront bientôt les plus réputés du genre avec les Rick Griffin, Victor Moscoso ou Wes Wilson. Pour l'heure, ils réalisent surtout les affiches de concert pour l'Avalon de Chet Helms.

Janis fait d'abord connaissance avec les trois guitaristes du groupe, Sam Andrew, James Gurley et Peter Albin. Les toutes premières répétitions sont organisées dans ce lieu incroyable où les rayons du soleil pénètrent entre les chevrons pour créer un éclairage de cathédrale. Le local semble suffisamment isolé pour que le groupe puisse s'exprimer à pleine puissance. Janis, fébrile compte tenu de l'enjeu, panique quelque peu. Si jamais l'audition tourne court, que faire ? Elle serait de nouveau livrée à elle-même dans cette ville où elle risquerait fort de rechuter. Elle s'accroche, déterminée à affirmer sa personnalité. Le souvenir de son précédent fiasco reste cuisant.

On m'a balancée dans ce groupe de rock. On m'a refilé des musiciens dans les pattes, et la musique me poussait dans le dos. La basse me propulsait. C'est alors que j'ai décidé de me lancer totalement là-dedans. J'ai plus jamais voulu faire autre chose. C'était mieux et meilleur qu'avec n'importe quel mec. Et c'est peut-être justement ça le problème[6]...

Oui, l'orgasme viendra désormais avant tout de la musique, du chant, de ce don physique total qu'elle fait d'elle-même au public. À ce sujet, le réalisateur D. A. Pennebaker a confié une anecdote très révélatrice datant du festival de Monterey : « J'étais sur scène en train de la filmer. Elle portait un vêtement transparent et je pouvais voir ses seins. Je les regardais et, soudain, j'ai réalisé qu'ils étaient durs, tendus, les pointes dressées. J'ai compris que, tandis qu'elle chantait, elle avait atteint une véritable extase physique[7]. » Mais, au-delà de la jouissance sonore, Janis va commencer à collectionner les hommes, les femmes aussi, dont beaucoup de Noires — pour l'aider indirectement à atteindre son identité de chanteuse de blues —, mais sans parvenir à la même satisfaction. Dévorée par son art.

Les essais initiaux de la nouvelle formation ne manquent pas de piquant. Le groupe joue un répertoire free jazz psychédélique, alors que Janis déboule avec son expérience folk blues, voire country, et cette voix légèrement nasillarde aux inflexions brusques et perçantes. Elle essaie de convaincre les musiciens de jouer du blues dans une veine Bessie Smith, plus douce et nuancée. À l'exception de Roky Erickson et de ses 13th Elevators, ou de quelques groupes de seconde zone entendus à la radio et dans certains cafés d'Austin, Janis ne connaît pratiquement rien au rock branché qui fait fureur dans les parages. Elle n'a même jamais assisté à un concert de rock digne de ce nom, ni vraiment chanté du rock au sein d'un groupe.

Au début, sa voix apparaît haut perchée dans les aigus. Très vite, elle élargit son registre dans les graves et le rauque, l'alcool contribuant à « raviner » sa tessiture. Selon Sam Andrew, mais aussi Tary Owens et Allan Vorda, Janis a tout de même emprunté quelques plans vocaux à ce roublard de Roky Erickson, du temps où elle avait failli intégrer ses 13th Elevators, détail convenant fort bien à Big Brother and the Holding Company. Janis reconnaîtra ingénument :

> Jusque-là, je chantais surtout du blues à la Bessie Smith. Je ne savais pas vraiment comment chanter leur truc, et je n'avais même pratiquement jamais chanté sur de la musique électrique, avec une batterie. J'avais seulement chanté accompagnée d'une guitare[8].

Mais, contrairement à certains folkleux rigoristes de l'époque, elle ne voit aucun problème à prendre le risque. Au contraire, ce saut dans l'inconnu la motive encore plus. Le champ d'investigation lui apparaît sans limites, ce qui l'excite fort. Elle ne souffre d'aucun blocage et se montre empressée d'effectuer le virage électrique. Elle a forgé cette ouverture d'esprit à l'époque du Threadgill's, où les habitués écoutaient certes du bluegrass acoustique, mais restaient attentifs à des expériences musicales plus ou moins proches du rhythm'n'blues. Se lancer dans le rock, et le plus aventureux, le plus expérimental, non seulement ne lui cause aucun souci, mais elle voit cela comme une aubaine, un défi nouveau lui permettant d'explorer les possibilités de sa voix en toute liberté. D'autant que le rock pratiqué par Big Brother and the Holding Company est alors l'un des plus rapides qui se jouent en Californie.

Après chaque répétition, Janis écoute les bandes enregistrées et en tire des leçons. L'expérience l'exalte et ses progrès sont fulgurants. Décidément, cette musique semble faite pour elle. C'est une révélation fantastique. Déterminante.

Grâce à une avance de Chet, étant donné que Travis Rivers — mauvaise pioche — est sans domicile fixe, Janis trouve une chambre à 35 dollars mensuels, sur Pine Street. Il s'agit en fait d'une pension communautaire du nom de Pine Street Commune. Les locaux sont gérés en sous-main par Bill Ham, un bricoleur qui perfectionne au sous-sol son art du light show psychédélique avec Bob Cohen et qui veille jalousement sur une bande de tendres gredins désœuvrés. De nombreux musiciens s'entassent dans cette bâtisse aux chambres exiguës. Le lieu s'est mué en ruche artistique aux débuts du Fillmore Auditorium et de l'Avalon Ballroom. Dans les couloirs, on peut autant croiser des musiciens des Charlatans que divers membres de Big Brother and the Holding Company ou de la Mime Troupe.

L'idylle entre Janis et Travis tourne court. La chanteuse découvre que le séducteur trafique de la drogue dure, alors que tous deux avaient passé un pacte sans ambiguïté : pas de drogue à aiguille ! Travis a beau lui proposer le mariage, Janis ne lui pardonne pas ses magouilles. La tentation de rechuter l'effraie terriblement. Malgré leur excellente entente physique, elle rompt avec lui. Travis Rivers a rapporté cette repartie saisissante de Janis au sujet de leur rupture : « Je crois que je vais devenir une immense star, que je vais avoir l'occasion de baiser tous ceux, âgés de plus de quatorze ans, que je vais rencontrer ! Et je veux être totalement disponible… Et je ne crois pas que tu seras d'accord[9] ! » Derrière cette fanfaronnade, Janis avoue qu'elle songe à la gloire et croit en son étoile ; elle n'oublie pas non plus de venger « le mec le plus moche du campus ». Elle chantera pour susciter le désir des hommes comme celui des femmes. La gloire doit lui permettre de dominer l'autre sexuellement, ce qui ne saurait être l'apanage d'un seul des deux sexes. Ce que confirme le journaliste Richard Goldstein dans les locaux du *Village Voice* :

Le plus étonnant fut sans doute pour moi de constater que cette femme exprimait mon propre désir, ma propre avidité, plus violemment que ne l'avait fait aucun homme. À moi, un homme, cette femme-là offrait un miroir ! Face à elle, je n'ai jamais ressenti la différence des sexes. [...] Janis exprimait avant tout une humanité commune aux deux sexes, et, lorsque je me projetais en elle, ce n'était pas ma part féminine que je reconnaissais, mais ma part d'humanité[10]...

Début juillet, Janis rejoint donc les membres de son groupe qui, comme tant d'autres, ont décidé de vivre en communauté afin de concrétiser un rêve commun d'affinités électives. Et pour rompre aussi avec un système rigoriste peu propice au partage, et quelque peu hostile à l'émancipation personnelle ou à la création sous toutes ses formes. L'heure est aux familles de repêchage, aux familles choisies. On prône une nouvelle façon de s'habiller, de se comporter socialement. On organise des réunions de libre parole. Les repas collectifs à la diététique singulière (riz brun complet, légumes en salade, en purée et en beignets, flocons d'avoine, thé et pain noir artisanal fourré aux fruits ou au haschich, ou aux deux) et les fêtes prennent une immense signification pour le groupe. Mais, avant longtemps, les désillusions seront fréquentes ; les contraintes de la vie en groupe vont souvent s'avérer pesantes, voire insoutenables. Nombre de communautés, minées par certains parasites qui les voient comme de simples lieux de passage, ont une durée d'existence éphémère ; on ne distingue bientôt plus les résidents permanents des nomades. En l'absence d'une discipline minimale, la vaisselle sale s'accumule dans les éviers, les lieux se délitent. En raison de la promiscuité, des égoïsmes et d'une hygiène très approximative, les locaux se transforment parfois en taudis invivables. Certains choisissent de vivre seuls ou s'engagent dans la vie de couple traditionnelle. L'amour libre et l'esprit tribal ont leurs limites… même si, dès 1956, les Dr Gregory Pincus et John Rock ont mis au point la première pilule contraceptive, dont la commercialisation sera autorisée aux États-Unis le 9 mai 1960. La sexualité est enfin indépendante de la procréation.

La séparation d'avec Travis est exemplaire. Janis fuira souvent ceux qui l'aiment en raison de leur dépendance à l'héroïne. Cette attitude va renforcer un sentiment de solitude paradoxal, puisqu'elle sera toujours très entourée. Trop. Pour y remédier, elle multipliera les aventures sans lendemain. Durant les périodes de rechute dans la drogue dure, soit on la fuit, soit elle évite ceux susceptibles de la faire replonger.

Le 13 août 1966, Janis écrit à ses parents pour leur faire part de son enthousiasme et les informer qu'elle et son groupe viennent de se produire onze jours de suite à l'Avalon, mais aussi au Canada, à Vancouver. Elle se montre exaltée, presque émerveillée de participer à pareille fête collective. La petite Texane n'est plus une anonyme, ni le vilain petit canard qu'on ignore ou que l'on montre du doigt. Non, on commence peu à peu à l'ovationner. Le public lui donne de l'amour. On la respecte enfin pour elle-même. Elle entre définitivement dans la peau d'une artiste. Sa véritable peau.

Janis découvre à quel point San Francisco a changé depuis son départ. Chet a raison, « la ville a carrément viré rock'n'roll », tant musicalement que socialement, nourrissant sa réputation de cité permissive. Tandis que les Beatles se produisent pour la toute dernière fois en Amérique fin août au Candelstick Park de San Francisco, avant de lancer le très psychédélique *Sgt. Peppers Lonely Hearts Club Band* l'année suivante, une incroyable concentration de jeunes musiciens voit le jour en Californie, comme par enchantement. Tous éprouvent le besoin de créer une musique nouvelle, faite d'expérimentations débridées. Des stations de radio FM communautaires, dites underground quoique légales, comme KMPX puis KSAN (grâce à Tom Donahue, le « père de la radio progressive »), ou la plus rangée KYA, répandent vingt-quatre heures sur vingt-quatre cette musique nouvelle. Une musique nullement calibrée pour les hit-parades et qui se démarque de celle figurant au Top 40, tant en raison de son style que de la durée des morceaux. Le rôle de ces radios est prépondérant pour amplifier le mouvement psychédélique et créer un bouche à oreille qui se répercute finalement dans tout le pays. Le cinéma alternatif est lui aussi en pleine effervescence, défiant les interdits, les tabous et la censure, et prenant résolument le contre-pied de l'usine à rêves hollywoodienne.

Dans les années 1950 et au début des années 1960, San Francisco s'était déjà montrée accueillante pour les beatniks existentialistes, les poètes et les musiciens jazz et folk. Un nouvel idéal pacifiste et anticonformiste face au système dominant s'y développe parmi la jeunesse, hostile à la société de consommation et de profit à outrance. Une philosophie hédoniste et dionysiaque gagne les esprits. Une partie non négligeable de la jeunesse réagit contre ce monde mis en scène par les adultes. Un monde qu'elle juge aseptisé, standardisé et perverti par un consumérisme sauvage. Beaucoup d'adolescents sont lassés des rêves de leurs parents, tournés vers l'acquisition de voitures rutilantes, de réfrigérateurs géants, de piscines éclairées et de placements financiers mirobolants. Des parents qui, à défaut de prendre des drogues, font exploser la consommation de tranquillisants. La société de consommation semble pour certains une idéologie des plus suspectes. Si l'on s'insurge contre l'aliénation au travail, il faut toutefois se loger, se nourrir, même si la vie communautaire, où tout est à tout le monde, limite les frais. Il faut également payer la drogue, les médicaments, apporter son obole à la nouvelle communauté. Bientôt, l'heure est venue de faire la manche et de courir ou de créer les jobs en marge du système : artisanat, spectacle de rue, distribution de courrier, plonge dans les restaurants, lavage de voitures, garde de nuit, vente de journaux à la criée, mais aussi, bien sûr, prostitution par petites annonces dans la *free press* et trafics de drogue à plus ou moins grande échelle. Certains vont même jusqu'à se louer comme hippies décoratifs pour pimenter les soirées de la haute société en mal d'exotisme.

Les communautés libertaires essaiment en une véritable société autogestionnaire en marge du modèle social américain et de la famille traditionnelle. Quelques-uns jettent leur montre. Il s'agit de se marier tous ensemble, d'inventer la polyfidélité tout en luttant contre les ego. Un nouveau contrat social. Beaucoup s'établissent autour d'un quartier aux vastes maisons de style victorien, de deux à quatre étages, souvent construites en bois de séquoia, des maisons à couloir central, dont la configuration est bien adaptée à la vie en groupe. Ces vastes bâtisses aux loyers modiques font généralement huit à dix mètres de façade pour trente mètres de profondeur. Les gigantesques appartements se louent pour moins de 200 dollars par mois, et les simples chambres pour moins de 20 dollars. Ce quartier mi-ouvrier mi-estudiantin, avec de nombreux artistes et pas mal d'adeptes des drogues, limitrophe du quartier noir de Fillmore, se situe autour de Haight Street et de Ashbury Street, l'épicentre de l'activité hippie. Ces communautés, généralement restreintes en volume, se limitent souvent à une ou deux dizaines d'individus. Il s'agit d'abord de se prouver que d'autres rapports affectifs sont possibles. Il s'agit aussi de rompre avec la suprématie autoritaire du *pater familias* ou de la mère dominatrice. Lorsque l'on fait des enfants, c'est souvent pour tester de nouvelles façons de les élever, sans rapport avec le carcan de la famille américaine type. Une minorité extrêmement visible et hypermotivée veut vivre une expérience collective et festive, en marge de tout conformisme, et en rupture avec les modèles établis. Le rêve du New Deal et des années de croissance économique régulière paraît désuet, caduc. Une partie importante de la jeunesse refuse la société de consommation et ne veut pas entrer dans l'engrenage de la vie morne et rangée. Durant un temps, elle va constituer une réelle force collective, mais une force qu'elle n'exploitera pas de façon durable, pour la raison bien simple qu'elle rejette justement tout concept de « force » et de prise de pouvoir. Une contre-culture d'inspiration écologiste (on commence à percevoir que le monde n'est plus le *vaste monde*, mais la fragile planète Terre), portée vers le retour à la nature, s'établit sur les brisées des beatniks des années 1950. On manifeste contre la pollution et les déchets nucléaires. Cette contre-culture se placera toujours en priorité sur le plan social et culturel, plutôt que sur le plan strictement politique, confisqué par des partis hyperstructurés et asservissants.

Sur la route, le roman de Kerouac, devient un succès planétaire pour une fraction non négligeable d'une jeunesse qui, espérant briser ses chaînes, part en stop, à pied ou à dos d'âne sur les routes d'Orient (Inde, Népal — Katmandou —, Afghanistan...) et d'Afrique (Maroc surtout). On se lance à la recherche d'un ailleurs et d'une vérité que bien peu découvriront. Nomadisme de l'utopie. Les « déroutes » seront nombreuses, dans la misère et la déchéance. Certains connaîtront la mendicité en pays défavorisés et la dépendance fatale à la drogue, loin de tout port d'attache, de tout refuge possible.

Deux modes de vie s'affrontent. Une certaine jeunesse veut former une société parallèle, en marge, une société de rechange, non conformiste, antimilitariste et articulée autour d'une nouvelle musique en pleine mutation. Cette musique est une affirmation collective et un signe de résistance tant elle se situe en rupture avec les traditions parentales. Mais les échecs seront nombreux, certains rêves étant rattrapés par le partage de l'être aimé, ou plus prosaïquement par le partage des tâches ménagères ou de certains biens de pacotille !

Un mode de reconnaissance comportemental et vestimentaire est affiché. Le « look beatnik », comme le dira encore de façon révélatrice Janis vers la fin de l'année 1966, révèle que le passage de témoin n'est pas encore achevé entre les beatniks et la génération hippie. Les *beautiful people* adoptent une façon excentrique et décontractée de s'habiller et de s'afficher en public : tuniques à manches larges aux couleurs chamarrées, saris hindous, vestes Nehru, ponchos mexicains, vestes péruviennes, chemises de paysans sudistes, jupes brodées de gitanes ou western, cafetans turcs, chemises et T-shirts à motifs arc-en-ciel ou floraux, longues robes dénouées à parements vifs, moulant les seins et la croupe, minijupes, sabots, abandon du soutien-gorge et de la cravate, et parfois refus de porter des chaussures. On porte des pantalons taille basse, très serrés, et à pattes d'éléphant *(bell-bottoms)*, en velours frappé ou en cuir. Des jeans unis, à rayures ou multicolores. Des chemisiers courts ventre à l'air, des patchworks, des blousons du surplus de l'armée (en signe de contestation antimilitariste), des vestes en daim frangées, des breloques, des bijoux faits main, des amulettes, des clochettes, des lunettes de toutes formes et de toutes couleurs (verres roses pour Janis), des chapeaux bizarres (voire des coiffes de sachem !), des serre-tête et serre-poignet en soie. Des sandales artisanales, des Clarks, des mocassins indiens et des boots à franges, des bottes à talons hauts. On arbore des badges contestataires, des pendentifs où se distingue le signe de la paix, des colliers de perles artisanales de style amérindien ou mexicain, des tiares de fleurs. On se balade avec un tambourin ou une flûte. Janis précise par courrier à ses parents :

> Mais les vrais paons, ce sont les gars. Tous ont les cheveux au moins aussi longs que les Beatles [un croquis indique jusqu'aux joues], la plupart de ceux qui font du rock portent les leurs à peu près comme ceci [aux épaules], et certains, comme notre manager Chet, aussi longs que ça [plus bas que les épaules], c'est-à-dire plus longs que les miens[11].

Sur une carte d'anniversaire, elle leur dessine même un modèle de lettrage utilisé pour enluminer les posters psychédéliques. Les parents finiront par venir vérifier sur place que leur fille aînée est bien devenue la reine de la scène rock, comme elle le prétend dans sa correspondance. Pris au dépourvu, Janis et le groupe demanderont alors à Chet Helms d'organiser en catastrophe un concert à l'Avalon !

La nudité n'est plus taboue, la pudeur est moquée. On se touche sans retenue, on se fait peindre le visage de motifs floraux ou tatouer le corps. Mario Casilli, alors l'un des photographes vedettes du magazine *Playboy* — qui n'osera publier des poils pubiens qu'à partir de 1969 ! —, s'inspire avec succès de cette nouvelle tendance en publiant un sujet très remarqué, consacré à des corps de femmes magnifiquement peints. Filles et garçons arborent les cheveux longs (« droits en bâton de tambour » pour les filles, selon l'expression de Janis), autant pour se distinguer radicalement des *rednecks*, des militaires et des businessmen, que pour créer une solidarité de « classe » repérable, résister face au machisme de la société, et provoquer les bigots avec un look résolument christique.

Les appartements communautaires, souvent surpeuplés, s'ornent de bougies, de batiks, de bâtons d'encens, d'huile de santal, de tentures et de tapis orientaux appliqués à même les murs, de posters psychédéliques géants. Un nouveau vocabulaire communautaire prend forme : *brother*, *sister*, freak (monstre, dérangé ou drogué, mais avant tout excentrique) — un surnom que les hippies les plus branchés se donnent par autodérision, en référence au film éponyme de Tod Browning, ou à l'album *Freak Out !* de Frank Zappa. D'autres mots font leur apparition, comme *acid*, *psychedelic*, *loveburger* (pour hamburger), *be-in*, *kiss-in*, *love-in*, *park-in*, *play-in*, *smoke-in* (fêtes ou rassemblements communautaires plus ou moins thématiques), *teach-in* (contre-cours), *trip*, *free press*, etc.

Les voitures et les minibus communautaires sont peinturlurés de motifs hautement fantaisistes, souvent avec de la Day-Glo. Un nouvel art visuel explose et s'impose. Les light shows déversent des fresques saccadées sur les murs, sur les musiciens et le public aussitôt intégré au spectacle. Un art destiné à accompagner les trips d'acide.

Et puis il y a les posters psychédéliques. Près de trois cents modèles différents seront conçus pour le seul Fillmore de San Francisco. Ces affiches, influencées par l'Art nouveau et les arabesques de l'affichiste anglais du XIXe Aubrey Beardsley, mais aussi Jérôme Bosch, les dadaïstes et les surréalistes, servent soit à annoncer les concerts, soit à mettre en avant les revendications politiques, sociales et écologiques. Au début, les boutiques ont souvent refusé de les placarder, car elles semblaient trop excentriques, voire illisibles pour les non-initiés. Mais elles devinrent vite le signe de ralliement des nouvelles communautés, puis un objet de souvenir et de collection, et enfin des œuvres d'art fortement cotées et exposées par les plus grands musées à travers le monde. À commencer par le musée d'Art moderne de New York, dès 1972. Parmi les plus célèbres *designers* d'affiches, les « petits maîtres du nouvel art graphique », on remarque Wes Wilson, Bonnie MacLean, Stanley Mouse, Lee Conklin, Randy Tuten, Rick Griffin, Aton Kelly, Victor Moscoso, David Singer et David Byrd.

Le quartier devient une véritable ville dans la ville, avec ses codes et ses réseaux, ses boutiques hippies *(head shops)* plus ou moins autarciques, comme la fameuse Psychedelic Shop ouverte le 3 janvier 1966, située au 1535 Haight Street. Tenue par les frères Ron et Jay Thelin, dont le père gère un magasin Woothworth presque en face, elle est particulièrement réputée comme lieu de rencontre. Sur ses murs sont punaisées les annonces spécifiques à la communauté.

Ces échoppes vendent pêle-mêle des pipes de haschisch en argile rouge, des pinces à mégot de marijuana, de la friperie style Wild West ou guerre de Sécession, des bijoux artisanaux, du papier pour rouler les joints, des livres branchés, des bougies parfumées au patchouli ou au jasmin, des posters, des badges, des disques, des billets de concert, des publications de la *free press*, des toges bouddhistes, des serre-tête indiens, des fringues à la mode pirate ou edwardienne. Les épiceries *delicatessen* se transforment en *psychedelicatessens*. Les photographes Herb Greene et Bob Seidemann, comme le Français Alain Dister, entre autres, ont formidablement fixé sur pellicule toute cette effervescence.

Avant la fin de l'année 1966, on recense plus de mille groupes autour de la Baie, la plupart marqués par le folk et le blues, avec des traces de country et de jug band music (musique des rues). Autant de mini-familles de remplacement face à la cellule parentale. Bref, tout est nouveau, tout est à créer, à inventer sur ces bases. La plus grande liberté règne sans influences majeures. Un rock blues électrifié est joué à plein volume.

Les formations musicales se côtoient, expérimentent une même matière sonore, participent à la même fête, et ne se concurrencent en aucune façon. À la grande différence des groupes de New York ou de Los Angeles, déjà englués dans le show-biz, et qui préfèrent souvent travailler en studio plutôt que de se produire sur scène, ceux de San Francisco sont essentiellement des amateurs. Ils ne sont pas inféodés à des labels et n'ont pas d'orientation musicale prédéfinie. La plupart se fréquentent, confrontent leurs découvertes. Tout est à tout le monde. On vit en symbiose avec le public considéré comme constituant une même famille. Les concerts sont avant tout des rencontres, des célébrations joyeuses où l'on danse tels des derviches emportés dans le tourbillon d'une frénésie rock. Les concerts gratuits, souvent fort longs, sont pratique courante. Ils soutiennent différentes causes communautaires. C'est un trip, un voyage festif et collectif, souvent hallucinogène.

L'aventure du Filmore aura été extraordinaire. Dans cette salle, le public a une moyenne d'âge de vingt ans. Les spectateurs sont très proches des artistes, jusqu'à pouvoir les toucher sous les effets de gigantesques light shows, dans une orgie de couleurs. Les manifestations ne se limitent pas aux concerts. On remarque, entre autres, des mariages hippies sur scène, d'homériques matches de basket-ball le jeudi soir entre musiciens et techniciens, et des fêtes de vingt-quatre heures non-stop organisées pour des centaines d'invités privilégiés par Graham. L'aventure s'achèvera toutefois en juin 1971 sur un coup de tête émotionnel de Graham : « L'usage massif des drogues, associé au besoin d'évasion des jeunes, est l'un des motifs qui me conduisent à prendre mes distances avec ce business[12]. » La fête, qui aura tout de même duré une demi-décennie, est bien finie selon lui. On ne peut pas changer les gens malgré eux. La nature humaine, égoïste et individualiste, semble toujours finir par reprendre le dessus.

Pour terminer en apothéose, Bill Graham mettra sur pied un concert marathon de cinq jours, du 30 juin au 4 juillet 1971, diffusé en direct à la radio. L'événement a été fixé sur pellicule sous le titre *Filmore : The Last Days*. Pour l'occasion, le label Warner a publié un coffret d'adieu de trois disques *live*, accompagné d'un luxueux livret, d'un poster et de reproductions de billets d'entrée. Ce festival *indoor* réunira une quinzaine de groupes et d'artistes dont Grateful Dead, Hot Tuna, Santana, Taj Mahal et Quicksilver. Désillusionné, Bill Graham fermera aussi son Fillmore de New York, huit jours plus tard.

Pour résumer, au printemps 1966, à l'arrivée de Janis, Big Brother and the Holding Company est constitué du batteur Dave Getz, des guitaristes James Gurley et Sam Andrew, et du bassiste Peter Albin. Les musiciens, du moins ceux qui ne la connaissaient pas, s'attendaient à voir arriver une chanteuse svelte et plutôt sexy, pas une boulotte texane d'allure aussi ordinaire, à la peau aussi élimée que ses fringues de provinciale, et parfois même coiffée d'un chignon. Janis n'a pratiquement jamais chanté avec des musiciens de rock. Elle reste imprégnée d'influences folk, blues et country. On la presse donc de chanter plus fort et de bouger davantage, en prévision des concerts à venir... au cas où elle ferait l'affaire. On lui suggère surtout de chanter de façon moins aiguë, avec une voix moins perçante.

En revanche, les musiciens constatent rapidement que Janis a la passion du blues solidement chevillée au corps. Elle insiste même pour que le groupe intègre ce type de morceaux à son répertoire. Ce qui ne pose aucun problème particulier, puisque les musiciens reprenaient déjà des morceaux de John Lee Hooker avant l'arrivée de la chanteuse, et avaient même eu l'occasion de se produire avec des pointures comme Howlin' Wolf, Buddy Guy ou Albert King. De super-initiateurs dans le genre !

Le caractère entêté et inflexible de Janis frappe ses nouveaux compagnons. Comme il n'y a que des hommes autour d'elle, Janis adopte aussitôt une attitude quasi virile qui les impressionne beaucoup. Mais c'est la puissance, l'authenticité de sa voix qui font l'unanimité en sa faveur. Non seulement les guitaristes sont soulagés de pouvoir se libérer des parties vocales, mais ils réalisent qu'un nouvel instrument, déterminant, vient enrichir leur groupe. Et cet instrument est *une voix* ! Aucun membre de Big Brother n'avait envisagé pareille éventualité.

Des compromis sont vite trouvés en intégrant des « traditionnels » du répertoire folk, connus de Janis et des musiciens. Ce qui donne parfois de franches réussites, comme la reprise survitaminée du standard « Down on Me » qui deviendra un des morceaux de choix du groupe sur scène, ou « I Know You Rider ».

Jusque-là, Janis s'était contentée de rester plus ou moins sagement derrière un micro fixe. Elle doit maintenant se faire violence, forcer son chant sans pour autant brailler, puis mêler les vibrations blues, folk et rock. Elle doit aussi acquérir une nouvelle aisance physique. Janis s'interroge sur cette musique *groovy*, *fuzzy*, comme on dit alors, et qu'elle qualifie elle-même de « blues-rock-soul-rock-blues ». Avec, par conséquent, deux fois le mot blues !

Quand certains lui résistent, Janis menace de rentrer chez ses parents au Texas, ce qui amuse furieusement la galerie. Mais sa voix impressionne jusqu'aux plus machistes. Dans les parages — et à vrai dire nulle part ailleurs ! —, aucune fille blanche n'a jamais chanté comme ça. Il faut bien en convenir. Les musiciens et le proche entourage sont épatés. Et ils respectent encore plus la chanteuse lorsqu'ils apprennent qu'elle a failli intégrer le groupe de Roky Erickson, les 13th Floor Elevators (par superstition, aux États-Unis, il n'y a pas de treizième étage dans les immeubles, on passe directement du douzième au quatorzième), un des rarissimes *garage bands* psychédéliques à être alors répertoriés sur la côte Est, et surtout à oser venir défier les groupes californiens sur leurs terres. Le groupe d'Erickson a tenté de s'installer à San Francisco, mais ce fut une expérience éclair, dans tous les sens du terme… Roky et sa troupe d'allumés succombant à toute vitesse à la tentation dévastatrice des acides. Big Brother and the Holding Company va ainsi avoir l'occasion de voir le groupe sur scène à l'Avalon, le 30 septembre 1966, avec Quicksilver Messenger Service. Sam Andrew restera d'ailleurs persuadé que Janis a volé quelques-uns de ses plans vocaux à Roky, lequel versera plus tard dans le délire satanique ; il faut dire que sa dévote de mère n'avait eu de cesse de le menacer des flammes de l'enfer durant toute son enfance ! Erickson passera même trois ans dans un établissement spécialisé dans les maladies mentales, où il subira un traitement de choc (surtout à base d'électrochocs !) digne du *Vol au-dessus d'un nid de coucou* de Ken Kesey.

La capacité vocale de Janis a donc rapidement fait taire les railleries. Elle prend l'habitude de personnaliser les paroles des chansons, afin de les interpréter avec plus de conviction encore. Lors d'une répétition, ses hurlements forcent à ce point l'imagination que le voisinage, convaincu qu'une bougresse se fait étriper ou violenter, alerte la police. Lorsque les agents arrivent, Stanley Mouse les accueille avec une ironie amusée, prétendant qu'il ne s'agit pas d'une « femme » mais de Janis Joplin.

Agréablement surprise par l'accueil qu'on lui fait, Janis se laisse griser, se lance à corps perdu dans l'aventure. Les répétitions quotidiennes s'étirent parfois au-delà de six heures et lui permettent de prendre de plus en plus d'assurance. La chanteuse laisse avant tout la musique investir son corps, sa carapace texane dans laquelle elle était empêtrée et derrière laquelle elle dissimulait tant bien que mal ses blessures intérieures. Elle entre dans la définition donnée par Alan Lomax du chanteur ou de la chanteuse noire qui, au contraire du chanteur blanc jusque-là, « se meut de façon sinueuse [...], danse la chanson[13] ». Janis trépigne donc en chantant, joue du bassin, danse, s'arrime comme une enragée au micro tout en effectuant de fréquentes ruades en relevant la jambe droite vers l'arrière. Toujours à la façon des chanteurs noirs, elle prend l'habitude de taper dans ses mains pour marquer le rythme et stimuler la fougue de ses partenaires. Elle développe surtout une gestuelle sensuelle et très expressive. Il lui devient impossible de rester immobile sur scène. La voilà qui saute et danse en chantant. À sa grande surprise, elle se découvre alors littéralement déchaînée.

La révolution culturelle en marche et la multiplication des groupes de rock provoquent l'éclosion d'une presse musicale, notamment sur la côte Ouest. Le *Crawdaddy*, l'une des toutes premières revues spécialisées, est bientôt suivi de publications plus généralistes comme *Eye*, qui publiera un poster central consacré à Janis Joplin dans son numéro de juillet 1968. Mais la grande réussite sera le magazine *Rolling Stone*, lancé fin 1967 à San Francisco, dont l'influence dépassera rapidement la zone de la Baie. L'ambitieux Jann Wenner, avec l'aide de Ralph Gleason, fera fructifier et surtout perdurer ce magazine, lui attirant de probantes signatures, celles de chroniqueurs et de critiques bien sûr, mais également celles d'écrivains. Certains journalistes (Bob Christgau, de *Esquire*, Richard Goldstein, du *Village Voice* — pour lequel Janis exprimait à juste titre « une humanité commune aux deux sexes » —, John Landau, Michael Lydon, etc.) constituent une nouvelle caste, celle des narrateurs, des témoins enthousiastes d'une ère envoûtante.

Le quartier Haight-Ashbury publie un journal spécifique pour la communauté, *The Oracle*, fondé en septembre 1966 par Allen Cohen et édité par Steve Levine (le tirage dépassa un moment les 100 000 exemplaires), avec une édition à San Francisco et une autre à Los Angeles. D'autres publications, comme le fanzine *Mojo Navigator*, essaiment le secteur. Des photographes (Irving Penn, Herb Greene) et des graphistes participent à l'émergence d'une nouvelle culture. Mais le phénomène ne se limite pas aux revues d'avant-garde. Très vite, la presse institutionnelle, jusqu'à *Life*, embraie en créant des rubriques spécialisées ou en publiant des enquêtes. Le traditionnel magazine *Time*, fin 1966, n'hésite pas à élire « homme de l'année »... « la plus jeune génération » ! Celle qui provoque à folle vitesse tant de mutations sociales. Les caméras de télévision débarquent à leur tour et captent ces excentriques pour des shows grand public. Les maisons de disques, qui constatent immédiatement combien la musique rock peut devenir un nouveau produit de masse (avec ses nouveaux artistes et surtout son vaste public spontané), vont bientôt choyer les médias et les abreuver de services de presse et de publicités.

Une nouvelle caste fait son apparition entre 1966 et 1968, les Diggers. Leur nom trouve son origine au XVIIe siècle en Angleterre, alors que des groupes de fermiers insoumis produisaient de la nourriture à l'attention des plus démunis. Les nouveaux Diggers des années 1960, l'anarchiste irlandais Emmett Grogan et Peter Cohon (acteur sous le nom de Peter Coyote, notamment dans

E.T. de Steven Spielberg, en 1982) en tête, constituent une organisation humanitaire communautaire dont l'un des buts consiste à proposer une sorte de soupe populaire. Urbains et politisés, ces Robin des villes — et singulièrement du quartier Haight-Ashbury — se donnent comme mission de venir en aide à la nouvelle vague d'arrivants. Ils créent un centre d'hébergement, collectent et redistribuent gratuitement des vêtements et des médicaments. Ces Restos du cœur avant l'heure seront secondés par l'étonnante Free Clinic du docteur David Smith, sur Haight Street, qui accueillera plus de dix mille patients — le plus souvent pour soigner des maladies vénériennes — avant d'imploser face à la demande exponentielle de soins gratuits. Récupérée sous forme de dons chez les commerçants, les grossistes, les restaurateurs et les fermiers, de la nourriture en surplus est distribuée chaque jour sur la pelouse du Panhandle (une étroite section herbeuse du Golden Gate Park en direction de Ashbury, de la largeur d'un pâté de maisons), à destination des plus nécessiteux. Sans les Diggers, et les Berkeley Provos, une organisation similaire, un drame social aurait été inévitable. Les Diggers finiront toutefois par capituler face à l'exil massif de plus de 200 000 jeunes chevelus accourus vers la côte Ouest, et la Californie en particulier. Il s'agira principalement de paumés et de fils et filles de la bourgeoisie américaine qui, selon la formule de Tom Wolfe, finissent souvent par adresser à l'attention de leurs parents la « Beautiful People Letter » : une lettre faisant l'apologie de leur voyage vers l'ouest, en des termes exaltés. Alors que, le plus souvent, ils se retrouvent à vivre d'expédients. Face à cette situation, la police se crispe et multiplie les contrôles. Plus de 1 400 appartements seront ainsi visités sous prétexte d'insalubrité, mais seulement 5 % de ceux-ci seront finalement fermés. Yves Delmas et Charles Gancel ont résumé la philosophie des adolescents hippies, en réaction à leur univers familial :

> Cheveux longs (va chez le coiffeur !), hygiène douteuse (lave-toi les mains avant de passer à table !), oisiveté (travaille dur, mon fils, et tu réussiras !), drogues (aie une vie saine, fais du sport !), liberté sexuelle (le tabou absolu, le Mal), musique rock (vas-tu arrêter d'écouter cette musique de nègre !), communautarisme (ségrégation, marie-toi dans ta rue), expansion tantrique et acidulée de la conscience individuelle (tous à l'église !) et pensée écologique (contre la course au profit)[14].

Janis Joplin n'est pas très éloignée de ce mouvement, même si la musique lui confère peu à peu un statut qui lui permet de laisser éclater son ambition. En septembre 1966, par lettre, elle prévient ses parents qu'elle ne retournera pas à la fac, tentant de se justifier en soulignant que plusieurs aspects de la vie estudiantine et domestique lui manquent, tout en ajoutant qu'elle souhaite plus que jamais devenir chanteuse. Bonne fille malgré tout, elle reconnaît que son irrésolution ne fait pas d'elle une personne très fiable.

La plupart des villes américaines de l'Est et du Centre voient donc une partie de leur jeunesse, la plus révoltée et progressiste, émigrer vers l'ouest, et principalement la Californie. Ce véritable schisme culturel et politique dépasse jusqu'aux autorités religieuses. Le cardinal Spellman, par exemple, insiste sur la « nécessité » de la guerre au Viêt-nam : « Les Américains ne sont pas seulement là en tant que soldats de l'armée américaine, mais en tant que soldats du Christ[15]. »

Derrière leur générosité, les Diggers masquent une volonté de maîtrise politique, une prise de pouvoir sur un Nouveau Peuple. Le charismatique Emmett Grogan, cheveux longs et anneau d'or à l'oreille gauche, est un aventurier sans scrupule qui n'hésitera pas à investir le bureau de l'agent artistique Albert Grossman afin de mener à bien ses propres affaires.

La réalité économique va tout de même éventer le rêve. Certains prennent conscience de la nécessité de trouver un métier pour survivre. Les solutions sont la musique, bien sûr, avec toutefois une mainmise progressive de l'industrie discographique, mais aussi l'artisanat sous toutes ses formes. Janis, comme tant d'autres à l'époque, fabrique des colliers de perles dans sa chambre... Ainsi, tout un commerce autour de l'habillement contribue à créer la mode vestimentaire hippie. Des commerces parallèles tendance zen ou new age se multiplient. On propose des méditations de toutes sortes, ainsi que des massages aux particularités plus ou moins équivoques. Certains parcourent les rues en proposant des publications underground, des badges revendicatifs ou des miniposters. Et il y a bien sûr le trafic de drogues qui s'intensifie. Les vraies comme les fausses... Ainsi, une stupide rumeur court un temps, prétendant que la peau de banane est hallucinogène ! Pour la seule année 1967, à Los Angeles, concernant les mineurs, les arrestations liées à la drogue augmenteront en effet de 130 %. Les arrestations, en Californie, vont passer de 7 000 en 1964 à 37 000 en 1967, les effectifs de la police quintuplant en trois ans. De nouvelles formes de prostitution apparaissent aussi, traditionnelles ou « artistiques », comme le *body painting* — où on paie pour peindre à sa guise sur un corps nu, le temps d'une passe, mais sans rapport sexuel. Et puis il y a le don rémunéré de son propre sang, mais pas plus d'une fois par trimestre. Enfin, la clochardisation et la mendicité dans le pire des cas. Parce que le rêve et l'illusion ont toujours leurs limites, comme le stigmatisera Dave Getz : « Nulle part on vous paiera pour vous tenir sur la tête dans la position du lotus[16]. »

Certains citoyens voient dans l'émergence de cette faune — considérée comme crasseuse, pervertie, irresponsable et irrespectueuse — l'émergence d'une nouvelle Sodome et Gomorrhe. Une faune qui entraîne une augmentation des taxes afin de rémunérer les nouveaux policiers chargés de combattre la toxicomanie, la criminalité et la prostitution.

Cependant, de nombreux jeunes considèrent la drogue comme une substance révolutionnaire d'essence spirituelle, permettant d'échapper au Vieux Monde et d'ouvrir les portes d'un Nouveau Monde.

Le 10 juin 1966, Janis Joplin fait sa première apparition officielle au sein de Big Brother and the Holding Company, sur la scène de l'Avalon. Soit une semaine à peine après son arrivée à San Francisco. Comme les autres musiciens, elle va toucher 50 dollars par show. Une aubaine pour cette provinciale qui débarque sans le sou.

Le répertoire mis au point avec Janis étant encore limité, le groupe joue d'abord des improvisations free jazz ultrarapides, qui mettent en évidence le jeu de guitare débridé de James Gurley. Puis Janis rejoint la formation sur les planches, avec son look hypernature, genre « je-ne-suis-que-l'une-d'entre-vous-montant-sur-scène », selon sa propre expression. Un look davantage dans le style *coffeehouse* beatnik ou étudiante texane que dans le genre hippie. Elle ne possède pas le moindre vêtement branché et porte toujours les mêmes fringues qu'à la fac. Pour l'instant, Janis se soucie fort peu de son image, elle cherche à se fondre dans la musique. Elle chante « Down on Me » et « I Know You Rider », conférant un peu de douceur et de nuance féminine à la musique du groupe. Son sens de l'improvisation éclate aux yeux des connaisseurs et provoque un engouement spontané, même chez les plus blasés. C'est autant une révélation pour elle que pour les musiciens, et bien sûr pour le public.

La jeune Texane, même reléguée sur le côté de la scène, un tambourin à la main, « vole » littéralement le show. Excepté aux yeux d'un cercle d'inconditionnels du groupe, qui réclament aux musiciens de se débarrasser au plus vite de cette

« poulette » (*chick*, comme on dit alors communément en Californie), car elle risque de dénaturer leur musique déjantée jazz rock. Ce noyau dur regrette que les morceaux aient été raccourcis et ne s'éternisent plus en de longues envolées instrumentales pouvant dépasser les quinze minutes, grâce notamment aux solos suppliciés de Gurley, considéré jusqu'alors comme la principale figure d'attraction du groupe.

Suite à ce concert, le public de Big Brother n'aura de cesse de s'élargir. Janis marque profondément les esprits : « J'ai complètement explosé ce soir-là. J'étais barrée dans un trip à la Bessie Smith. » Un moment inoubliable :

> Quel rush ! Un vrai rush de droguée, mais *live*... Tout ce dont je me souviens, c'est la sensation — un foutu coup de grisou. La musique faisait boom, boom, boom, et les gens dansaient un peu partout sous la lumière des spots, et j'étais là debout à chanter dans le micro et intégrant tout ça, et whooâ ! je me suis défoncée. Et aussitôt après, j'ai dit : « Eh, les gars, je crois que je vais rester ![17] »

Ce qui tombe bien, puisque les musiciens sont tout aussi enthousiastes, persuadés d'avoir déniché la pièce manquante du puzzle. Janis est un « bonus » déjà indispensable. Le feu de Bengale sur le gâteau. David Getz le confirme : « Dès l'instant où je l'ai entendue chanter, j'ai compris à quel point elle était incroyable. Cela ne faisait aucun doute pour moi[18]. » Sam Andrew renchérit : « Qu'on l'apprécie ou non, on était bien obligé de reconnaître qu'elle était exceptionnelle d'intensité, un véritable phénomène[19]. » Et Peter Albin d'insister : « Dès qu'elle a ouvert la bouche et commencé à chanter avec ses intonations couillues et sa voix râpeuse, il a été évident pour tous qu'il fallait absolument la garder parmi nous.[20] »

Le photographe Bob Seidemann est lui aussi sidéré par la prestation de Janis. Il commence à la prendre comme l'un de ses sujets de prédilection. Dans son coin, Chet Helms sourit en douce. Son pari est visiblement gagné, ce qui contribue encore davantage à mettre en valeur une aura déjà rutilante. La rumeur se répand telle une traînée de poudre. Hey ! Big Brother and the Holding Company s'est trouvé une vraie chanteuse, une pile survoltée qui s'exprime à gorge déployée en accaparant toute l'attention, en s'adressant directement au public entre les morceaux, souvent avec impudicité, parlant de ses expériences sentimentales ou sexuelles.

Ses amies Sunshine et Nancy Gurley, relayées plus tard par Peggy Caserta, vont vite pousser Janis à renouveler son look jugé trop rudimentaire. Ce sont elles qui la convaincront d'adopter une tenue attractive, plus *fun* et farfelue, des habits à dentelle, en soie ou en velours, des assemblages de bracelets, puis des boas aux plumes multicolores. Ce sont elles également qui lui conseillent d'abandonner ses tenues basiques, jeans et T-shirt, pour des tenues de scène, mais aussi du linge (dessus-de-lit en madras, etc.) et tout un attirail de colifichets tape-à-l'œil. Ce sont elles, enfin, qui lui insufflent le désir de révéler son corps qu'elle a eu trop tendance à dissimuler sous des habits aux contours vagues. Mais c'est bien Janis qui va inventer sa propre beauté et saura la faire apprécier. Libérée, elle va développer un sens flamboyant de l'accoutrement, à la fois pour attirer l'attention des autres et pour se dissimuler elle-même sous un déguisement espiègle. Avec pour conséquence que le quatuor doit désormais modifier sa façon de jouer. Ce sont les musiciens qui devront s'adapter à la voix de Janis, et non le contraire. La Texane prend rapidement une position centrale dans le projet. Les longues envolées instrumentales sont écourtées au profit d'un format chanson plus courant. Mais le groupe n'abandonne pas pour autant ce son dur qui pousse Janis à forcer sa voix au maximum et à s'extérioriser comme elle ne l'a encore jamais fait, gestes à l'appui. Elle comprend que son chant doit évoluer bien au-delà de sa ferveur envers Bessie Smith. Il s'agit de chanter du rock au sens large du terme, en préservant son âme blues.

Durant les parties instrumentales ou les titres chantés par Peter Albin, Janis prend l'habitude de jouer du tambourin, puis des maracas. Et comme elle ne fait jamais les choses à moitié, elle se jette à fond dans l'aventure, trouvant aussitôt ses marques sur scène. Elle fait preuve d'une ferveur qu'elle transmet au public qui partage vite ses propres émotions. Cheveux défaits, crinière de lionne en panache, suant à profusion sous les sunlights, parfois haletante, essoufflée comme une boxeuse sensuelle, elle pleure, vocifère, donne presque l'impression de perdre la raison, puis s'apaise, s'empare de l'auditoire époustouflé par une telle débauche d'énergie. Elle intègre la pratique noire du *jubba patting*, consistant à marquer le rythme en frappant les mains ou, surtout, en fouettant d'une main la hanche ou la jambe. Ce qui crée un pas de danse proche de la transe.

La scène va griser Janis qui n'aura de cesse ensuite de comparer ses prestations à une succession d'orgasmes, ou au « rush » sous l'effet de drogues dures. Plus tard, elle confiera à un journaliste de l'agence Reuter :

> Ce rythme, cette puissance... Je ne pouvais y croire. Je planais complètement. C'est vraiment la meilleure came au monde. C'était sensuel, envoûtant, irrésistible. Avant, je ne dansais jamais en chantant, mais là, impossible de rester immobile. Tout d'un coup, je me suis retrouvée à trépigner et à bondir. Et je me suis mise à chanter de plus en plus fort. Je ne pouvais pas m'en empêcher. Pour finir, j'étais complètement déchaînée. C'était dément[21] !

De plus en plus épatée par le look délirant de la faune qui l'entoure, et encouragée en ce sens par son amie Sunshine, Janis décide une bonne fois pour toutes de restreindre toute inhibition, de s'amuser, de s'émanciper et de participer à ce qui ressemble chaque jour davantage à une vaste fête collective. Ce contexte de surenchère lui permet d'assumer plus sereinement sa bisexualité. Constamment entourée d'hommes, sur scène comme en coulisses, les femmes représentent pour elle des complices, un refuge apaisant, une sorte de havre de paix. De retraite hors du grand tapage de sa vie. Dave Getz se souvient : « Si quelqu'un l'attirait sexuellement, mec ou nana, ça ne faisait aucune différence. Et quand tu peux être libre à ce point-là, c'est vraiment super[22]. » Il a aussi précisé que Janis, en parlant de ses maîtresses, comme Jae Whitaker en l'occurrence, employait parfois devant lui des expressions sans ambiguïté, du genre : « Eh ! *man*, cette fille m'excite. » Pour contrecarrer son complexe de « mec le plus moche du campus », elle préférera mettre en avant son hétérosexualité. Une anecdote révélatrice concerne son amitié avec Myra Friedman. En 1968, les jeunes femmes se fréquentaient essentiellement pour des motifs professionnels de promotion. Janis s'inquiète alors que les gens puissent imaginer une relation homosexuelle entre elles deux : « Écoute, peut-être que toi et moi on ferait mieux de ne pas s'afficher si souvent ensemble chez Max's... Oui, tu sais... les gens pourraient s'imaginer... Ils pourraient se poser des questions... Comme je n'ai pas de copain régulier, ils pourraient s'imaginer...[23] » Janis fait preuve d'un embarras profond, bafouille, s'empêtre dans des débuts d'explication, puis laisse tomber. Elle n'en parlera jamais plus à Myra.

Janis ne refrène plus son rire démesuré, qui deviendra légendaire. Un rire « physique » de bête de scène, qui la contraint même souvent à bondir de l'endroit où elle se trouve assise. Ce rire frappe tous ceux qui l'ont connue. Un rire dévastateur qui se moque de tout, à commencer d'elle-même. Un rire parfois désespéré, ironique ou sarcastique, mais le plus souvent joyeux, bien au-delà de la déprime. Autant rire de tout, puisque tout est à ce point absurde, illogique, perverti.

Début juillet, à la suite de sa séparation d'avec Travis Rivers, Janis rejoint Lagunitas, petite localité de la vallée de San Geronimo, au nord de San Francisco, parmi les collines boisées de West Marin. La chanteuse vient rejoindre ses musiciens dans une communauté libertaire qu'ils ont fondée en avril, comme tant d'autres. À deux ou trois kilomètres de là, deux autres groupes, le Grateful Dead et Quicksilver Messenger Service, ont également créé leur propre communauté. Pour 300 dollars par mois, et avec un bail de six mois, la tribu Big Brother loue un grand chalet en bois à une propriétaire peu regardante sur les conventions. Isolée sur une butte, cette agréable bâtisse jouit d'une vue sur un vaste parc public. Chaque jour, la formation peut répéter de façon forcenée durant des heures, animée par une passion commune et façonnant un son singulier, un répertoire. C'est grâce à ce travail intensif que le groupe a vraiment pris corps et personnalité. La musique devient le véritable ciment de la vie partagée au quotidien.

Là, au sein de cette nouvelle famille, Janis se rapproche de nouvelles amies particulièrement délurées, comme Nancy Getz, compagne de son batteur David, Cindy Albin, celle de son bassiste Peter, « Speedfreak Rita », une fille qui fricote avec Sam Andrew, et surtout Nancy Gurley, la femme de son guitariste James, qui aura tant d'influence sur l'évolution de son look. Il y a également deux enfants qui s'ébattent là en toute liberté, le fils des Gurley, Hongo Ishi (« homme champignon » en dialecte Yaqui ; le style de prénom courant dans la sphère hippie), et la fille des Albin, Lisa. Jimi

Hendrix craquera pour Hongo, au point de faire du baby-sitting en coulisses lors des prestations de Big Brother and the Holding Company.

Au bout de plusieurs semaines de cette étroite promiscuité où tout est mis en commun, le beau James devient l'amant de Janis. Même s'il déplore qu'elle porte des jeans déchirés, des sweats informes derrière lesquels elle dissimule son corps et ses complexes. Sans parler de son acné prolongée, d'une coiffure impossible et d'un léger surpoids dû à l'alcool et à un régime alimentaire trop sucré, fréquent chez les héroïnomanes. Cette liaison mettra le groupe en péril. Sam Andrew, qui entend malgré lui les ébats de James et Janis est impressionné : « Janis s'exprimait de façon aussi démonstrative que lorsqu'elle chantait. C'était énorme[24]. » Étant donné le contexte général de libertinage assumé, l'affaire ne choque pas Nancy, jusqu'à ce que les tourtereaux funky finissent par s'enfermer deux semaines durant dans la chambre de Janis. Les idéaux communautaires et la probité hippie ayant parfois leurs limites, Nancy, enfant et chien sous le bras, finit un soir par défoncer d'un méchant coup de savate la porte, afin de récupérer son homme. Labiche chez les freaks ! L'affaire en reste là, sans drame particulier, Nancy et Janis demeurant de très proches amies. D'autant que les deux jeunes femmes — Nancy possède une maîtrise en littérature — partagent une passion commune pour la lecture, sujet qui les lance dans d'interminables conversations. James, le plus courtisé de la troupe par les groupies, précisera plus tard qu'il voyait cette aventure comme l'association occasionnelle de deux desperados. L'autre membre du groupe avec lequel Janis eut une aventure est Sam Andrew, mais l'affaire, brève et tardive, aura lieu après la séparation de Big Brother, quand Janis chantera avec le Kozmic Blues Band.

Le principe de liberté sexuelle totale atteint alors son apogée, en dépit de quelques crises collatérales de jalousie. Janis se rend compte que son début de popularité lui permet d'attirer beaucoup plus facilement les hommes. À commencer par son ami Ron « Pigpen » McKernan du Grateful Dead, gros buveur et joueur de billard. (« On se saoulait et on jouait au billard. Elle me battait huit fois sur dix[25]. ») Ron réside tout près de là, à Camp Lagutinas, avec son groupe ; il a joué jadis avec Peter Albin. La scène rock au sens large apparaît à Janis comme un terrain de chasse infini. Ainsi débute une longue traque sans fin où elle va collectionner les amants occasionnels et se forger une partie de sa légende. Toutefois, ces liaisons sont pour la plupart si brèves qu'aucun des favoris ne vient alors intégrer la communauté de Lagunitas.

Comme les conditions sont idéales pour travailler et que la vie nocturne est plutôt limitée, les musiciens sont toujours ensemble. Les femmes occupent une grande partie de leur temps à fabriquer des objets artisanaux comme des colliers de perles. Le groupe, sous l'impulsion d'une Janis de plus en plus dominatrice, en profite pour mettre au point son style. Il y parvient grâce à des répétitions marathon et à de longues conversations métaphysiques autour de la musique et de la façon d'intégrer l'esprit même du blues. Le public prend l'habitude de danser frénétiquement sur leur musique, avec une Janis qui occupe de plus en plus le devant de la scène et retient l'attention des spectateurs. Ce qui provoque quelques heurts avec Peter Albin, qui se considère toujours comme le leader du groupe qu'il a fondé.

Durant cet été-là, Big Brother se produit en divers lieux, à Monterey et à San José, ainsi qu'au Fillmore et au California Hall de San Francisco. C'est dans cette dernière salle, le 28 juillet 1966, qu'est enregistré le concert qui donnera près de vingt ans plus tard le vinyle sobrement intitulé *Live*, lequel deviendra par la suite le CD *Cheaper Thrills.* Janis n'est alors au sein du groupe que depuis quelques semaines seulement. Le vinyle contient un morceau de plus (« O My Soul ») que le CD, les treize autres titres n'étant pas disposés dans le même ordre. C'est vraiment sur cet album (produit par David Getz) qu'apparaît le son original (très *roots* !) des débuts du groupe. Big Brother joue déjà certains de ses morceaux de bravoure comme « Down on Me », « Ball and Chain », « Women Is Losers » (dont le riff sera quasiment plagié par David Bowie sur « The Jean Genie ») et « Coo-Coo », qui figureront sur leur premier album officiel en septembre 1967, mais aussi le beaucoup plus rare et orientalisant « Gutra's Garden » où Janis, en vocal d'appoint, joue une Shiva déesse de la destruction. L'album contient un morceau complémentaire enregistré le 25 avril 1967 au KQED de San Francisco. Et pas n'importe quel titre, puisqu'il s'agit d'une version très personnalisée de « The Hall of the Mountain King », tiré du drame lyrique, vengeur et satirique, *Peer Gynt*, écrit et composé un siècle plus tôt par deux Norvégiens épris de liberté, l'écrivain Henrik Ibsen et le compositeur Edvard Grieg. Cette reprise ambitieuse est surtout l'occasion pour James Gurley de laisser éclater tout son potentiel sauvage et audacieux. Cette improvisation débridée, hautement psychédélique et tout en boucles, déchaîne généralement l'enthousiasme du public.

Janis radicalise son look « gitane », fait de dentelles, de tissus patchwork, de perles et colifichets polychromes, de fringues de satin et velours. Peu à peu elle donne vie et substance à un nouveau personnage qu'elle crée non seulement pour la scène, mais aussi dans la vie quotidienne. Elle est gagnée par une mode hippie extrême dont elle aura tendance, parfois, à caricaturer l'aspect coruscant. Elle tient aussi à affirmer sa féminité pour s'éloigner du côté garçon manqué dont elle a tant souffert. Mais elle le fait à sa façon, outrancière, en accumulant les bagues (souvent deux par doigt), les bracelets (jusqu'à quatre-vingts par poignet) et les très longs colliers à perles fantaisie, les coiffes farfelues aux boas roses et bleus, les sacs et bonnets à fourrure synthétique, les chaussures dorées et les velours soyeux. En éliminant aussi gaine et soutien-gorge. Elle se mue en oiseau aux plumes criardes, aux accessoires bruyants, dans un désir forcené de séduire. Par dérision aussi : elle veut tout porter à la fois ! Elle défie la vie en permanence sans pour autant oublier ses traumatismes premiers. Ainsi se décide-t-elle à s'attaquer résolument à son problème d'acné. Elle consulte un dermatologue qui lui prescrit de la Tétracycline, un antibiotique à large spectre d'action. Mais il est sans doute un peu tard…

L'argent se faisant rare, Janis, comme ses amis, fabrique de l'artisanat en cuir et enfile des perles. D'autres survivent en jouant les arpettes, en s'adonnant à la broderie et au batik, à la teinture de motifs psychédéliques sur textile, à l'ébénisterie. D'autres encore se réfugient dans toute une variété d'arnaques à la petite semaine, deviennent astrologues et diseurs de bonne aventure, maîtres improvisés en philosophie et religions orientales, spécialistes en contemplation et paix intérieure, en tarots. Ils sont maîtres de yoga, mimes des rues, enseignants en méthode zen, en méditation ou en érotisme transcendantal, ou plus modestement professeurs de pipeau pour débutants. Les stupéfiants deviennent un marché (parfois infiltré par la Mafia), une opportunité lucrative exceptionnelle. Un sujet de conversation permanent où chacun décrit en détail ses trips personnels ou collectifs. Janis prend alors de l'acide, particulièrement en vogue, l'agrémentant avec des amphétamines, et arrosant le tout d'alcool. Un joyeux cocktail…

Big Brother and the Holding Company a toujours semblé atypique par rapport aux autres formations de la Baie, dans la mesure où leur « truc » principal est longtemps demeuré l'alcool, alors que les autres formations californiennes se tournaient vers l'acide. Certains ont même surnommé Big Brother and the Holding Company l'« Alkydelic Band » ! Mais le groupe agit surtout ainsi en public, dans un réflexe post-beat. Les musiciens (à l'exception de Peter Albin, plus strict, qui cherche à maîtriser la situation) finiront tous en privé par prendre de l'héroïne.

Janis et ses accompagnateurs sont sans cesse en quête de découvertes et de nouvelles vibrations. Loin d'être influencés par les groupes anglais déjà en vogue, à la façon de leurs concurrents directs californiens du Jefferson Airplane qui adoptent volontiers un look dandy britannique, ils écument les concerts de la région. L'arrivée d'une chanteuse ayant sérieusement changé la donne, le groupe doit songer encore à modifier son répertoire. Janis peut certes écrire des paroles, mais elle reste avant tout fascinée par certains artistes noirs issus du blues ou du rhythm'n'blues.

Un soir, Janis et sa bande se rendent au Both/And, un club de jazz aussi exigu que réputé, sur Divisadero Street. Ils viennent écouter Willie Mae Thornton, une chanteuse noire originaire de l'Alabama au style rhythm'n'blues agressif, qu'on surnomme affectueusement Big Mama Thornton, en raison de son physique imposant. Cette habituée des lieux a jadis écumé le sud des États-Unis au sein de la Hot Harlem Review. Elle a même obtenu un hit d'estime au début des années 1950, avec « Hound Dog », morceau repris avec succès par Elvis Presley. Janis est bouleversée à l'écoute de « Ball and Chain », morceau qu'elle n'a encore jamais entendu et auquel elle s'identifie aussitôt.

Pourquoi la moindre chose à laquelle je m'accroche doit-elle inévitablement mal tourner ? [...] L'amour m'enchaîne, / Il est tel un boulet et sa chaîne[26].

À la fin du show, Janis se précipite en coulisses pour faire la connaissance de Mama Thornton. Après lui avoir déclaré son enthousiasme, Janis lui demande tout de go si elle accepterait de la laisser reprendre « Ball and Chain » sur scène, voire sur disque. La généreuse Mama donne facilement son accord à la jeune inconnue car elle s'est déjà produite sur la scène du Fillmore avec les amis du Jefferson Airplane, à l'occasion d'un concert de soutien au Both/And. Ce qui s'explique dans la mesure où la musique et les clubs de jazz souffrent alors énormément de l'explosion du rock psychédélique. Plus tard, après avoir eu l'occasion d'applaudir la version de Janis, Mama Thornton avouera, comme le plus beau des compliments, que Janis « sent exactement les choses comme elle ». Pour sa part, Janis reconnaîtra considérer cette chanson comme destinée à attirer les amants à foison… Ce qui signifie au passage qu'elle considère son répertoire et sa propre sexualité comme totalement imbriqués.

Un événement d'importance vient troubler l'été plutôt paisible de Big Brother and the Holding Company. Chet Helms n'a tout simplement plus le temps de s'occuper du groupe. Il est de plus en plus accaparé par la programmation et la gestion de l'Avalon, sans parler de son action au sein de la communauté appelée le Family Dog.

Le label Elektra, grâce à son producteur vedette Paul Rothchild, particulièrement réactif à cette époque, remarque Janis à l'occasion d'un concert de Big Brother and the Holding Company à l'Avalon. Le groupe partage l'affiche avec les éphémères mais brillantissimes Rising Sons, emmenés par le bluesman Taj Mahal et le très jeune mais surdoué Ryland Cooder qui écume les clubs depuis l'âge de quinze ans. Paul Rothchild, venu de la scène folk de Boston, déjà producteur d'artistes comme Paul Butterfield Blues Band, Tom Paxton, Phil Ochs, Love et Tim Buckley, s'est occupé de Bob Dylan au festival folk de Newport en 1965. Même s'il est absorbé par sa découverte des Doors, il devine immédiatement le potentiel de Janis. Il se montre d'ailleurs si enthousiaste qu'il la convoque dès le lendemain chez Elektra. La chanteuse revient très excitée de ce rendez-vous. Le producteur l'a flattée, lui disant qu'elle est l'une des deux ou trois meilleures chanteuses du pays. Il lui propose d'intégrer un groupe de blues qui pourrait réunir l'organiste Barry Goldberg, Taj Mahal, Al Wilson (fondateur de Canned Heat) et le guitariste Steve Mann. Elle connaît déjà ce dernier, un as de la guitare blues acoustique, pour avoir enregistré avec lui trois morceaux (« Two Nineteen Train », « Trouble in Mind » et « Winnin' Boy Blues ») en 1964, dans sa chambre, à San Francisco. On peut aujourd'hui trouver ces titres sur le disque de Steve Mann intitulé *Alive and Pickin'*.

Dans toute sa candeur, Janis s'imagine déjà star, dressant un portrait étonnant du célèbre producteur qui, selon elle, fait du blues à l'ancienne mode.

Pour résumer, Rothchild a l'impression que la musique pop ne peut pas continuer à déconner comme ça, à devenir de plus en plus forte et chaotique comme elle l'est actuellement. Il est persuadé qu'il y aura une réaction et que le vieux blues, les chansons mélodiques, plus douces, vont revenir sur le devant de la scène[27].

Le label lui propose un vrai contrat, lui promettant même une Cadillac, ainsi qu'une maison en prime à Beverly Hills. Mais Janis est tout étonnée de constater que sa joie n'est pas partagée par son entourage immédiat. Loin s'en faut, et cela en raison d'un « petit » détail dont elle n'a pas totalement mesuré les effets... C'est bel et bien un contrat solo qui lui est proposé, avec quelques nouveaux accompagnateurs de luxe. Chacun constate qu'il n'est aucunement fait mention de Big Brother and the Holding Company ! Elektra, qui ne sent pas le groupe à la hauteur de sa chanteuse, entend modeler son artiste sans entraves. Pour le label, un tel collage psychédélique apparaît trop risqué.

Les musiciens font par conséquent grise mine en apprenant la teneur du rendez-vous chez Elektra. Ils sermonnent même leur chanteuse sans retenue. Janis est déchirée d'incertitudes. Ils se disent indissociables de son destin artistique. Ils forment une famille, et même une Holding Company ! Ils vivent avec elle, font de la musique jour et nuit avec elle. Janis, troublée, déstabilisée, se met à pleurer, leur fait ce tragique aveu : toute sa vie, elle a voulu devenir quelqu'un. Au Texas, où on la méprisait, elle s'est sentie une « définitive rien du tout ». Et maintenant qu'elle peut s'en sortir, qu'elle a l'occasion de devenir une star, comment pourrait-elle refuser ?

Rongée par ce cas de conscience, elle choisit de faire traîner les choses avec Elektra, prétextant qu'elle ne peut pour l'instant quitter son groupe en raison de sa liaison avec James Gurley. Or le groupe se retrouve livré à lui-même après le retrait de Chet Helms. La situation semble bloquée, même si la formation passe une audition auprès d'un producteur prétendument venu de New York, un certain Bob Shad du label Mainstream Records, alors vaguement en affaires avec le Family Dog. Mais rien ne progresse jusqu'à ce que le généreux Ron Polte, l'imprésario de Quicksilver Messenger Service, les fasse engager durant quatre semaines dans un night-club de Chicago pour 1 000 dollars la semaine. Peter Albin, non sans mal, finit par convaincre Janis de les suivre dans cette ville qui suinte le blues et où le groupe aura l'occasion de faire le point durant quatre semaines. Et de croiser à nouveau Howlin' Wolf qui se produit alors au Big John's. Ensuite, dit-il, la chanteuse aura tout loisir de prendre sa décision.

Écartelée entre ses amis de Big Brother et un rêve prêt à se concrétiser, Janis déprime. Son premier réflexe est d'écrire à ses parents : « Je ne sais plus ce que je dois faire. Je me demande si le rock va réellement disparaître, et à quel point je suis attachée à Big Brother. [...] Le blues est ce que je préfère, c'est mon truc, [...] je commencerais pratiquement au sommet, et je ne suis pas persuadée que le reste de mon groupe actuel travaillera ou même veuille travailler assez fort pour devenir suffisamment bon et rafler la mise[28]. » Elle espère que les spectacles de Chicago lui permettront de mesurer la valeur réelle de Big Brother et qu'elle pourra alors prendre une décision réfléchie. À la lecture des lettres de Janis adressées à ses parents, on est frappé par la franchise avec laquelle elle décrit son expérience personnelle et le monde qui l'entoure. Sa famille était-elle si ouverte et curieuse de ce qui se passait de l'autre côté du pays, ou Janis cherchait-elle à s'en persuader ? En tout cas, la famille semble bienveillante. Elle viendra plusieurs fois à San Francisco, et assistera même à un concert au Fillmore, sidérée par la puissance du son, mais convaincue du talent de Janis. Celle-ci appelle souvent la maison familiale, où elle semble toujours trouver une oreille attentive. Sinon, elle aurait forcément cessé d'écrire et de téléphoner au Texas. Et même d'y revenir, ce qu'elle fera plus souvent que ses parents eux-mêmes n'auraient pu l'imaginer une fois le succès arrivé.

Le 23 août 1966, Big Brother et Janis Joplin se rendent donc à Chicago afin d'honorer le contrat au Mother Blues. Chet Helms a tout de même trouvé le temps de boucler l'affaire avec ce night-club, un lieu de rendez-vous blues rock situé dans la vieille ville, sur Wells Street. Chet Helms prévient les musiciens qu'ils auront peut-être du mal à empêcher Janis de céder à son ambition, mais il les rassure aussi en leur rappelant qu'ils existaient avant son arrivée et qu'ils pourraient survivre à son départ. Il n'empêche, le malaise s'est installé.

L'engagement prévoit six sets par soir, comme cela est souvent le cas dans les clubs. Cette contrainte a l'avantage de souder à nouveau musicalement le groupe, déjà très resserré physiquement sur cette scène exiguë. Toutefois, le public de l'Illinois se montre désorienté face à cette bande de freaks à cheveux longs, bardés d'amulettes et de fanfreluches, et pratiquant un « freak jazz » assez désarmant. Mais le blues, en revanche, on connaît à Chicago, où un tiers des habitants sont des Noirs. Et si les réactions sont mitigées, une partie du maigre public se montre enthousiaste face à l'originalité de la musique. En fait, à ce moment-là, tout ce qui vient de Californie paraît fatalement hors du commun, dérangeant et excitant. Mais pour un groupe quasi inconnu, quatre semaines à l'affiche n'assurent pas une recette suffisante. De plus, le club ne parvient pas à respecter ses engagements financiers. Au bout d'une quinzaine de jours, le Mother Blues dénonce le contrat. La fin du séjour s'annonce délicate. L'argent manque et l'ambiance redevient tendue au sein du groupe qui se retrouve coincé dans la Cité des Vents. C'est alors que se manifeste comme par enchantement Bob Shad, le rusé directeur du petit label jazz Mainstream, fixé en fait à Detroit. Sans se vanter qu'il vient de frôler la faillite, Shad revient vers sa proie et se dit prêt à lui faire signer sur place un contrat. Il se prétend supermotivé. Mais Chet Helms, qui apprend l'affaire au téléphone, estime que Big Brother and the Holding Company mérite mieux que cet obscur label nullement spécialisé en rock. Il tempère l'emballement de la troupe, même s'il n'a plus le statut de manager, qu'il n'a d'ailleurs jamais revendiqué, se considérant plutôt tel un conseiller amical.

Comme Janis, quelques semaines plus tôt, a laissé planer la perspective de quitter le groupe pour enregistrer un disque solo, les musiciens estiment que le moment est venu et qu'il faut en finir avec les temps de galère. Le fait de ne pas signer avec tel ou tel label signifierait à coup sûr le départ de Janis chez Elektra ou ailleurs, et vraisemblablement la fin du groupe. De son côté, déstabilisée, Janis n'a pas envie de laisser passer cette seconde opportunité. Bob Shad, c'est le miroir aux alouettes californiennes. Il surgit à point nommé pour apparaître comme l'ultime recours.

Perturbés par leur début de succès, les membres de Big Brother souffrent cruellement de ne pas avoir le moindre disque sur le marché. Il est vrai que les groupes de la Baie accordent plus d'importance aux concerts — qu'ils considèrent comme un partage sensuel et authentique avec un public frère — qu'aux disques, signes d'un esprit mercantile. Mais les caisses sonnent désespérément le creux et la situation est plus que critique. Le veto de Chet Helms restera donc sans effet, d'autant que le mentor semble n'avoir aucune idée du cul-de-sac où les musiciens se retrouvent piégés à Chicago. Le groupe décide donc de se passer de son avis, pourtant éclairé, et de prendre ses distances.

Shad, qui a désormais le champ libre, concocte un contrat de cinq ans en faveur de Mainstream. C'est ainsi que, le 23 août 1966, Peter Albin, comme il en a pris l'habitude au nom de ses partenaires, paraphe seul le contrat avec Bob Shad. Trop ravis, Janis et la troupe approuvent sans réserve. Or la réalité va vite se révéler moins reluisante. Shad refuse d'accorder une avance sur les royalties, et même de payer le voyage du retour pour San Francisco… Afin de profiter au maximum des circonstances, il persuade la troupe d'entrer immédiatement en studio, ici même, aux studios United. On enregistre donc à la va-vite sur place, fin août, puis on achève l'opération à Los Angeles, aux studios Houston. À Chicago, les techniciens du son ne partagent absolument pas l'esprit novateur des jeunes Californiens. Sur le disque, les guitares sonnent très années 1950, sans la moindre distorsion, et les « spécialistes » se contentent de suivre d'un œil globuleux l'aiguille du vumètre, afin que celle-ci n'empiète pas sur la zone rouge indiquant les saturations sonores.

Pris de court, le groupe sélectionne les titres avec lesquels il se sent le plus à l'aise sur scène et qui sont généralement appréciés du public. Faute de producteur, personne ne songe à enregistrer un titre plus accrocheur destiné aux *charts* des *singles*. Les deux premiers 45 tours tirés de l'album vont passer relativement inaperçus, « Down on Me » plafonnant à la 43e place. Ses paroles à double sens et à connotation sexuelle échappent à certains membres du groupe… mais assurément pas aux radios !

Shad, qui se proclame producteur sans l'assumer sur la pochette, refuse que le groupe donne son avis sur le mixage final. Il impose aux musiciens de limiter sévèrement leur élan et de ne pas dépasser les 2'30" par titre ! Un lifting radical. Mais le groupe, encore brut de décoffrage, reste ferme dans sa démarche expérimentale. L'ambiance se gâte donc avec Shad. Au-delà de la voix et du charisme de Janis, le projet musical tourne autour du guitariste James Gurley, resté pour certains la figure centrale du groupe. Après la sortie de l'album, la formation met quelque temps à constater que ce premier disque n'est diffusé que localement, avec une rare parcimonie. Pour l'essentiel, il est acheté en Californie par ceux qui ont assisté à des concerts du groupe. La promotion ne suit pas davantage. Il faudra attendre l'année suivante et le triomphe du Monterey Pop Festival pour qu'il en soit tout autrement.

Le nom de Janis ne figure pas au recto de l'album sobrement intitulé *Big Brother and the Holding Company*. Ce n'est qu'après la mort de la chanteuse qu'on ajoutera, en haut à droite, dans un lettrage discordant : FEATURING JANIS JOPLIN. Au verso, Janis n'apparaît qu'en fin de liste des musiciens. Le résultat sonore est plutôt décevant, quoique fidèle à l'esprit musical des débuts de ce groupe livré à lui-même. Au point qu'on a cru bon, au fil du temps, d'ajouter en petits caractères et à l'intérieur de la jaquette : « En raison des limites techniques de l'époque, ce disque peut contenir quelques défauts minimes. » Sans suivi artistique sérieux (aucune mention de producteur sur la pochette), le son n'est guère satisfaisant. James Gurley définit ce style de musique comme étant du freak rock. Certains titres sont joués *live*, « à l'arrache », instruments et voix mêlés. Le disque manque d'unité. Les morceaux sont crédités individuellement, à l'exception d'un seul titre collectif, « Blindman ». Janis signe quatre des douze compositions : « Intruder », « Women is Losers » (avec son solécisme narquois — sujet pluriel, verbe conjugué au singulier — qui plaît tant à Janis par son ambiguïté sur la condition féminine), « Down on Me » (un des morceaux fétiches de la formation) et « The Last Time ».

L'inspiration remonte parfois aux années passées au Texas. Il en va ainsi pour « Women is Losers », un hymne pour la libération des femmes (le NOW, l'Organisation nationale des femmes, n'est créé qu'en 1966, suivi de peu par le Mouvement de libération des femmes), dont l'idée est venue à Janis à l'écoute de « Whores is Funky », un traditionnel de la musique noire qu'elle a entendu interpréter par Robert Shaw. Le bassiste Peter Albin appose son nom sous le très torturé et psychédélique « Light is Faster than Sound », « Coo-coo » et « Caterpillar ». Ces titres révèlent le goût prononcé de Peter Albin pour le non-sens, le loufoque et les chansons pour enfants. James Gurley se contente de « Easy Rider », et Sam Andrew de « Call on Me », une ballade gentiment bluesy. Les deux titres restants sont signés P. St. John (« Bye, Bye Baby ») et Moondog (« All Is Loneliness »), l'excentrique New-Yorkais au look de Viking, avec casque à cornes, qui vend ses textes aux passants à l'angle de la 6e Avenue et de la 52e Rue. Sous le nom P. St. John, se dissimule sans trop d'effort Powell St. John, le complice de Janis au Texas, à l'époque des Waller Creek Boys. Il écrivit cette chanson après sa rupture avec la chanteuse. Cette déformation de son nom lui vaudra beaucoup d'ennuis, et ce durant des décennies, avant de toucher ses royalties sur le morceau.

Aucune composition ne dépasse donc 2'37", ce qui est révélateur de la hâte avec laquelle on a réglé l'affaire. On est très loin des enregistrements étirés des concerts, comme on peut le constater par exemple sur l'album *Janis Joplin with Big Brother and the Holding Company Live at Winterland '68*, où seuls trois morceaux sur douze font moins de quatre minutes, la plupart dépassant allègrement les cinq minutes pour atteindre 9'43" dans le cas de « Ball and Chain ». On est également fort éloigné de *Pearl*, l'album studio posthume de Janis, produit par l'expert Paul Rothchild, où la grande majorité des morceaux dépassent largement les trois minutes pour culminer à 4'30" avec le chef-d'œuvre « Me and Bobby McGee », de Kris Kristofferson.

Après ce coup d'essai bâclé et diffusé quasiment sous le manteau, le groupe rumine sa rancœur en se rappelant qu'il est lié pour près de cinq longues années avec Mainstream. Un véritable boulet (« Ball and Chain » !) à traîner. D'autant que d'autres groupes ne cessent d'exploser autour d'eux. Les Beatles continuent leur invasion planétaire, même si John Lennon a eu l'outrecuidance de déclarer en mars que les Beatles sont devenus plus célèbres que le Christ. Cette provocation a généré un tollé dans les milieux intégristes et puritains devenus hystériques, notamment parmi les membres du Ku Klux Klan et dans la Bible Belt au sud des États-Unis. Des radios bannissent leurs chansons de leurs programmes, des autodafés de disques sont même organisés, tout comme le firent les nazis trois décennies plus tôt avec les livres. Des manifestations hargneuses sont organisées avec des affiches du genre : « Jesus died for you John Lennon. » Face aux menaces de mort, les Beatles durent même se rendre aux États-Unis pour présenter leurs excuses lors d'une conférence de presse. John précisant avec une étrange ironie qui se voulait apaisante : « Nous sommes tous Dieu. » L'idée de rencontrer Dieu en travaille plus d'un durant ces années-là, lassés du Dieu caché et inaccessible qu'on leur a inculqué durant leur enfance. Grâce au LSD notamment, quelques-uns vont chercher à voir Dieu en face, un Dieu universel ou cosmique. Une dérive mystique qui en mènera un certain nombre à la lisière de la folie.

Les Beach Boys viennent de lancer leur album *Pet Sounds*, suivi d'un joyau d'harmonies vocales et de collages sonores, le 45 tours « Good Vibrations ». Les tubes pleuvent à toute vitesse et tous azimuts : « Summer in The City » du Lovin' Spoonful, « 96 Tears » de Question Mark and the Mysterians, « Mellow Yellow » de Donovan, « It's a Man's Man's World » de James Brown, etc. Bref, ça explose de partout et dans tous les genres ! En fouinant dans les bacs des disquaires, les membres de Big Brother ont la désagréable impression d'*assister* et non de *participer* à l'explosion du feu d'artifice musical.

En mal de manager crédible, le groupe confie ses intérêts à un certain Jim Kalarney, mais la collaboration tourne court. Faute de mieux, on se rabat sur Julius Karpen qui va tenter tant bien que mal de dynamiser l'affaire, mais il n'a pas le flair ou l'acuité de Chet Helms, loin s'en faut. Pour commencer, Julius demande au groupe de quitter sa base arrière de Lagunitas où, selon lui, il croupit dans une routine qui ne sied guère à Janis. Il craint que la chanteuse ne veuille tromper son ennui en absorbant des amphétamines. Il faut se rapprocher au plus vite du chaudron incandescent de Haight-Ashbury, l'enclave hippie. Dans ce quartier, à cette époque, tout le monde semble se connaître, du moins de vue.

Début octobre 1966, le groupe quitte la communauté de Lagunitas dont le bail arrive à expiration en fin d'année. Chacun revient peu à peu s'installer en plein cœur de San Francisco. L'ensemble de la troupe est bien décidé à profiter de la dynamique hippie alors en plein essor, même si le groupe ne vit plus en communauté, à la différence de formations comme le Jefferson Airplane dans son luxueux castel de Fulton Street, ou le Grateful Dead qui s'installe en plein sur Ashbury Street, dans une vaste maison victorienne bardée de drapeaux et de posters. Jusqu'à la fin de l'année, les concerts se succèdent. D'abord le 6 octobre, dans le Golden Gate Park, avec le Grateful Dead, lors du Love Pageant Rally, un rassemblement organisé par le *San Francisco Oracle* afin de protester contre l'interdiction soudaine du LSD, puis dans les lieux musicaux les plus branchés. À court terme, la tactique Karpen semble porter ses fruits.

Du 1er au 6 novembre, Big Brother and the Holding Company se retrouve à l'affiche du Matrix, entre plusieurs apparitions à l'Avalon. La popularité locale de Janis va croissant, tant ses prestations gagnent à la fois en fougue et en maîtrise vocale. Elle apparaît chaque fois plus impressionnante, dans les habits conçus par Linda Gravenites, une proche du Grateful Dead, car elle occupe la scène de plus en plus « physiquement ».

Le premier jour, à la fin du concert, Janis est attirée par une éblouissante blonde nommée Kim Chappell. Assise à une table en compagnie de trois autres amies, celle-ci, qui a remarqué le regard insistant de la chanteuse, l'invite à se joindre à elles. Durant la conversation, Janis demande à Kim si elle a quelqu'un dans sa vie pour le moment. La réponse est tout aussi directe : « Je ne suis pas monogame, si c'est ce que tu veux savoir, mais je vis avec une femme formidable. Son nom est Peggy Caserta. J'aimerais que tu la rencontres[29]. » Les deux amies partagent un petit problème avec l'héroïne. Janis n'est pas la première chanteuse à porter les yeux sur Kim. Celle-ci sort d'une aventure avec Joan Baez, détail qui impressionne hautement la Texane. Kim possède encore l'Austin Healey que la star féminine du folk lui a offerte. Dans le milieu musical, elle a déjà rencontré des gens comme John Cooke et Bob Neuwirth, appelés à jouer un rôle important dans la vie de Janis. Dès le lendemain, Kim est de retour au Matrix, mais cette fois accompagnée par Peggy, impressionnée par la prestation de la chanteuse. Les jeunes femmes continuent à sympathiser entre les sets.

Peggy Caserta a ouvert une boutique de fringues branchées dans le secteur de Haight-Ashbury, en avril 1965. Le nom du magasin, Mnasidika, fait référence à Bilitis, avec laquelle Mnasidika a formé ce qui est considéré comme le premier couple lesbien de l'histoire.

Un mois à peine après ces concerts donnés au Matrix, Janis se rend dans la boutique de Peggy Caserta et s'émerveille devant les habits exposés. Comme à son habitude, Janis n'a pas d'argent sur elle. Peggy lui offre alors la paire de jeans qui retient son attention. Touchée par sa gentillesse, Janis, qui n'a pas compris que Peggy est la patronne, lui demande à l'oreille : « T'as pas peur de te faire virer ? » Ce qui amuse énormément Peggy qui gagne des centaines de dollars par jour tout en contribuant à relooker gratis des musiciens comme ceux du Grateful Dead, et jusqu'à Peter Albin lui-même, le propre bassiste de Janis. Cette pratique lui assure au passage une énorme publicité dans le secteur.

Janis repasse régulièrement pour acheter des vêtements, et les jeunes femmes deviennent amies. Tant et si bien que Janis ressent une affection croissante à l'endroit de la redoutable commerçante. Toujours complexée par ses petits seins, Janis est impressionnée par la superbe poitrine de la belle brune. Mais une liaison passionnelle unit Peggy et Kim. Sans compter que Peggy est loin de rester indifférente aux hommes, comme par exemple Marty Balin du Jefferson Airplane, ou le concepteur de posters Wes Wilson. L'affaire se complique. Janis va donc devoir attendre son heure avant que Peggy devienne non seulement sa maîtresse favorite, parfois en trio avec un partenaire masculin, mais aussi sa *shooting partner* préférée, et à vrai dire une fan, ce qui n'est pas pour déplaire à Janis toujours en manque d'amour. Une histoire qui s'annonce mouvementée à cause des excès de drogue et du fait que Kim Chappell restera toujours présente entre les deux femmes, sans compter que Peggy s'entichera un temps de Sam Andrew, le musicien le plus proche de Janis.

En décembre 1966, les interprétations passionnées et sensuelles d'Otis Redding sur la scène du Fillmore marquent profondément Janis sur le plan de la gestuelle et de la présence scénique. Grâce à son guitariste, Steve Cropper, Otis établit un lien subtil entre les feelings noir et blanc. L'album *Otis Blue*, paru l'année précédente, figure d'ailleurs parmi les disques fétiches de Janis. La chanteuse s'arrange alors avec Bill Graham pour qu'on la laisse pénétrer dans l'auditorium plusieurs heures avant le concert. Elle veut absolument assister à la balance des instruments et voir Otis se concentrer, s'échauffer, avant de monter sur scène avec les Bar-Kays. Janis s'imprègne des intonations de sa voix, étudie méthodiquement sa façon de bouger et ses brusques changements de rythme. Jusqu'à prendre des notes dans un carnet. Et elle veut bien sûr se retrouver aux premières loges afin de profiter au maximum du spectacle. « D'Otis Redding, j'ai appris à totalement investir une chanson, à la vivre au lieu de simplement l'effleurer en surface », déclarera-t-elle en 1968 au journaliste Richard Goldstein. La soul music l'attire à tel point que, par la suite, elle s'entourera d'une section de cuivres, se rappelant l'effet enflammé produit sur scène par la formation d'Otis. Mais ce dernier va disparaître tragiquement, l'année suivante, avec plusieurs de ses musiciens, à l'âge de vingt-six ans, dans un accident d'avion. Otis, chanteur soul de l'écurie Atlantic, après avoir été révélé chez Stax, a déjà pas mal bourlingué et vient de conquérir l'Europe. Marqué par le gospel, mais aussi très tôt par Little Richard, il réussit un mariage osé entre rhythm'n'blues et rock'n'roll, entre ballades écorchées et morceaux percutants, avec une voix à la fois expressive et puissante, extrêmement nuancée.

Janis, qui jusque-là a toujours refusé de prendre des cours de chant, va demander quelques conseils auprès de Judy Davis, une répétitrice vocale de renom qui a aidé des artistes comme Barbra Streisand, Frank Sinatra et Grace Slick, ainsi que divers artistes de la Baie.

À l'approche de Noël, Janis suggère à ses parents de lui offrir… un livre de cuisine. Une gigantesque party est organisée par la communauté de Lagunitas qui achève son déménagement entamé en octobre. Plus de deux cents personnes vont passer durant la nuit. On invite bien sûr les groupes voisins, le Grateful Dead et Quicksilver Messenger Service, mais aussi Country Joe and the Fish, ainsi que de fidèles amis comme Powell St. John, auquel Janis n'ose pas avouer avoir enregistré sa chanson de séparation « Bye, Bye Baby », mais auquel elle confie jouer à la roulette russe avec tout ce qui peut la faire planer. Le vin coule à flots, la nourriture est excellente. Une équipe est chargée de rouler une bonne centaine de joints à partir d'un monceau d'herbe spécialement arrivé du Nebraska. Augustus Owsley Stanley III, la trentaine, cheveux longs filasse et lunettes à monture d'acier Ben Franklin, petit-fils d'un sénateur du Kentucky, est le principal fournisseur d'acide de toute la région, et sans doute du pays. Comme il est de la fête, on ne saurait bien sûr se limiter à boire ou à fumer. Le LSD est aussi de la partie. Janis célèbre essentiellement ce départ en compagnie de son ami Pigpen du Grateful Dead. Une jam session de guitares enflamme la nuit.

Troubadours, fugueurs et Renaissance 1967

Je suis allé à un bal masqué
Déguisé en Moi
Pas un seul de mes amis
Ne m'a reconnu[1]

BOB KAUFMAN

En cette année-là, nous fûmes visités d'une intense énergie[2].

JIM MORRISON

L'année débute bille en tête par une fête le 1er janvier, à Panhandle Park : le New Year's Wail. La party est organisée par les Hell's Angels qui entendent remercier la communauté hippie de Haight-Ashbury pour avoir contribué à la libération sous caution de leur membre « Chocolate » George Hendricks, souvent casqué tel un Teuton, et couvert de badges aux revendications pour le moins ambiguës et contradictoires. Janis Joplin et Big Brother and the Holding Company se produisent en première partie du Grateful Dead et du groupe favori des Diggers, Orkustra. Jerry Garcia, dit « Captain Trips », le leader du Dead, parviendra toujours à s'attirer les bonnes grâces des anges tatoués. Pour eux, les concerts du groupe sont souvent en entrée libre, surtout quand ils assurent le service d'ordre, voire l'approvisionnement en drogues. Bill Graham n'hésite pas à agir de même pour les concerts organisés au Fillmore et au Longshoremen's Hall. Les autres groupes proches des Angels sont Blue Cheer (dont le nom correspond à une variété de LSD fabriquée par Stanley Owsley III, ce dernier étant d'ailleurs l'auteur du commentaire de pochette de leur album *Vincebus Eruptus*) et Cold Blood dont la chanteuse Lydia Pense fut la première épigone de Janis Joplin. Sans oublier bien sûr Big Brother and the Holding Company.

Le samedi 14 janvier, sous l'égide d'Emmett Grogan, d'Allen Cohen et du peintre Michael Bowen, avec le soutien du *San Francisco Oracle*, le peuple du Haight organise sur le terrain de polo du Golden Gate Park le tout premier *human be-in*. On estime la foule nonchalante de ce pique-nique fleuri à environ 30 000 participants. Cette manifestation contre-culturelle de masse, qui se nomme également « A Gathering of the Tribes » (« un rassemblement des tribus » pacifistes hippies, et politisées estudiantines), affirme les valeurs de non-violence et dénonce la récente interdiction du LSD par les autorités. Cette importante rencontre réunit, entre autres, des groupes comme Big Brother and the Holding Company, Grateful Dead, Loading Zone et Jefferson Airplane, mais aussi des poètes et leaders d'opinion underground comme Allen Ginsberg, Lawrence Ferlinghetti, Michael McClure, Leonore Kandel, Gary Snyder et sa conque, Jerry Rubin « déguisé en marxiste pur et dur » (selon Emmett Grogan), Richard Alpert et un Timothy Leary en plein trip. On boit, on fume, on ripaille. Certains dansent nus. Tout à fait dans son élément, Janis réussit une performance scénique mémorable, quasi « ensorcelante », pour reprendre le mot de Nick Gravenites. David Crosby, sans doute lui-même sévèrement allumé, ressent la voix de Janis comme celle d'une bête fabuleuse rampant hors des amplis afin de dévorer le public... La poétesse Lenore Kandel se souvient :

> C'était indescriptible. On avait la sensation que tout pouvait arriver. Les gens marchaient à fond. [...] C'était complètement fou, c'était comme la délivrance soudaine d'une immense frustration. Cela n'était pas une orgie, mais une exaltation du corps. Toute honte, toute inhibition avait disparu. [...] Nous avons dû déployer beaucoup d'efforts pour entraîner tout ce monde vers le Pacifique afin de contempler le soleil levant. C'est l'un de mes plus beaux souvenirs[3]...

Ce week-end-là, les Doors, dont le premier album vient juste de sortir, se produisent au Fillmore. Ils partagent l'affiche avec les Young Rascals et Sopwith Camel. Mais, comme ils viennent de Los Angeles, ses membres ne sont pas conviés à la fête du Golden Gate Park, même s'ils sont présents parmi le public. On se méfie encore des artistes hors-Baie, surtout s'il s'agit de Californiens dont le batteur et le guitariste s'habillent volontiers à la façon hippie, chemises *tie-dye* et vestes Nehru. Contrarié, Jim Morrison s'emporte, clamant haut et fort que les Doors sont trop sataniques pour les foutus *flower children* et le *flower power* (formule due à Allen Ginsberg). Une relative incompréhension demeure entre les groupes de Los Angeles, souvent superficiels et carriéristes, et ceux de San Francisco, socialement engagés dans une vie communautaire. Cela n'empêche toutefois pas deux des Doors, Robby Krieger et John Densmore, les hippies de la bande, d'aller saluer la « chaleureuse et amicale » Janis dans sa loge de l'Avalon. Ils sont entraînés là par Paul Kantner du Jefferson Airplane, qui restera toujours un proche. À la fin du concert, les deux Doors manifestent leur enthousiasme à la chanteuse et partagent avec elle un gallon de tord-boyaux. John Densmore se souvient :

> Je ne pouvais en croire mes oreilles ! Impossible que ça puisse swinguer comme ça sur scène avec une fille blanche. Si je ne l'avais pas vue, j'aurais juré avoir entendu une vieille chanteuse de blues noire à la façon de Bessie Smith. Elle chantait d'une voix à la fois lascive et douloureuse, et luttait avec le micro comme si elle s'était électrocutée[4].

Les Doors reviendront vite pour jouer, entre autres, avec le Grateful Dead et Junior Wells and the All Stars.

Des Hell's Angels comme Terry the Tramp et George Wethern (futur indic) introduisent massivement du LSD et toutes sortes de substances psychédéliques permettant de « vivre sainement dans un monde aliéné ». Dans le quartier Haight-Ashbury, les *flower children* ont créé un marché pour ce genre de commerce. L'heure est aux édens artificiels en vente libre et à l'ouverture des « portes de la perception » stigmatisées en leur temps par William Blake dans *Le Mariage du Ciel et de l'Enfer*, puis par Aldous Huxley. Il s'agit d'atteindre un « autre monde », mystérieux et si possible merveilleux. Si ce n'est que le LSD a des propriétés hallucinogènes pouvant se révéler extrêmement dangereuses : hallucinations, effets tardifs de panique ou de flash-back pouvant provoquer des troubles psychiatriques irrémédiables et entraîner des internements dans des établissements spécialisés. Le produit est massivement fabriqué par le sponsor et ingénieur du son du Grateful Dead, Augustus Owsley Stanley III, dit « le Lapin Blanc », pionnier devenu, comme on l'a vu, baron du trafic effectué aux États-Unis par divers laboratoires aussi mystérieux qu'illicites. Les produits d'Owsley — qui place prudemment son immense magot en Suisse — sont les plus réputés pour leur qualité et leurs couleurs originales.

Le LSD-25, produit de demi-synthèse tiré d'alcaloïdes contenus dans l'ergot de seigle, a été synthétisé pour la première fois en mai 1938. Les premiers tests ont été effectués en Suisse dès avril 1943 par les laboratoires de recherches pharmaceutiques Sandoz de Bâle. Le découvreur du produit, le chimiste Albert Hoffmann, a testé sa découverte sur lui-même, consignant dans son bloc-notes : « Mon champ de vision ondulait, distordu comme une image dans un miroir déformant[5]. » La société Sandoz — devenue Novartis en 1996 suite à une fusion — sera légalement contrainte de cesser la commercialisation du LSD dès septembre 1966, malgré ses accointances avec la CIA, elle-même intéressée à tester le produit à des fins politiques. Un responsable de la firme, pas dupe, déclare alors : « Je ne serais pas surpris s'il y avait plus de LSD en circulation dans les universités américaines que nous n'en avons jamais fabriqué. » Par contre, Albert Hoffmann, en grande forme, a fêté son centenaire le 11 janvier 2006 à l'occasion d'un symposium international sur le LSD, organisé à Bâle durant trois jours, devant 2 000 visiteurs et quatre-vingts experts venus de trente sept pays. Il s'est insurgé contre le non-sens de la prohibition de son invention dans le monde entier. Une invention qui, selon lui, ne provoque aucune dépendance et est non seulement non toxique à dose et usage contrôlé, mais bénéfique quand il est utilisé avec parcimonie dans certaines thérapies.

Ralph « Sonny » Barger, alors chef du chapitre d'Oakland, revendique avec force que les Hell's partageaient pas mal de choses avec les hippies (les cheveux longs, par exemple, et l'intérêt pour l'acide), et beaucoup moins avec les étudiants politisés de Berkeley. Les motards de l'enfer pouvant aller jusqu'à s'allier aux forces de l'ordre quand leur idéal primitivement nationaliste était menacé. Barger précise :

> Il y avait une grande différence entre les hippies de San Francisco et les gauchistes pacifistes de Berkeley. Les hippies étaient des gens peinards. Ils ne voulaient ni travailler ni aller en cours. Juste se charger, baiser et faire la fête. Ceux de Berkeley étaient des étudiants idéalistes qui tenaient un discours de fermeté politique de gauche et agissaient en conséquence[6].

Cela dit, les Angels se différencient des hippies sur bien des points. Excessivement patriotes, ils sont par exemple en faveur de la guerre au Viêtnam, et très éloignés des slogans du genre *Peace and Love* ou *Make love, not war.*

Une certaine confusion s'installe dans les rangs d'une jeunesse éprise de liberté. Nombre d'albatros vont se réveiller empêtrés dans des ailes bien trop longues et pesantes pour eux. Certains, parfois sous les foudres de la drogue, se tourneront vers un mysticisme de pacotille, souvent importé d'Orient et mal interprété. D'autres se pencheront vers l'étude des sciences occultes. On entend souvent parler de la célébration de l'ère du Verseau et de la meilleure façon de sortir de son corps. Les gourous de secours (dont certains finiront par rouler carrosse !), les prophètes au rabais, les chamans débutants, les maîtres de sagesse, les mages et sorciers néophytes prospèrent sur les brisées des très controversés Carlos Castaneda (l'auteur de *L'Herbe du diable et la petite fumée*), Alan Watts *(The Way of Zen* et *The Joyous Cosmology)*, Paramahansa Yogananda *(Autobiographie d'un yogi)*, Ron Hubbard et consorts. Mais aussi des Maharishi ou Krishna. Les moins atteints lisent le *Popol Vuh* (ou *Pop Wooh*), l'histoire sacrée des Mayas quichés, qui retrace l'origine du monde, la *Bhagavad-Gita*, *Le Livre des Morts tibétains*, *Le Prophète* de Khalil Gibran, ou bien sûr *Les Portes de la perception* et *Island* d'Aldous Huxley qui, selon la formule de son traducteur français Jules Castier, constitue « une véritable introduction à la vie mystique ». D'autres se hasardent à lire *Walken 2*, *une communauté expérimentale*, de Burrhus Frederick Skinner, un conte d'anticipation utopiste publié en 1948, ou des théories fumeuses dans le style du *Traité méthodique de la magie pratique* de Papus, etc. D'autres encore sont persuadés d'entrer en contact imminent avec des extraterrestres venus au secours d'une humanité en perdition.

Sans parler des satanistes disciples du magicien (magie noire !) Aleister Crowley et du dompteur reconverti Szandor La Vey (auteur d'une *Bible satanique*), qui créeront des sectes aux rites farfelus et des groupuscules déments, épris de sciences occultes, comme celui de Charles Milles Manson, le futur assassin de l'actrice Sharon Tate. Charles Manson animera un temps sa propre communauté — sa « Family » — dans le quartier Haight-Ashbury. Il sera en contact direct ou indirect avec de nombreux musiciens ou producteurs dont Neil Young, Frank Zappa, Dennis Wilson, « Mama » Cass Elliot, Paul Rothchild et Bobby Beausoleil, et rêvera de devenir une star du rock. Il réussit même à enregistrer des démos et faillit signer pour le label Warner Bros. Ses crimes firent un tort considérable au mouvement hippie auquel on s'empressa de le rattacher.

En attendant, un mysticisme polymorphe le dispute à une astrologie de bazar, à une chiromancie et à un ésotérisme menant à un réel obscurantisme. Les mantras psalmodiés *(« Om ! »)*, les incantations divinatoires et les rites ésotériques sont censés mener à une paix intérieure, mais ne sont en fait que prétexte à l'inaction la plus totale. De nombreuses sectes vont grassement prospérer sur ce terreau nauséabond. Le New Age et les prétendues techniques d'éveil se développeront jusqu'à nos jours. Des leaders intellectuels, comme Allen Ginsberg, n'éviteront pas toujours ces écueils.

Julius Karpen débusque un nouveau repaire pour Janis sur Lyon Street, dans une maison typiquement californienne, avec son escalier extérieur et sa porte d'entrée à colonnades. Janis s'installe dans l'appartement situé au premier étage, qui possède deux grandes chambres, une cuisine et une salle de bains, ainsi qu'un agréable balcon incurvé juste devant un jardin. Ce détail compte beaucoup pour elle qui déplore que ce « luxe » soit devenu inaccessible dans le quartier, où il faut faire jusqu'à dix ou vingt pâtés de maisons avant de découvrir la moindre plante. Janis va habiter là près de deux ans, laissant même ses coordonnées téléphoniques dans l'annuaire, avant de se faire mettre à la porte à l'hiver 1968 lorsque le propriétaire découvre qu'elle possède un chien, son fidèle George au look et au caractère de Rantanplan, qui disparaîtra mystérieusement après qu'elle l'eut laissé dans sa Porsche décapotable. Elle souffrira beaucoup de la disparition de ce compagnon dévoué et intelligent. Linda Gravenites confiera à ce sujet :

> Janis attendait une dévotion totale, de tout instant, une présence permanente. Seul George le chien pouvait répondre à cette attente ! Il y avait chez elle un besoin d'amour impossible à assouvir. Elle avait envie de recevoir de l'amour plus que d'en donner[7].

En janvier 1967, le mouvement hippie entame sa grande année, qui connaîtra son apothéose en juin avec le Summer of Love et le Monterey Pop Festival. Avant la fin de la décennie, les chiffres officiels feront état de 500 000 hippies sur tout le territoire américain, avec un noyau dur d'une centaine de milliers. L'esprit communautaire et pacifiste prédomine. Allen Ginsberg déclare : « Que peuvent faire les jeunes d'eux-mêmes face à cette triste version américaine de la planète ? Les meilleurs, les plus sensibles, *lâchent* cette société. Ils errent sur le grand corps de la nation, regardant leurs aînés droit dans les yeux. Ils portent de longs cheveux adamiques, et forment des communautés kéristanes [Kerista est une sorte de communauté modèle apparue à la fin des années 1950] dans les quartiers miséreux[8]. »

Pour certains, c'est l'âge d'or où chacun semble trouver une nouvelle pépite plus souvent qu'à son tour. C'est l'époque de tous les possibles. Une griserie collective artistique, sociale et politique gagne tout le monde. Pour d'autres, c'est la décadence, la dépravation sous les fleurs, un spectacle désolant que des agences de voyage sans scrupule — à commencer par Gray Line et son « Hippie Hop » — présentent à des touristes ébahis ou horrifiés. Articles et reportages se multiplient dans tout le pays, attirant l'attention d'une partie de la jeunesse, jusqu'aux préados. Des dizaines de milliers d'adolescents en rupture de ban avec la famille et les codes convenus de la société, jeunes fugueurs *(runaways)* ou « renonçants » *(drop-outs)* émigrent de tout le pays. Ils le font en stop ou en bus Greyhound, sac de couchage sous le bras. Les murs des commissariats se couvrent de panneaux où des familles font placarder la photo de leur rejeton évaporé. Certains parents vont jusqu'à écumer les salles de concerts à la recherche de leur progéniture envolée. Les cas de fugues se sont accrus de près d'un tiers durant la seconde moitié des sixties.

Dans ce nouvel appartement, Janis trouve un surcroît d'énergie qu'elle consume aussitôt dans les bras de Joe McDonald, personnalité gauchiste incontournable de la scène hippie et grand gobeur de LSD. Tous deux se sont rencontrés à l'occasion de concerts communs au Golden Sheaf Bakery de Berkeley, les 10 et 11 février 1967. Leur aventure va durer plus d'un trimestre, une sorte de record pour Janis dont les liaisons masculines ne durent jamais plus de quelques semaines. Elle accueille le chanteur nasillard dans son appartement sur Lyon Street, et prévient même ses parents par courrier. Elle s'enflamme, persuadée qu'elle forme avec Joe McDonald le plus beau couple qui soit ! Joe parlera plus tard des jours magiques où ils riaient sans cesse au lit. Et de ces grands et joyeux moments passés ensemble, alors qu'ils étaient convaincus d'avoir tous les espoirs et les rêves devant eux.

Jusque-là, Janis n'a guère affiché d'opinions politiques, se défiant en permanence de toute récupération. Mais Joe, très engagé à gauche, qui fait projeter sur scène de terribles séquences de guerre, va sérieusement lui ouvrir les yeux sur bien des aspects sociopolitiques de la société où elle vit.

Il dirige alors sa propre formation, Country Joe and the Fish (une référence à Mao : le révolutionnaire doit se mouvoir tel un poisson dans l'eau parmi le peuple...), qui vient de signer un contrat fin 1966 avec Vanguard Records pour l'album *Electric Music for the Mind and Body*. Un disque qui paraîtra en mai 1967 et restera son album de référence. Le groupe joue une sorte de folk blues rock psychédélique plutôt porté sur le second degré, mais franchement caustique et politisé. Rien de plus normal pour un fils de militants communistes qui ont prénommé leur fils Joe en hommage à Joseph Staline, et qui furent jadis laminés par le maccarthysme. Joe est lui-même un emblème de la contre-culture. Son haut fait d'armes restera cependant sa prestation historique à Woodstock (où il parvient à faire épeler puis scander cinq fois « F-U-C-K » aux 500 000 participants !). Il écrira une chanson d'adieu à sa chanteuse chérie, sobrement intitulée « Janis », sur l'album *I Feel Like I'm Fixin' to Die*. Une attention délicate mais fleur bleue, puisqu'il ira jusqu'à chanter : « Ce n'est pas si souvent que quelque chose de spécial survient dans la vie / Et tu auras été pour moi ce quelque chose de spécial[9]. » Après la mort de la chanteuse, Joe confiera au magazine *Rolling Stone* sa désarmante scène de rupture avec Janis : « Un jour, je lui ai dit : "On dirait qu'on s'entend plus très bien", ce à quoi elle a rétorqué : "Ouais, je sais." » Sur ce, Joe fait aussitôt son sac et quitte tranquillement la pièce devant une Janis en apparence placide et résignée... mais qui va aussitôt s'effondrer en larmes dans les bras de Peggy Caserta. À l'époque, beaucoup de ruptures ressemblent à celle-là. On se remet aussi vite en ménage avec le premier venu. En fait, Joe n'apprécie pas du tout les liens que Janis entretient avec les Hell's Angels en bottes et blouson de cuir, ou en veste de jean sans manches, en Levi's douteux, tatoués, maculés de cambouis, qu'il juge politiquement douteux. À ses yeux, ces *bikers* ne sont que des analphabètes populistes, dans le pire sens du terme. Apparus à la fin des années 1940, ce sont souvent des chômeurs désabusés ou d'anciens rescapés de la Seconde Guerre mondiale. Perchées sur leurs Harley-Davidson à large guidon, ces hordes sauvages de gros bras (souvent recouverts de têtes de mort ou de croix gammées, davantage par provocation ignorante que par pure conviction) sillonnent sans cesse la région au milieu des hippies. Ces gangs motorisés, organisés en chapitres territoriaux, entretiennent des liens étroits avec le crime organisé. Certains groupes hippies, très engagés dans la non-violence, préfèrent pactiser avec le diable afin d'éviter les ennuis. D'autant que les Hell's Angels ont souvent défendu des *beautiful people* tracassés par la police.

Big Brother and the Holding Company travaille dur, gagne en cohésion et définit plus précisément sa démarche. James Gurley, que le magazine *Guitar Player* nommera plus tard « le Père fondateur de la guitare psychédélique », devient moins central. Il partage les morceaux de bravoure guitaristique avec un Sam Andrew de plus en plus considéré comme le directeur musical du groupe. Avec sa Gibson SG Standard, il prend en charge le fabuleux léché d'introduction de « Summertime » ou les solos de « Piece of My Heart » et de « Down on Me ». Tous les musiciens, sauf David, participent aux parties vocales.

En mars 1967, toujours très au fait de l'actualité musicale, le réalisateur Richard Lester arrive en Californie pour le tournage de son nouveau film, *Petulia*, adaptation d'un roman de John Haase. Le plus anglais des réalisateurs américains est alors déjà l'auteur de deux films avec les Beatles, *A Hard Day's Night* et *Help !*, suivis de *How I Won the War* (Comment j'ai gagné la guerre), avec John Lennon dans le rôle principal. Avec *Petulia*, film que Robert Altman avait envisagé de réaliser, Lester s'éloigne de la comédie, et particulièrement du *nonsense* où il excelle, pour s'aventurer vers l'acerbe critique sociale. Il axe son propos sur la sexualité et les rapports de couple qui connaissent alors une véritable révolution. Julie Christie, George C. Scott, Shirley Knight et Richard Chamberlain sont les acteurs principaux de ce film patchwork essentiellement tourné à Sausalito, petite ville côtière située au nord de la Baie. Après avoir filmé des nonnes au volant de voitures de sport, des hippies fumant du « pot » dans le quartier Haight-Ashbury et des magouilles de la Mafia, Lester fait appel au Grateful Dead et à Big Brother and the Holding Company. Janis et son groupe figurent ainsi dans la scène du gala de charité, tournée trois nuits durant au Fairmont Hotel de San Francisco. Janis va prendre ce tournage très au sérieux et trouver divertissantes les séances de maquillage. Elle prend alors l'habitude de se mettre du rouge à joues, à la façon des demi-mondaines. Avec ce tournage, elle a l'impression de faire partie d'une aventure importante. Une aventure qui, selon Philippe Garnier dans *Libération*, se transforme en véritable film icône de la *San Francisco scene*. Le producteur Ray Wagner se souvient : « Même quand le groupe ne jouait que pour les mises en place ou les répétitions, Joplin chantait à tue-tête, comme si sa vie en dépendait. Une fois, je lui ai dit : "Janis, tu peux te ménager, on ne filme pas encore." Et elle m'a fait un grand sourire de petite fille : "J'aime chanter." Et elle chantait une heure, deux heures d'affilée, au même régime[10]. »

Une fête est organisée en avril 1967 dans la maison de John Davidson, à Hidden Valley, parmi les eucalyptus, au-dessus de Los Angeles, dans le canyon de Santa Monica. À cette occasion, Janis va faire la connaissance de Jim Morrison, le chanteur des Doors. Jim, qui était jusque-là étudiant en cinéma, est attiré à cette fête par son producteur Paul Rothchild qui souhaite provoquer la rencontre avec Janis. Pour lui, la réunion du « roi et de la reine du rock'n'roll » s'impose. Il ne va pas être déçu… Morrison semble tout à fait dans son élément lors de cette soirée où prédominent les personnalités de l'écran. Janis, en plein trip cinéma suite au tournage du film *Petulia*, est invitée par le scénariste Gavin Lambert et l'acteur Howard Hesseman. Elle retrouve notamment l'actrice Julie Christie qu'elle vient de rencontrer à l'occasion du tournage du film de Lester, et croise d'autres personnalités en vue comme Sharon Tate et Roman Polanski.

Morrison et Joplin semblent à l'évidence destinés à se rencontrer. Trop sans doute. Janis sera souvent comparée au double féminin de Jim. Et inversement. Mais une rencontre « normale » paraît tout à fait improbable si l'on considère leurs fortes personnalités. Et pas seulement en raison de leur attirance commune pour la bouteille et leurs abus en tout genre. Tous deux sont des passionnés de blues et de littérature, des écorchés vifs partageant des blessures et des traumatismes d'enfance ou d'adolescence. Jim est en révolte contre l'autorité du père, le sien étant le plus jeune amiral de la flotte américaine. (« Il dirigeait sa maison comme il dirigeait son navire. L'ordre et la discipline devaient régner. ») En révolte globale contre une famille à laquelle il reproche ses idées rigoristes et son manque cruel d'affectivité. En révolte contre tout emblème d'autorité.

La soirée débute pour le mieux. Parmi cette foule de célébrités, Jim et Janis sont aussitôt attirés comme des aimants, mais vont aussi se rejeter comme par un terrible effet de miroirs déformants. Jim, qui a déjà dévalisé la cave secrète du propriétaire des lieux, vient s'asseoir en souriant près de Janis et la prend affectueusement par les épaules. Ils se lancent dans une conversation enflammée tout en ne cessant de boire du bourbon. Janis raconte sa jeunesse au Texas, évoque le profond sentiment de rejet dont elle a souffert là-bas. Tous deux sympathisent, mais hélas sans cesser de boire une heure durant, ni de gratter leurs anciennes plaies à vif. Et en pareil cas, le Morrison charmeur, l'intellectuel raffiné, pouvait se métamorphoser en un autre lui-même, à la fois agressif et désillusionné. Ce transfert psychique le rendait soudain incontrôlable, vindicatif, méconnaissable. Ainsi Jim saisit brutalement Janis par les cheveux et lui plaque le visage contre son entrejambe. La situation dégénère aussitôt. Les invités s'écartent devant l'esclandre qui s'engage. Plus que vexée, Janis frappe Morrison au visage en l'insultant et se réfugie en larmes dans les toilettes. Le chanteur reste prostré sur place, autant sous l'effet de l'alcool que sous celui du coup reçu.

Janis va retrouver Paul Rothchild et lui dit : « Tirons-nous d'ici. » Ils regagnent la camionnette de Big Brother and the Holding Company que Janis a l'habitude d'emprunter. Mais ils sont rejoints par un Morrison titubant et désireux de se faire pardonner son attitude, ou au contraire (selon les versions extrêmement divergentes des témoins) toujours déchaîné — car il est capable des deux réactions ! Il s'approche donc de la camionnette pour discuter, or Janis, toujours furieuse et aussi saoule que le chanteur, n'est plus disposée à l'écouter. Jim, hors de lui, l'empoigne par les cheveux. Janis s'empare d'une bouteille de whiskey qui traîne près du siège et le frappe maladroitement sur le crâne. La bouteille n'est pas brisée, comme le veut une légende insistante, l'épaisseur du verre empêchant même d'ébrécher un tel flacon en le frappant sur le rebord d'un trottoir. Mais Jim reste groggy, tandis que Janis et Paul déguerpissent dans la pénombre. Une première rencontre mémorable ! Les anecdotes de cet ordre vont, hélas, ternir leur réputation commune et contribuer à les caricaturer dans la presse et dans leur milieu. D'autant plus que, dans ce cas précis, Janis revendique ce haut fait d'armes, cette rixe, se félicitant d'avoir terrassé le roi lézard. Elle racontera maintes fois l'épisode pour consolider son image de dure, chaque fois que cela l'arrangera. Elle téléphonera même un jour de Californie à New York pour demander à Myra Friedman de monter l'affaire en épingle auprès des journalistes. Un an plus tard, elle exigera aussi qu'on informe la revue *Rolling Stone* qu'elle vient de passer la nuit avec Joe Namath, la grande vedette du football américain. Toujours ce complexe de la séduction. James Gurley a dit au sujet de Jim et de Janis qu'ils étaient comme deux ego qui s'entrechoquaient dans la nuit. Sans doute étaient-ils voués à s'attirer et à se détester mutuellement, se voyant l'un et l'autre comme leur propre image réfléchie. Une fois dégrisé, Jim reste épaté par cette femme qui a su lui résister avec force, mais dont la conversation l'avait d'abord passionné. Il demande son numéro de téléphone à Paul Rothchild, mais ce dernier lui explique avec tact que Janis, pour l'heure, n'a aucune intention de le revoir.

Dans leur livre *Living in the Dead Zone : Janis Joplin and Jim Morrison (Janis Joplin et Jim Morrison au bord du gouffre)*, les frères Gerald et

Ralph Faris, psychologue et sociologue, démontrent que Janis et Jim souffraient en fait d'un même trouble du développement de la personnalité, nommé « état limite » *(borderline)*. D'après les auteurs, tous deux ont souffert d'un syndrome de l'abandon qui les a empêchés de développer des liens affectifs stables et durables avec autrui. Ils éprouvaient un sentiment anxiogène de vide intérieur qui les poussait à s'étourdir et à rechercher des stimulations extrêmes pour échapper à leur sensation de solitude vertigineuse. C'est la raison pour laquelle, souffrant, en outre, d'un dédoublement de la personnalité (Janus — qui eut son homologue féminin Jana — est le dieu romain aux deux visages, l'un tourné vers le passé, l'autre vers l'avenir), ils auraient emprunté des rôles, des masques, des déguisements (devenus comme des oripeaux de théâtre dans le cas de Janis), et auraient cherché des calmants puissants afin de combler leur insatiable besoin d'affection. De plus, lorsqu'on leur prodiguait de l'affection, ils étaient incapables de l'entretenir en raison de leurs tendances autodestructrices.

Sur la côte Ouest, 1967 sera la grande année, celle du *Summer of Love*. Fleurs et Amour. Une grande partie de la jeunesse s'insurge contre la guerre au Viêt-nam qui bat son plein (les effectifs américains en Asie passent de 200 000 soldats début 1966 à plus de 500 000 en 1968), mais aussi contre la guerre froide qui fait peser sur la planète une menace nucléaire. Une certaine presse sans nuances, qu'elle passe au hachoir, ne manque pas de railler le mouvement hippie, tel le *Sunday*

Mirror en ce mois de juin : « En un seul cercle, les hippies concentrent la façon de se vêtir des sauvages de Bornéo, les comportements religieux des hindous, les pratiques sexuelles des lapins, les rites de drogues des Chinois, les concepts économiques des aborigènes australiens et la gentillesse des premiers chrétiens. » Un point de vue finalement partagé par des médias peu scrupuleux.

Janis participe à l'effervescence psychédélique avec enthousiasme, déconcertée par les événements qui se bousculent autour d'elle. Dans une lettre datée d'avril 1967, la bonne petite fille écrit à sa mère « et à toute la famille », à la fois pour les rassurer et les épater :

> On gagne 1 000 dollars ou plus pour un week-end. Pour une seule soirée, on fait entre 500 et 900 dollars. Pas mal pour une bande de beatniks, non[11] ?

L'emploi du terme « beatnik » n'est pas neutre. La famille, dans son lointain Texas, n'imagine pas encore l'ampleur du mouvement hippie, même si leur fille est un témoin privilégié des bouleversements qui s'opèrent là-bas. Janis tente de leur faire comprendre que la nouvelle musique qui se joue en Californie s'inspire de celle des artistes beat, en effectuant un mixage inédit de la musique folk et jazz des années 1950. Elle évite le terme hippie, généralement négatif pour les parents, surtout à l'est du pays, où on l'associe volontiers au qualificatif de paria. Janis et les musiciens de Big Brother and the Holding Company, comme tous les membres de la communauté branchée, se disent d'ailleurs être des freaks, et non pas des hippies. Janis garde une certaine candeur et une âme de fan, tout comme les jeunes autour d'elle :

> Devinez qui était en ville la semaine dernière — Paul McCartney, un des Beatles. Et il est venu nous écouter !!! Grands dieux du Ciel ! Il est venu au Matrix & il nous a vus & quelqu'un nous a dit qu'il avait aimé ça. Est-ce que c'est pas excitant !!! [...] Si j'avais su qu'il était là, j'aurais bondi hors de scène et je me serais ridiculisée devant tout le monde[12].

Sans vergogne, les artistes anglais viennent piquer des plans aux groupes situés dans la mouvance psychédélique. Ainsi, Mick Jagger vient-il plusieurs fois en catimini épier Jim Morrison sur scène. Plus loin, Janis explique à ses parents l'éclosion du phénomène des posters. Elle ne peut s'empêcher, sans fausse pudeur, de faire allusion à son physique somme toute ordinaire, cherchant à convaincre qu'elle peut être belle et séduisante :

> Une revue de rock intitulée *World Countdown* a fait sa couverture avec un collage de photos représentant des personnages connus & le milieu musical & j'en fais partie. Ils vont même publier un poster de moi ! [...] Une photo vraiment spectaculaire, où j'ai vraiment l'air belle !!! Si ça ne vous embarrasse pas, je vous en enverrai une. Je suis tout émoustillée ! Je vais devenir la première pin-up de Haight-Ashbury[13].

Janis emploie encore le mot « pin-up » à son égard dans une lettre adressée à Tary Owens : « Je suis la première pin-up hippie. Quel pied[14] ! » Cette insistance est significative de son complexe physique. Janis fait référence à la magnifique série de photos due à Bob Seidemann. Si, sur l'une d'elles, Janis apparaît effectivement portant une cape légèrement entrouverte sur sa poitrine, une autre la montre dévêtue, les mains superposées sur le sexe. C'est elle-même qui a insisté pour poser entièrement nue sous les colliers de perles typiques de l'artisanat hippie. Elle en voudra ensuite à Seidemann de se faire pas mal d'argent avec ce poster qu'il fera imprimer. Dans la lettre citée plus haut, Janis fait bien entendu allusion à la première photo, mais il reste surprenant qu'elle cherche à partager l'aventure avec toute la famille. N'importe, le « mec le plus moche du campus » tient une revanche certaine en se muant ainsi en pin-up hippie ! Ce n'est pas rien pour elle.

Jusque-là, les groupes de la Baie ont vécu en relative autarcie, dans un esprit d'entraide ponctué de concerts gratuits. Ils restent encore à l'écart des rapaces du nouveau show-biz de Los Angeles ou de New York, toujours prêts à « presser le citron électrique » et à starifier ses artistes afin de mieux les tenir. Mais un événement d'importance, le festival de Monterey, va faire basculer ce fragile équilibre et précipiter la fin d'une époque. Les artistes-businessmen de Los Angeles, contrats en poche, vont se grimer en hippies pour tenter d'absorber l'énergie et la substance de tout un courant musical issu de quelques pâtés de maisons. En quelque sorte, comme l'a fait remarquer Barney Hoskyns : « Monterey reste un moment clé, celui de la naissance de l'industrie du rock telle que nous la connaissons aujourd'hui. [...] Le festival a corrompu pour toujours l'innocente scène des *ballrooms* de la Baie[15]. » Le rock psychédélique va, en effet, passer d'un phénomène local à un engouement quasi planétaire.

Du vendredi 16 au dimanche 18 juin 1967, à cent cinquante kilomètres au sud-est de San Francisco, sur le vaste champ de foire du port de Monterey, est organisé le Monterey Pop Festival. Sur scène, une banderole annonce : *Love, Flowers and Music*. Ce premier festival rock d'envergure précède de deux ans celui de Woodstock. Les initiateurs de la manifestation sont Alan Pariser et Benny Shapiro, de Los Angeles. Jusque-là, et depuis 1958, le site de Monterey a accueilli chaque mois de septembre le Monterey Jazz Festival, ainsi que le Monterey Folk Festival de 1964 où un jeune musicien nommé Bob Dylan fit sa véritable première apparition sur la côte Ouest.

L'ambiguïté, mais de taille, tient au fait que l'événement est mis sur pied par des gens de l'industrie naissante du disque de Los Angeles : John Phillips, du groupe les Mamas and the Papas, et le promoteur Lou Adler. Tous deux ont racheté l'idée à Benny Shapiro contre la somme de 8 000 dollars. Or les forces vives de la manifestation viennent essentiellement de San Francisco. Comme la jalousie et la méfiance ont toujours existé entre les deux villes, il était finalement louable que cette fête réunisse les deux laboratoires sonores en un même lieu. Le clinquant et la sophistication de Los Angeles (Frank Zappa trouve les hippies « rustiques » et « moins évolués » que les jeunes branchés de L.A.) sont certes éloignés de la spontanéité et de la folie mêlées de San Francisco, mais la réunion des deux pôles musicaux va s'avérer profitable à tous. Les groupes de Los Angeles vivent déjà confortablement incrustés dans le show-biz, tandis que les groupes de San Francisco restent encore communautaires et très proches de leur public. En fait, le véritable antagonisme est celui qui oppose la côte Ouest, plutôt baba-cool et décontractée, à la côte Est, franchement stressée et renfermée dans sa torpeur. Ce qu'ont parfaitement compris des gens comme Albert Grossman et Jac Holzman, du label Elektra, qui prennent l'habitude de jongler opportunément avec les deux côtes.

Trente-deux groupes ou artistes solo, la plupart inconnus, vont se succéder sur scène dans une grisante (et bien acidifiée !) ambiance de fête fraternelle et pacifiste. Un concert *a priori* non commercial où les groupes se produisent gratuitement. Les revenus sont destinés à de « justes causes » que personne ne parvient cependant à identifier. Le prétexte non avoué de cette histoire est le film — quant à lui tout à fait commercial au profit de la chaîne ABC — que le documentariste Donn Alan Pennebaker, secondé par Bobby Neuwirth, a entrepris de tirer du festival. Pour cela, on fait signer des contrats à l'arrache, juste avant que les groupes ne montent sur scène. En fait, c'est souvent l'agent artistique new-yorkais Albert Grossman qui s'occupe des choses. Contre l'avis de leur manager Julius Karpen, qui flaire l'arnaque, Sam Andrew et Janis veulent absolument figurer dans le film. Pour cela, ils demandent eux-mêmes à Grossman d'arranger le coup. Ça renâcle fort, mais comme tout le monde entend être de la fête, l'affaire se conclut sans trop de tracas. Le Grateful Dead et Moby Grape, de leur côté, restent inflexibles et ne figureront pas au générique. Cette attitude nuira à leur carrière. Si les places assises en tribune sont limitées à 7 500, les organisateurs vendent plus de 20 000 billets pour une fête qui dépasse de loin le cadre d'un concert. On loue des milliers de chaises pliantes. Finalement, resquille aidant, on estime que l'assistance s'élève à plus de 40 000 participants !

Bien plus que Woodstock, caricaturé comme son chant du cygne, il s'agit là de l'apogée du mouvement hippie et de l'avènement de l'*acid rock*. Impressionnés, les artistes de Los Angeles vont fortement s'inspirer de la nouvelle vague de San Francisco. Le magazine *Rolling Stone* fera remarquer en novembre que « la réelle star ici est le public ». Une foule bigarrée, joyeuse, habillée en majorité de vêtements aux coloris vifs et aux motifs chamarrés. Parmi ce public, on remarque pas mal de crânes dégarnis et les tenues élégantes de certains spectateurs de circonstance, souvent des quinquagénaires enthousiastes. La musique rock au sens large commence à s'imposer dans les mœurs et la culture.

Ce festival réunit des artistes quasi inconnus comme le Jimi Hendrix Experience — recommandé par Paul McCartney —, arrivé trois jours plus tôt aux États-Unis. Jusque-là, Hendrix n'est réputé qu'en Angleterre et dans les rares pays européens où il s'est produit sur scène grâce à Chas Chandler. Après avoir joué au Café A Go Go de New York le 13 juin, il a eu le temps d'assister à un concert des Doors le lendemain. Il débarque donc à Monterey où il est présenté à la foule par Brian Jones vêtu de façon plus extravagante que les hippies les plus branchés : pantalon et boa écarlates, veste rose, gilet jaune et noir, chemise à jabot blanche. En plein trip d'acide, Jimi Hendrix achève sa prestation par une reprise du « Wild Thing » des Troggs, où après avoir aspergé sa guitare d'essence, il la sacrifie en y mettant le feu. Le public est subjugué par ses audaces et son génie novateur. Hendrix ne devait rester que quelques jours aux États-Unis, mais il y passera trois mois, réclamé ici ou là en concert. Janis sympathise immédiatement avec lui. Tous deux vont très bientôt se revoir à San Francisco.

L'esprit du festival est marqué par une grande ouverture artistique. La présence magnifique d'Otis Redding subjugue à nouveau Janis par l'intensité de ses interprétations vocales et la solidité de sa formation de cuivres. Otis demeure pour elle un modèle dont elle décortique le phrasé, le jeu de scène et son trépignement passionné. Le son Stax-Volt de Memphis semble lui convenir à merveille. Peut-être aurait-elle dû enregistrer ses disques à Memphis dont le son était en rapport direct avec sa sensibilité. La performance d'Otis est si impressionnante que Robert Christgau, dans *Esquire*, notera que Brian Jones était en larmes durant celle-ci.

Le festival présente par ailleurs des formations pop calibrées pour les hit-parades, comme les Mamas and the Papas, The Association ou le duo Simon and Garfunkel. Ces artistes, qui ont déjà signé avec d'importants labels, sont censés être les têtes d'affiche du festival. Ce qui sera loin d'être le cas lors du décompte final ! Le chanteur Scott McKenzie demeurera la caricature hippie suprême, avec son tube de l'été « San Francisco (Be Sure to Wear Some Flowers in Your Hair) », spécialement écrit et composé pour l'occasion (un détail révélateur de sa vision burlesque du mouvement hippie) par son ami John Phillips du quatuor vocal les Mamas and the Papas : « *If you're going to San Francisco / Be sure to wear some flowers in your hair / If you're going to San Francisco / You're gonna meet some gentle people there*[16]. » Les éphémères Flowerpot Men (les « hommes pots de fleurs » !) enfonceront le cliché avec le soporifique succès « Let's go to San Francisco ». Pas étonnant, dans ces conditions, que des agences de voyage organisent déjà des safaris-tours hippies dans le quartier Haight-Ashbury. Des touristes perchés sur des bus à impériale, appareil photo en bandoulière ! Par esprit de dérision, les hippies leur jetteront des pièces de menue monnaie et des cacahuètes.

À Monterey, la plupart des artistes doivent se produire environ quarante-cinq minutes. Les professionnels « corrupteurs » de Los Angeles et de New York scrutent avec un vif intérêt les pionniers de l'explosion musicale en cours, parmi lesquels Grateful Dead, Jefferson Airplane, le Butterfield Blues Band, Quicksilver Messenger Service, Moby Grape et Country Joe & The Fish. Certains découvrent aussi un groupe anglais présenté par Eric Burdon, trop « britannique » et pas spécialement en phase avec l'événement, en dépit de leur brillante opérette rock intitulée « A Quick One While He's Away ». Il s'agit des Who de Pete Townshend, un guitariste habitué à massacrer sa guitare contre les amplis, les autres musiciens finissant d'achever le matériel. L'agressivité musicale venue d'Angleterre contraste fortement avec le rock psychédélique californien, les Who ont du mal à percer aux États-Unis. Pete Townshend, vexé de cette incompréhension, sera bien le seul à critiquer Janis, en disant qu'elle n'est qu'une « soiffarde coléreuse et vociférante », accompagnée par une formation qui est tout bonnement le pire groupe qu'il ait jamais entendu.

Dans l'euphorie générale, à quelques rares exceptions près, les musiciens sympathisent. La guitare électrique devient une sorte d'arme révolutionnaire pour les jeunes et moins jeunes du monde entier. On assiste à une Renaissance musicale comme l'Histoire en a rarement connue. Et cette musique nouvelle va contribuer à faire évoluer les mentalités et les façons de vivre bien au-delà de la Californie.

Le samedi 17 dans l'après-midi, Janis porte un pantalon blanc et une tunique lamée transparente qui lui moule la poitrine. Elle monte sur scène accompagnée de ses musiciens. Il s'agit de sa première prestation importante hors de San Francisco. Elle a vingt-quatre ans. Après le fantastique triomphe qu'elle remporte, la formation est conviée à rejouer le lendemain dimanche afin d'être enregistré dans les meilleures conditions pour le film.

Toujours en pleine forme, rayonnante dans un costume flambant neuf, Janis apparaît déchaînée. Elle se détache du groupe, s'élève, se hisse à un tout autre rang. Elle atteint une nouvelle contrée personnelle, une nouvelle dimension. Elle *devient* Janis Joplin. Et aussi l'élément central du groupe, ce qui sera embarrassant pour les musiciens quand ils verront le film, quelques mois plus tard. Le groupe est dorénavant le Big Brother and the Holding Company *avec* Janis Joplin, ou plus gênant encore pour les musiciens, Janis Joplin accompagnée de Big Brother and the Holding Company ! Il suffit de voir les posters qui annonceront les prochains concerts du groupe. La formation créée par Peter Albin bascule sous l'œil des caméras qui se focalisent sur la chanteuse. Effet pervers pour les ego. À la fin, Janis quitte la scène en courant vers les coulisses, volant presque, les bras déployés. La chrysalide libère le papillon mirifique. Elle devient une star féminine des plus attrayantes. Une illumination intérieure rejaillit sur tout son être. Les yeux maquillés, pour une fois ! Une beauté rayonnante, sans doute inédite pour un visage très changeant. Mais ce jour-là, un éclat magnétique, sensuel, émane de la chanteuse. Elle naît une nouvelle fois à elle-même, et se révèle définitivement en tant qu'artiste. Elle a trouvé le sens définitif de son existence. Un instant de magie, d'autant plus que le groupe est totalement en phase, tout particulièrement Sam Andrew, impressionnant sur ce coup-là par son sens de la communication avec le public. Janis est désormais placée bien en avant sur la scène, attirant irrésistiblement les regards. Sûre de son fait, elle trépigne, se trémousse, saute, danse. Sa voix frappe par sa puissance mêlée de fragilité, par une profondeur d'interprétation qui enchante le public. Elle sidère par ses feulements inédits, son rire sardonique, ses harangues provocantes, son dynamisme, sa jubilation communicative, sa gestuelle sensuelle, son expressivité, la façon avec laquelle elle vit, interprète intensément chaque morceau. Pour sûr, on n'a jamais vu une Blanche chanter le blues de cette façon-là ! Plus rien ne sera jamais comme avant pour une Janis désormais destinée à devenir une *singer hero*. Bref, du jour au lendemain, elle devient une star et son groupe se fait une formidable réputation.

Parmi le peuple hippie, rôdent de jeunes vautours de l'industrie discographique émergente, prêts à fondre sur des proies faciles. Les meilleurs artisans de la critique rock (*Rolling Stone* dira de Janis qu'elle est « la voix féminine majeure de sa génération »), mais aussi les émissaires des plus sérieux hebdomadaires d'information (*Newsweek* en tête, qui fera sa une avec Janis le 26 mai 1969, « Janis Joplin, rebirth of the blues »), sont également présents. Ils vont consacrer nationalement une Janis déchaînée sur scène, tapant du pied à la façon d'une danseuse de flamenco, bondissant et vibrant d'émotion derrière chaque note de musique, débordante d'énergie. Cette voix à la fois riche en harmoniques et grinçante, rugueuse, tranche radicalement avec celles des rares chanteuses blanches qui tiennent alors le devant de la scène, les Joan Baez, Cher, Cass Elliot, Carole King,

Judy Collins et Grace Slick. Des voix qui, pour l'essentiel, sont tournées vers le folk, la country ou le jazz, bien plus que vers le blues rock. Et puis, il y a les mots des chansons de Janis. Des textes souvent bouleversants et tout à fait en accord avec sa voix écorchée, qui parlent du malêtre et des épreuves, de passion et de tourments. Janis est aussi une révélation pour des artistes installés dont Cass Elliot des Mamas and the Papas, subjuguée, bouche bée, à qui elle vole pourtant définitivement la vedette. Dans le film *Monterey Pop*, on l'entend même murmurer : « *Wow, that's really heavy !* » [« Wow, c'est vraiment super fort ! »] Mais d'autres artistes comme Mike Bloomfield (le partenaire historique de Bob Dylan au festival folk de Newport) ou Paul Butterfield sont eux aussi estomaqués. Eric Burdon écrira et interprétera par la suite une formidable chanson en souvenir de ce concert, « Monterey », sans oublier son bouleversant « San Franciscan Nights ». Des titres radicalement éloignés du très naïf tube de Scott McKenzie.

D. A. Pennebaker et son équipe saisissent l'affaire sur pellicule, qui deviendra d'abord le film *Monterey Pop*, diffusé en salles dès janvier 1969, puis trente ans plus tard sous forme d'un coffret de trois DVD intitulé *Complete Monterey Pop Festival.* Bref, Janis a frappé les esprits par sa voix torturée alliée à une présence scénique plus sexuelle que véritablement sexy. Tous les connaisseurs présents décèlent instantanément en elle une grande chanteuse de blues.

1 En 1969, Janis devant la célèbre Porsche psychédélique peinte par Dave Richards. À ses pieds, le fidèle George, bientôt kidnappé par des fans trop zélés. Photo Yoram Kahana.

2

3

4

« Sur scène, je fais l'amour avec 25 000 personnes, et pour finir je rentre toute seule chez moi. »

2 Vers 1963, Janis apprend à jouer de la guitare à San Francisco. Au Texas, s'accompagnant à l'autoharp, elle avait d'abord débuté comme chanteuse de folk country blues. Photo Karl Siegle.

3 Big Brother and the Holding Company, le groupe avec lequel Janis fut révélée. De g. à dr. : Sam Andrew, David Getz, Janis, James Gurley et Peter Albin. Photo Herb Greene.

4 Janis et Big Brother and the Holding Company apparaissant dans le film *Petulia* de Richard Lester, tourné en Californie en mars 1967.

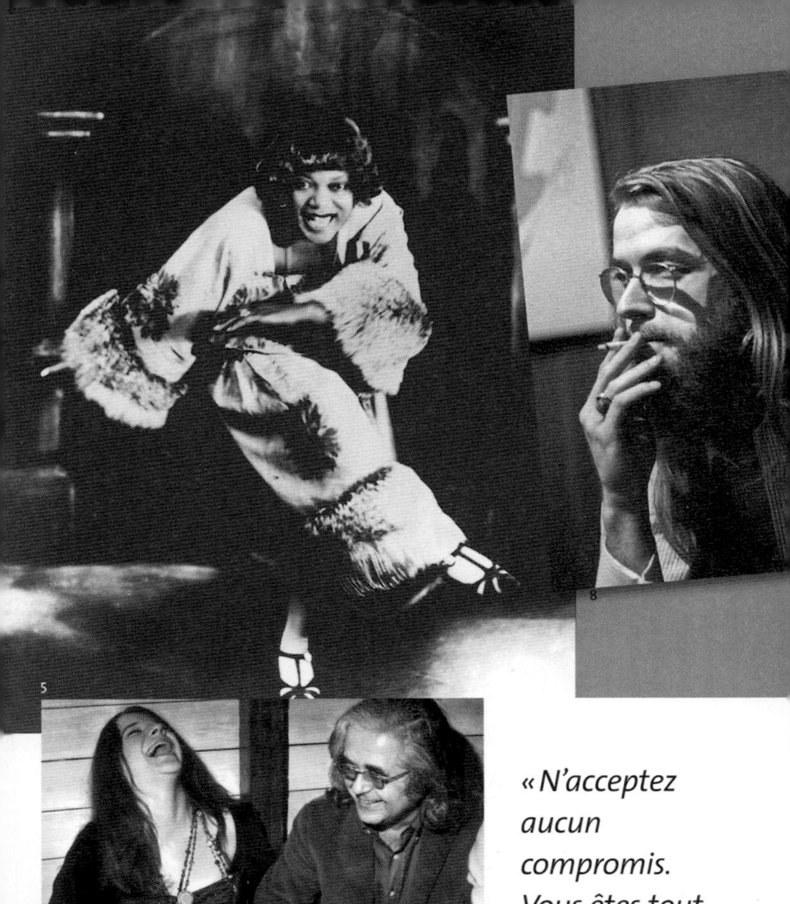

8

5

6

7

« N'acceptez aucun compromis. Vous êtes tout ce que vous avez. »

5 Bessie Smith, l'« Impératrice du blues », vers 1924. Elle est l'influence majeure de Janis.

6 Janis et Albert Grossman (« Oncle Albert »), son redoutable manager (et celui de Bob Dylan), à New York, en 1968. Photo Elliot Landy.

7 Le cinéaste Paul Morrissey, Andy Warhol, Janis Joplin et Tim Buckley attablés au Max's Kansas City de New York, en 1969. Photo Elliot Landy.

8 Chet Helms, l'homme clé. Grâce à lui, Janis a quitté Port Arthur et le Texas pour San Francisco et le rêve californien.

9 Le promoteur Bill Graham, vers 1967. Réchappé des camps de la mort à l'âge de dix ans, il devient directeur du haut lieu du mouvement hippie, le Fillmore Auditorium, vite rebaptisé en Fillmore West.

10 Kris Kristofferson, sujet à fantasmes pour Janis, est l'auteur de son grand hit, « Me and Bobby McGee ».

12

13

14

11 Janis Joplin et Big Brother and the Holding Company au Pop Festival de Monterey, en juin 1967. Et la chrysalide libère le papillon mirifique. Photo Ted Streslinsky.

12 En concert au Fillmore East, le pendant new-yorkais du Fillmore West de San Francisco, en février 1969. Photo Jean-Pierre Leloir.

13 L'unique apparition de Janis Joplin en France, le 13 avril 1969, sur la scène de l'Olympia, accompagnée du Kozmic Blues Band. De g. à dr. : Brad Campbell, Janis, Luis Gasca et Terry Clements. Photo Jean-Louis Rancurel.

14 Drogue et alcool. Moment d'intense déprime, à New York, en 1968. Photo Elliott Landy.

15 Isolée dans les loges du Grande Ballroom de Detroit, en 1968. Une passion léguée par son père, la lecture : Kerouac, Fitzgerald, Hesse, Nabokov, Wilfred Owen, Tom Wolfe... Photo Elliot Landy.

« Je préfère vivre une dizaine d'années hyper à fond plutôt que jusqu'à soixante-dix ans, écroulée au fond d'un fauteuil face à une télé. Je ne veux rien faire à moitié et vivre uniquement l'instant présent. »

Cette soudaine exposition médiatique au niveau national a au moins pour conséquence d'inciter Bob Shad à commercialiser le premier disque de Big Brother and the Holding Company de façon plus décente. Même si l'album est quelque peu en décalage par rapport aux progrès rapides du groupe. La demande afflue d'un peu partout dans le pays. Aussi le groupe, qui a beaucoup évolué depuis les enregistrements de Chicago, demande à retourner en studio afin d'effectuer de nouvelles sessions, plus sophistiquées. Mais Shad refuse. Il cherche à fourguer son disque au plus vite, tel quel, pour profiter des retombées du festival et des articles parus dans certains grands organes de la presse nationale. L'album va atteindre la 60e place dans les classements, rang somme toute respectable si l'on considère l'absence de hit, et le fait que cette musique est radicalement hors norme comparée à celle des *charts*.

Janis et son groupe ont impressionné un des gros pontes du disque, Albert Grossman, venu tout spécialement de New York afin de soutenir certains de ses artistes — et si possible débusquer du nouveau gibier pour des majors en plein essor ! Il est le manager vedette de Bob Dylan, mais aussi celui de Joan Baez, du Band, d'Odetta, et de Peter, Paul and Mary, le trio vocal new-yorkais engagé politiquement dans la lutte en faveur des droits civiques, au côté de Martin Luther King. Peter, Paul and Mary ont beaucoup contribué à faire connaître Bob Dylan grâce à leur interprétation à succès de son « Blowin' in the Wind », en 1963.

Albert Grossman est un personnage complexe et redouté, propriétaire, entre autres, d'un night-club réputé à Chicago, d'un restaurant et d'un studio d'enregistrement dans la région de Woodstock, où on le considère comme le rajah du coin, comme le souligne Anthony Scaduto, biographe de Dylan. D'apparence débonnaire, à la fois jovial et filou, c'est un vrai joueur de poker considéré comme implacable en affaires. Mais il se révèle aussi très protecteur envers ses artistes et soucieux de défendre leur intégrité de créateurs et d'interprètes. Le sourcil épais et sombre, il porte des cheveux longs frisés et grisonnants, arborant à l'occasion un catogan très branché. Il en impose terriblement dans le milieu, autant par son flair artistique que par son sens des affaires. Pour Big Brother, se faire remarquer par ce prestigieux manager revient ni plus ni moins à tirer le gros lot. C'est en quelque sorte forcer les portes de la gloire. Albert entend faire signer Janis et le groupe au plus vite chez Columbia pour leur second album ; le président du label, Clive Davis, est lui-même convaincu du talent de Janis. Toutefois, CBS se trouve confronté à un sérieux problème : le contrat longue durée signé dans l'empressement avec Mainstream. Tenace, Grossman va lutter jusqu'en mars 1968 avant de racheter le précieux document à Bob Shad. En attendant, Julius Karpen et les membres de Big Brother se rendent compte chaque jour davantage que c'est essentiellement Janis qui attire l'attention des médias et de CBS. Les relations vont alors commencer à se dégrader entre les musiciens, Janis et leur entourage immédiat. Et, dès novembre, Karpen en est la première victime.

Le phénomène hippie ne se limite plus à la Californie et aux États-Unis, où l'on estime bientôt cette faune à près de 2 millions d'individus. Beaucoup moins nombreux et visibles en Angleterre, les hippies se retrouvent tout de même près de 10 000 le 16 juillet, à Hyde Park, pour réclamer la légalisation de la marijuana. Et ils seront plus tard 20 000 à se réunir avec une flopée de groupes rock à l'invitation du duc et de la duchesse de Bedford, dans leur propriété de Woburn Abbey. Intrigués, certains musiciens anglais, sur les traces d'Eric Burdon et de George Harrison, viendront constater sur place à San Francisco ce qui s'y passe de si particulier.

Toujours proche de Sunshine, Janis fait la connaissance de la styliste Linda Gravenites en juin 1967, la femme de Nick Gravenites. Linda et Nick vivent séparément. Janis est très impressionnée du seul fait que celle-ci ait jadis été mariée à un beatnik légendaire, Patrick Cassidy. Elle lui demande de concevoir un nouveau costume de scène. Une solide amitié lie rapidement les deux femmes qui inaugurent une étrange relation mère-fille. Elles vont même emménager un temps ensemble à l'automne, sur Lyon Street, dans un appartement situé au premier étage, au loyer mensuel de 75 dollars, avec un balcon donnant sur le Golden Gate Park. À la demande de Janis, et pour la sécuriser, Linda accepte de jouer le rôle d'une mère de substitution. Janis décore sa chambre de ses propres photos prises par Bob Seidemann. À partir du plafond, elle tend de la dentelle ainsi que des tissus indiens. Passionnée d'animaux, elle s'entoure du fidèle George, un placide chien de berger, et de Sam, un placide matou effilé. Elle répète alors pratiquement chaque jour avec son groupe en début d'après-midi.

Les amants et maîtresses seront nombreux à se débattre entre les photographies murales et leur modèle, et parmi les animaux de compagnie. Linda, qui installe là son atelier de couture, pousse Janis à signer avec l'efficace Albert Grossman plutôt qu'avec un producteur de San Francisco prétendument lié à la communauté hippie. Mais le manager new-yorkais est toujours très vigilant avant de s'engager avec des artistes. Le look hippie de San Francisco, la situation conflictuelle au sein de Big Brother, tout cela le fait hésiter. C'est finalement un appel téléphonique de Janis elle-même qui le décide à revenir en Californie. Ce qui confirme que c'est la chanteuse avant tout qui l'intéresse.

Cet été-là, Janis va parvenir à ses fins avec Peggy Caserta qui lui a prêté sa résidence sur la côte, à Stinson Beach, situé à vingt kilomètres au nord de San Francisco. Seule sur la plage, ou plutôt souvent arrimée au bar, le Sand Dollar, Janis appelle sans cesse Peggy dans sa boutique pour la prier de la rejoindre. Son amie finit par céder et retrouve Janis pour quelques heures au bord de la mer avant de revenir en hâte au magasin. Voilà plusieurs mois qu'elles s'allumaient l'une l'autre comme des adolescentes, Peggy n'étant pas persuadée que Janis ait déjà couché avec des femmes. Pour l'heure, elle l'avait uniquement consolée après ses ruptures avec des hommes ! C'est le début d'une tapageuse liaison où le sexe et la drogue joueront un rôle moteur. Kim Chappell sera bientôt partie prenante dans ce jeu très complexe de cache-cache amoureux impliquant de nombreux partenaires. Après la mort de Janis, Peggy Caserta écrira un livre controversé sur ses relations avec la chanteuse. Dans cet ouvrage, impudique et très détaillé sur leurs rapports sexuels, elle insiste sur le fait que Janis parvenait souvent à un violent orgasme en moins de dix minutes. Avec les hommes, elle était dominatrice et insatiable. Ses amants témoignent qu'en amour elle était féroce, vorace, parfois effrayante, avec un côté désespéré. Avec les femmes, elle se montrait davantage sur la réserve, hésitant parfois à exposer son penchant homosexuel. Elle cherchait des rapports plus tournés vers les sentiments, faisant passer le côté émotionnel avant l'accomplissement physique, même si celui-ci pouvait devenir extrêmement intense. C'est pourquoi ses liaisons avec les femmes dureront généralement beaucoup plus longtemps que celles avec les hommes. Linda Gravenites, après la mort de Janis, confiera cette interrogation révélatrice à Myra Friedman : « J'aimerais bien qu'on m'explique pourquoi Janis s'adressait à une fille à voix basse et de façon relax, alors qu'elle s'adressait à un mec avec une voix pointue et en étant toute contractée[17]. »

Jimi Hendrix arrive à San Francisco pour se produire au Fillmore Auditorium, du 20 au 25 juin. Le guitariste, pour deux sets par soir, se retrouve à l'affiche avec le Jefferson Airplane et le Gabor Szabo Quintet. Mais autant Jimmy Stewart (complice du guitariste hongrois Gabor Szabo), Mitch Mitchell (le batteur de Hendrix), Joel Selvin, Bill Graham que Sam Andrew vont se souvenir que le Jefferson Airplane annule sa présence dès la seconde représentation. Le groupe est si impressionné par les audaces de Jimi Hendrix que Grace Slick déclare diplomatiquement souffrir d'un problème de voix. Janis Joplin et son groupe prennent aussitôt le relais, ravis de l'aubaine. C'est pourquoi la magnifique affiche de Clifford Seelay ne mentionne pas la présence de Big Brother and the Holding Company en cette fin juin.

La perspective de coucher avec Jimi Hendrix, après ses exploits de Monterey et ses premiers concerts à San Francisco, en affriole plus d'une. Ainsi, Linda Gravenites prétend que c'est elle qui un soir quitta les loges en compagnie de Jimi : « J'étais seule depuis trois ans, et tout à coup voilà que Jimi était devant moi. Je crois aux extrêmes. C'était trop pour que je passe mon tour[18]. » Quoi qu'il en soit, cela n'empêchera pas Jimi et Janis d'entamer eux aussi une liaison dans les loges mêmes du Fillmore, juste après l'un des shows, avant de poursuivre l'affaire dans le motel de Jimi. D'où le témoignage de Dave Richards : « Elle et Hendrix l'ont fait après un spectacle. Tout de suite après Monterey, nous étions à la même affiche au Fillmore West, et ils sont partis ensemble à son motel[19]. » Un soir, Mark Braunstein surprend lui aussi Jimi dans la loge de la chanteuse. Janis est particulièrement émoustillée par l'utilisation subjective que Jimi fait de sa guitare. Tous deux ne partagent pas qu'une passion commune pour le blues et l'héroïne, mais aussi pour le sexe. Linda Higginworth Carroll, une amie d'enfance que Janis revoit à cette époque, se souvient, elle aussi : « Janis n'avait jamais connu d'expérience aussi forte jusqu'à ce qu'elle fréquente Jimi Hendrix. Elle m'a révélé qu'elle avait une relation avec Jimi et qu'ils prenaient de l'héroïne ensemble. Elle m'a dit aussi que ses parents n'approuveraient sûrement pas une telle relation avec un Noir[20]. » Pour la petite Blanche humiliée de Port Arthur, qui a défendu la cause des Noirs dans son adolescence, cette « transgression » est significative. Il s'agit d'un défi vengeur envers les racistes du Texas. Le batteur de Jimi Hendrix, Mitch Mitchell, se souvient que Janis, très proche de leur groupe, eut aussi une aventure avec leur roadie Gerry Stickells : « Je me souviens parfaitement d'elle se levant d'un bond et sautant sur un lit de l'hôtel, son chien sous le bras et une bouteille de Southern Comfort dans l'autre main[21]. » Mais Hendrix doit vite repartir en tournée pour partager l'affiche avec les… Monkees ! Un groupe de Los Angeles recruté par petites annonces par un show-biz sans scrupule, pour un succès aussi énorme qu'éphémère.

Janis, de plus en plus active dans les loges à la fin des concerts, accorde également ses faveurs au guitariste anglais Eric Clapton qui fait alors sensation en Californie avec Cream. Proche de Frank Zappa, Clapton est venu, tel un fan, pour approcher Janis. Eric et elle se retrouveront à plusieurs autres reprises. Notamment une nuit à New York, après un concert où les musiciens de Big Brother ont chacun trouvé une groupie pour le repas qui suit. Mais, ce soir-là, Janis est seule et demande à l'un des roadies d'aller lui rabattre dans la rue le plus beau mec qu'il puisse trouver. Le roadie revient un peu plus tard accompagné de Clapton en personne. Cet épisode montre qu'il n'était pas toujours si facile d'être la fille du groupe quand les loges sont le plus souvent assiégées par des groupies déchaînées ; même si, sur ce coup-là, la pioche est franchement bonne pour Janis…

Janis a toujours des vues sur le séduisant Jim Morrison, l'« Adonis hippie », malgré leurs démêlés antérieurs. À la suite d'un repas où les Doors ont convié Janis, un petit groupe se retrouve un soir d'automne dans l'appartement de la chanteuse, sur Lyon Street. Sam Andrew est présent, de même que le peintre-roadie Dave Richards, Linda Gravenites, Jim Morrison et son égérie rouquine Pamela Courson. Tout le monde a exagérément bu, excepté Pamela, assez crispée, pour laquelle la soirée s'annonce délicate. Dave et Sam l'entreprennent en vain. Janis prend Dave Richards à part et lui demande discrètement de faire en sorte que Jim la rejoigne dans sa chambre. Dave ne peut qu'acquiescer. Bientôt, Jim retrouve la chanteuse dans la chambre tapissée de velours et de satin, ornée du fameux poster de Janis nue.

Tous entendent alors distinctement le verrou de la porte se refermer. Et les heures passent... Excédée, humiliée, Pamela finit par demander qu'on appelle un taxi, dans lequel Sam parvient aussi à s'engouffrer... La relation entre Janis et Jim n'aura cependant pas de suite sérieuse.

Sur Fillmore Street, le 6 octobre 1967, la police ferme le Matrix en plein concert de Big Brother and the Holding Company. Les rapports deviennent plus tendus avec les autorités. Le même mois, les premiers hippies, c'est-à-dire les moins jeunes et les véritables Californiens, semblent accablés par la prolifération des hippies caricaturaux déboulant d'un peu partout et singeant leur mode de vie. Sans parler des hippies du week-end, les *plastic hippies* ou yo-yos, qui retournent sagement au bureau le lundi matin à l'aube, attaché-case au bout du bras, et *TV dinner* programmé pour le soir même. Les parasites se multiplient. Les gadgets pour touristes également. Un certain état d'esprit s'étiole. En réaction, les gardiens du dogme, Diggers et Mime Troupe en tête, organisent le 7 octobre, à Buena Vista Hill, la mise à mort symbolique du mouvement hippie (Death of Hippie Ceremony and Birth of Free Man). Après un sit-in et à la suite d'une procession funèbre, deux cents personnes brûlent un cercueil chargé de livrets militaires, de fleurs, d'un mannequin paré de symboles hippies et d'affiches de concert. On danse sacrificiellement autour de ce qui a fini par devenir des produits de consommation pour gogos ou touristes, ainsi qu'autour de l'enseigne de la

Psychedelic Shop qui vient de fermer ses portes, craignant d'être récupérée en tant que boutique bassement mercantile. Quatre jours plus tard, la police fait une descente impromptue dans l'antre même du Grateful Dead, sur Ashbury Street, arrêtant tous ceux qui s'y trouvent pour détention de drogue. Plusieurs groupes comme Quicksilver Messenger Service et Moby Grape abandonnent la partie. Les signes négatifs se multiplient. Jerry Rubin s'affirme orphelin de l'Amerika. On date souvent la fin du mouvement hippie à partir de la manifestation funèbre du 6 octobre, même si celle-ci n'a concerné qu'une poignée de purs et durs dépassés par les écarts de leur propre idéologie. La plupart des Diggers et plusieurs leaders charismatiques du mouvement hippie, comme Emmett Grogan, Michael Bowen et Allen Cohen (l'éditeur de la revue *The Oracle*), vont alors quitter San Francisco. D'autres se retirent dans des communautés à la campagne ou à la montagne, mais, confrontés au travail ingrat et harassant de la terre, peu d'entre eux sauront s'adapter et retourneront ensuite à une vie presque normalisée. En ce même mois d'octobre, le révolutionnaire Che Guevara est abattu en Bolivie. Sa tête est expédiée aussitôt à la CIA. Un symbole fort disparaît pour une certaine jeunesse contestataire, et se transforme en un véritable mythe.

Le premier numéro de *Rolling Stone*, avec John Lennon en couverture, paraît le 9 novembre 1967. C'est l'explosion de la presse musicale rock et de la *free press* en général *(Berkeley Barb, San Fran-*

cisco Oracle, Los Angeles Free Press, Inner Space, City Lights Journal, Fifth Estate, Open City...), distribuée essentiellement à la criée dans les rues, avec des tirages atteignant parfois des dizaines de milliers d'exemplaires. Ces publications annoncent les concerts prévus, battent le rappel des tribus en cas de manifestation d'envergure, publient des poèmes, un courrier des lecteurs, les annonces les plus loufoques ou les plus réjouissantes de liberté. Tout cela avec une mise en page éclatée (couleurs en dégradé, interpénétration du texte et de l'image) et des lettrages fous dessinés. La presse alternative va même posséder son propre syndicat, l'Underground Press Syndicate.

Jerry Rubin se fait remarquer par son livre séditieux *Do It*, dans lequel on peut lire :

> L'argent, c'est la violence. Il ne tue pas d'une manière aussi voyante que le napalm, n'empêche que l'Amérike tue davantage à coups de dollars qu'à coups de bombes. [...] Comme l'argent est la pierre angulaire du système, les gens s'évaluent mutuellement et jaugent leur travail en termes financiers. Ils jugent que leur vie est réussie ou ratée en fonction de la quantité d'étrons fiscaux qu'ils ont accumulés. Nous serons libérés quand nous cesserons de travailler pour le fric et que nous ferons ce que nous voulions faire quand nous étions enfants. [...] La révolution, ce n'est pas une opinion, ce n'est pas l'appartenance à une organisation, ce n'est pas une préférence électorale — c'est ce qu'on fait tous les jours, c'est la vie[22].

Jerry Rubin et Abbie Hoffman fondent le Yippie Youth American Party et le Youth International Party, la jeunesse prenant soudain des allures de force politique. Rubin jouera même les terroristes underground en proposant d'agir sur les foules en jetant du LSD dans les réserves d'eau potable de la ville ! Abbie Hoffman se montrera beaucoup moins averti des choses de la drogue : « Parfois Janis s'écroulait sur le sol de notre living-room. Une pauvre petite fille ronde et riche. Elle est la seule personne que j'aie jamais vue utiliser une seringue. Ça me faisait frissonner[23]. » Tous deux, sous le coup de la loi Rap Brown — qui interdit de passer d'un État à un autre dans le but de fomenter une révolte — seront accusés en 1969 par la CIA et le gouvernement américain de conspiration, lors du Procès des Sept (en fait, des huit) de Chicago. Le « Chicago Seven » jugera d'autres leaders rebelles, comme Tom Hayden et Bobby Seale (cofondateur des Black Panthers). Ce lamentable procès pour l'exemple durera plus de cinq mois.

En novembre 1967, alors que Big Brother vient de se produire avec Pink Floyd au Winterland de Bill Graham, Albert Grossman, le maquignon de la côte Est à crinière argentée, se pose à l'aéroport de San Francisco pour signer un contrat avec le groupe. Un document qui sera ratifié à New York le 11 novembre 1967. L'événement est suivi d'un dîner mémorable à Chinatown. Le groupe va alors passer de plus en plus de temps à New York, rencontrant diverses personnalités.

Grand connaisseur du milieu musical et joueur invétéré, Grossman promet au groupe de lui assurer 100 000 dollars de recettes annuelles. Cependant il met chacun en garde : il leur apporte sa rigueur, une assistance hautement professionnelle, sa protection, mais en aucun cas il ne veut entendre parler d'héroïne. Tout le monde promet, jure, chacun étant conscient de l'enjeu. La crise sous-jacente au sein du groupe a fait hésiter Grossman jusqu'au dernier moment, mais son flair le convainc qu'il doit mettre la main sur Janis avant que d'autres producteurs ne raflent la mise. Grossman et Janis vont dès lors développer de réels liens d'affection. Elle en fait une sorte de nounours protecteur. De nombreuses photos, où on les voit enlacés, trahissent leurs rapports semblables à ceux qui unissent un père et sa fille, et réciproquement. Mais le père de substitution est avant tout un professionnel accaparé par ses nombreux « enfants » artistes. Au final, Janis aura le sentiment de se retrouver toujours seule, oppressée, sans guide privilégié. Sans certitudes quant à son avenir artistique. Rongée par un doute perpétuel déstabilisant en dépit de tous ces gens sans cesse à grouiller autour d'elle :

> Sur scène, je fais l'amour avec vingt-cinq mille personnes, et pour finir je rentre toute seule chez moi[24].

Pour Big Brother, ce contrat signifie certes le jackpot, mais aussi la perte de son indépendance. Grossman a l'habitude de tout superviser et de ne rien laisser au hasard. Pour un groupe, signer avec une multinationale — surtout de la côte Est ! —, c'est se doter dans le même temps d'une armada d'avocats et de conseillers financiers, c'est également se laisser approcher par des parasites chargés de l'intendance. La pression menace de tous côtés. Finie l'insouciance, la philosophie de l'art avant tout. Les sommes d'argent en jeu rendent tout le monde fébrile et impitoyable. Les bons résultats financiers deviennent le but ultime. Et même si l'on parle de liberté artistique, le rêve peut s'achever à tout moment de façon abrupte et dramatique.

Malgré une pâleur saisissante, Janis semble physiquement au meilleur de sa forme. À vingt-quatre ans, sa silhouette s'est affinée et elle déborde d'énergie. Obsédée par la crainte d'apparaître trop vieille pour son âge, elle s'examine fréquemment devant les miroirs. Ses rapports avec les photographes seront dès lors compliqués. Son aspect pouvait changer du tout au tout en fonction de son humeur et des effets de l'alcool, apparaissant parfois très belle, parfois presque repoussante. Ainsi lui arrive-t-il tantôt de fuir les objectifs en cédant à ses complexes, et tantôt de se laisser prendre en photo dans des pauses provocantes ou peu valorisantes. Janis est également obsédée par le fait d'être *aimée*. Elle prend l'habitude agaçante d'interroger sans cesse son entourage : « Est-ce que tu m'aimes ? Dis, est-ce que tu m'aimes vraiment ? »

Pour Grossman, il est prioritaire d'enregistrer un nouvel album, qui sera en fait pour lui le premier, l'autre devant être relégué aux oubliettes. Il choisit le musicien et producteur John Simon pour réaliser le projet. Le personnage, peu connu pour son sens de la fantaisie, a déjà travaillé avec succès pour le Band. Albert Grossman finit par convaincre la direction de CBS de lâcher tout de même 250 000 dollars afin de libérer Big Brother and the Holding Company de l'encombrant fil à la patte représenté par le contrat avec Mainstream. Mais le groupe, pour cela, sera contractuellement contraint de rétrocéder 100 000 dollars à CBS. Une somme retenue sur les premiers droits d'auteur pour l'album *Cheap Thrills*. Le groupe se verra aussi facturé pour les heures de studio excédant les trente heures prévues par écrit. Bienvenue dans le monde du show-biz !

Big Brother et Janis se retrouvent ainsi à New York, sur la 23e Rue, au fameux Chelsea Hotel. L'établissement est connu pour ses surprenants ascenseurs, son charme suranné et l'odeur de poussière caractéristique qui y flotte. C'est surtout un lieu d'échouage déjà ancien pour la bohème artistique, depuis Dylan Thomas jusqu'à Bob Dylan. L'hôtel est prisé des écrivains et musiciens pour avoir l'avantageuse réputation de tolérer leurs frasques. Leonard Cohen en a ainsi fait l'éloge sur scène, en 1988, à Hambourg :

> Un endroit merveilleux où vous pouviez vous pointer à la réception avec trois femmes nues, un ours polaire et un pygmée sans que l'on sourcille le moins du monde, vous tendant naturellement la clé en disant : « Bonne nuit, monsieur[25]. »

Son charme vétuste est très particulier, avec ses briques rouges fatiguées, sa majesté edwardienne qui se désagrège, ses chambres aux tissus élimés et son labyrinthe de couloirs décorés de façon excentrique. Cet hôtel est une forteresse à la fois coupée du monde et bourdonnante. La chanteuse et son groupe traînent souvent dans les parages, notamment au très animé restaurant le Max's Kansas City, où Janis lie notamment amitié avec Andy Warhol et le chanteur Tim Buckley.

Le 10 décembre 1967, à l'âge de vingt-six ans, après un concert donné à Cleveland, Otis Redding disparaît avec quatre de ses musiciens dans un tragique accident d'avion privé. Ce drame va engendrer une rumeur selon laquelle il s'agirait là d'un attentat raciste. Leur Beechcraft s'abîme dans les eaux glacées du lac Monona, à une encablure de sa destination finale, Madison, dans le Wisconsin. Bouleversée, en larmes, Janis téléphone à Sam Andrew afin qu'il vienne aussitôt la retrouver chez elle. Ils passent plusieurs heures à écouter ses disques et à parler de lui, soudés dans une curieuse veillée mortuaire. À l'instar de Janis, Otis Redding obtiendra un hit posthume l'année suivant sa disparition. Son « (Sittin' On) The Dock of The Bay » va devenir n° 1 des ventes de 45 tours début 1968.

Toujours en bonne petite fille, Janis revient dans sa famille au Texas pour les fêtes de fin d'année. Mais elle retourne très vite aux affaires à San Francisco, pour un concert du nouvel an au Winterland. Big Brother and the Holding Company partage l'affiche avec Chuck Berry, Jefferson Airplane, Quicksilver Messenger Service et Freedom Highway. Janis découvre alors qu'elle est enceinte. Un nouveau problème, d'autant qu'une question de détail l'intrigue… Qui donc peut bien être le père ? Un ancien « fiancé » héroïnomane ? Un des

Hell's Angels qu'elle fréquente de temps à autre ? Un musicien du groupe Blue Cheer, dont Janis est alors très proche ? Un des fantômes qui traînent dans les loges à la fin des concerts ? En fait, la liste des pères potentiels s'allonge démesurément. De plus, elle ne connaît pas le nom de tous ses amants, ou sa mémoire les a déjà effacés. Il ne saurait donc être question de garder le candidat bébé, surtout au moment où gloire et aventure lui tendent enfin les bras. Pas question de parenthèse. Janis décide donc de se faire avorter, ce qui ne va pas sans la traumatiser. Alors qu'elle entrevoit les sommets, ce n'est pas un marmot inattendu qui va l'empêcher d'atteindre son but. En conséquence, la perspective d'un enfant, et d'une liaison stable avec un homme, lui apparaît brutalement interdite. Elle comprend chaque jour davantage qu'elle va devoir tout sacrifier à sa voix. Et à la voie du blues. Elle confie ainsi à un intime comme Dave Richards que, sur le tard, elle pense ouvrir un bar-cabaret pour *bikers*, afin de trouver le repos, buvant le coup et chantant seule accompagnée au piano. Jouant aussi au billard avec ses meilleurs amis. C'est Dave Richards, le premier, qui commence à donner le surnom de Pearl à Janis, après avoir lu dans un drugstore l'inscription *pearl barley*, perle d'orge. Une blague d'un jour qui va perdurer bien au-delà de la disparition de la chanteuse.

Janis s'apprête à fêter son vingt-cinquième anniversaire habitée de remords. Elle gagne le Mexique pour se faire avorter. Ce triste événement va consolider une déprime jusque-là sous-jacente.

Une voix nègre
1968

Je ne peux pas écrire de chanson si je n'ai pas souffert avant. Comme lorsque quelqu'un t'a fait souffrir et que tu es persuadée que personne ne t'aimera jamais plus comme tu souhaiterais l'être[1].

JANIS JOPLIN

Une musique d'inspiration Noire véhiculant une révolte Blanche ne pouvait laisser indifférente la négrière AmeriKKKe[2].

YVES ADRIEN

Le 18 janvier 1968, Myra Friedman, première biographe de Janis Joplin en 1973, commence à travailler à New York, sur la 55e Rue Est, au sein de l'agence d'Albert Grossman. Cette collaboration durera trois ans, Myra étant chargée du service de presse des différents artistes sous contrat. Elle débute à son poste trois semaines avant que Big Brother and the Holding Company ne se produise pour la première fois à New York. Venue du fin fond de son Missouri, Myra semble une étrange recrue. Jusque-là, elle a surtout été bercée par la musique classique. Pour elle, ce qui se joue sur la côte Ouest, cette sorte d'hédonisme décontracté, reste incompréhensible, à l'opposé du pragmatisme intello new-yorkais. Les principaux artistes dirigés par Grossman sont le Band, Mike Bloomfield, Paul Butterfield, Richie Havens, Gordon Lightfoot, Peter, Paul and Mary, et bien sûr Bob Dylan. La notoriété considérable de ce dernier rejaillit sur Grossman qui est alors un des pontes incontournables de la scène folk rock américaine. Retranché dans un bureau en permanence plongé dans la pénombre, ce cador méprise la presse, celle-ci le lui rendant d'ailleurs amplement. Il est vrai qu'il a tout du producteur caricatural, avec son cigare au bec, ses cheveux argentés noués en catogan, ses énormes manteaux de fourrure et son bureau décoré en mobilier Louis XVI, en plein cœur de Manhattan. On le voit aussi à l'aise en jean froissé et chemise débraillée qu'en veste pied-de-poule et foulard de soie. Bob Dylan fait souvent appel à lui dans son gigantesque studio de Bearsville, près de Woodstock, à environ cent cinquante kilomètres de New York. Les préparations de tournées accaparent une centaine de musiciens, de techniciens et d'employés de bureau.

La troupe de Big Brother retrouve le Chelsea Hotel qui devient rapidement un terrain de chasse pour Janis. Non sans dérision, elle trace au-dessus de son lit, au rouge à lèvres, la formule : *The world's greatest sex object*. Dans les bureaux d'Albert Grossman, Myra Friedman considère d'abord Janis Joplin comme une fille à peine sortie d'un marais de Louisiane. Elle est frappée cependant par « l'urgence douloureuse » du regard de Janis et par « ses nerfs nus comme des fils électriques hypersensibles et lacérés ». Une femme qui, en dépit d'une timidité de façade, en impose naturellement par sa présence où plane une impression de défi permanent. Un soir où Jimi Hendrix jamme au club The Scene, où Janis a ses habitudes, une nouvelle altercation éclate entre Janis et Jim Morrison, sérieusement éméché. Après n'avoir eu de cesse de l'agacer, il renverse sa table et les boissons qui y sont posées. Tous deux se battent à même le sol, et on doit les séparer.

C'est au Chelsea Hotel que la solitude existentielle de Janis va soudain croiser le mal de vivre de l'écrivain et chanteur Leonard Cohen, l'auteur des *Perdants magnifiques*. À l'époque, bien qu'il soit âgé de trente-trois ans, soit huit ans de plus que Janis, le Montréalais à la voix grave et blessée n'est l'auteur que d'un seul album, *Songs of Leonard Cohen*, enregistré à New York pour CBS durant l'été 1967. Le disque comporte de futurs classiques comme « Suzanne » et « So long, Marianne ». Curieusement, le producteur de ce disque du désespoir et des amours impossibles n'est autre que John Simon, celui qui sera bientôt le producteur de *Cheap Thrills*, l'album enregistré en cette année 1968 par Janis et Big Brother. Les rapports de travail entre Cohen et Simon ont été si houleux qu'il a fallu trouver un compromis afin que le disque puisse paraître. L'album de Leonard Cohen est cependant l'une des révélations de ce début d'année, atteignant la 13e place en Grande-Bretagne et la 83e aux États-Unis.

Janis et Leonard, plusieurs soirs de suite, se sont rapidement croisés dans les couloirs de l'hôtel.

Mais cette fois, vers trois heures du matin, ils se retrouvent seuls dans le lugubre et grinçant ascenseur de l'hôtel. Et dans leurs grandes solitudes, à travers l'ingratitude relative de leur physique respectif, ils vont se reconnaître et s'aimer brièvement, par compassion. Janis parcourait l'hôtel à la recherche du séduisant Kris Kristofferson dont on lui avait signalé la présence dans les parages. Leonard a plus tard déclaré sur scène, par pure boutade, que de son côté il était à la recherche de Brigitte Bardot ; une autre fois, il a cité… Lili Marlene. Et une autre fois encore… la petite-fille de Mae West !

Kristofferson, d'origine texane lui aussi, alors âgé de trente-deux ans, est un compositeur peu connu du grand public, mais déjà admiré par Bob Dylan en personne. Pilote d'hélicoptère au Viêtnam jusqu'en juin 1965, il est alors un peu connu grâce au succès de « Vietnam Blues », interprété par Dave Dudley. Dans la sphère country, il est l'ami intime de Johnny Cash, que lui a présenté le très influent Bobby Neuwirth. Ce dernier apparaîtra régulièrement dans l'entourage des plus grands, dont il sera l'un des confidents et l'un des rares à savoir modérer l'ego. Il sera ainsi le compagnon de route de Bob Dylan, l'ange gardien de Jim Morrison, et l'indéfectible soutien de Janis Joplin qui apprécie son humour souvent cruel. C'est également Neuwirth qui fera connaître la chanson « Me and Bobby McGee » et son auteur Kris Kristofferson à Janis. C'est Neuwirth encore qui, dans un bar, sur un napperon, et à partir d'un vers de Michael McClure, composera « Mercedes

Benz » avec Janis. Sans être pourtant crédité comme coauteur sur le disque *Pearl*.

Mais pour l'heure, dans l'ascenseur, Leonard Cohen demande : « Vous cherchez quelqu'un ? » Ce à quoi Janis lui répond : « Oui, je cherche Kris Kristofferson. » Le Montréalais a la présence d'esprit de lui rétorquer : « C'est votre jour de chance, gente dame, je suis Kris Kristofferson. » Et Janis, pas dupe, un sourire malicieux au coin des lèvres, lui dit alors : « C'est curieux, je vous imaginais plus grand… » En souvenir de cette brève et fulgurante rencontre avec Janis (habillée cette nuit-là « de cuir, de plumes et de franges[3] », comme il le précisera sur scène en 1985, à Wiesbaden), Leonard Cohen écrira la chanson « Chelsea Hotel # 2 », qui figurera en 1974 sur l'album *New Skin for the Old Ceremony*. Ce morceau est typique de ses compositions autobiographiques et désabusées. Les paroles sont prodigues en détails mélancoliques. Toutefois, notamment en 1994 sur BBC Radio 1, Cohen regrettera d'avoir révélé que Janis Joplin était le secret de cette chanson ; sinon personne ne l'aurait sans doute jamais deviné.

> Je me souviens bien de toi au Chelsea Hotel,
> tu parlais avec tant d'audace et de douceur ;
> me prenant dans ta bouche sur le lit défait,
> tandis que les limousines patientaient dans la rue.
> Telles étaient les circonstances, et c'était New York,
> nous étions en quête d'argent comme de chair ;
> et cela s'appelait l'amour pour les trimardeurs
> de la chanson,
> et c'est sans doute encore le cas pour ceux qui suivent.

(I remember you well in the Chelsea Hotel, / you were talking so brave and so sweet ; / giving me head on the unmade bed, / while the limousines wait in the street. / And those were the reasons, and that was New York, / we were running for the money and the flesh ; / and that was called love for the workers in song, / probably still is for those of them left[4].)

Et Cohen précise avec une surprenante franchise que Janis lui dit qu'elle préférait « les très beaux mecs », mais que pour lui « elle ferait une exception ».

> Et serrant le poing pour ceux qui comme nous
> sont opprimés par la notion de beauté,
> Tu t'es shootée, tu as dit : « Eh bien, peu importe,
> nous sommes laids, mais la musique nous appartient.

(And clenching your fist for the ones like us / who are oppressed by the figures of beauty, / You fixed yourself, you said : "Well, never mind, / we are ugly, but we have the music"[5].)

En dépit de sa brièveté, cette liaison marque profondément Leonard Cohen, même s'il reconnaîtra avec amertume qu'il lui était « impossible d'escorter tout rossignol dans sa chute ». Cette chanson est révélatrice du complexe physique dont souffrait Janis, mais également de sa liberté d'expression qui surprend Cohen. Le Canadien, au passage, valide les divers témoignages, comme celui de Toby Ross, selon lesquels Janis se piquait à l'héroïne après avoir fait l'amour. Enfin, nous avons là une nouvelle confirmation que, pour Janis, la musique est l'exutoire ultime. Tout le reste, finalement, lui importe peu.

Un fait politique majeur jette un trouble dans la société américaine à la fin de janvier 1968. Le Viêt-cong et l'armée nord-vietnamienne déclenchent la vaste offensive du Têt sur les grandes villes du Sud et la base américaine de Khe Sanh. Le principe d'invincibilité des forces américaines est battu en brèche, et plus seulement par les pacifistes.

Dans l'après-midi du 17 février, sur la 2e Avenue, l'Anderson Theater — qui devra fermer ses portes après l'inauguration, en mars, du Fillmore East de Bill Graham — accueille Big Brother and the Holding Company et Janis Joplin pour leur tout premier concert new-yorkais. L'élégant bluesman en blazer bleu, B.B. King, est prévu en première partie. En 1963, 95 % de son public était noir. En 1968, la proportion s'est totalement inversée : « Jusqu'à l'éclosion du rock, il y a beaucoup d'endroits où je n'ai jamais pu me produire. Pas pour des raisons racistes, mais tout simplement parce que les gens n'acceptaient pas ma musique[6]. » En le voyant répéter, Janis, impressionnée, laisse à nouveau entrevoir ses doutes : « Face à lui, on n'est rien qu'une bande de misérables traîne-savates[7]. »

Dans son pantalon de satin et sa tunique en lamé argent, répétant quelques effets scéniques devant un miroir, Janis se sent soudain vieillie et grossie. Pour se consoler, elle approche régulièrement le goulot d'une bouteille de Southern Comfort — sa consommation quotidienne dépasse parfois les deux bouteilles. Elle « agrémente » volontiers cette boisson avec du librium ou de la méthadone. Curieusement, ce sont les drogues douces dont elle se méfie le plus : « L'herbe me fait trop réfléchir[8]. » Afin de calmer son anxiété chronique, elle préfère nettement l'alcool et les sédatifs. Cette tendance va la faire glisser vers l'héroïne aux effets apaisants, qui lui permettra illusoirement de lutter contre la douleur de vivre. Linda Gravenites enrage à ce sujet : « D'accord, ça t'évite de te sentir trop mal dans ta peau, mais ça t'évite surtout de te sentir bien quand tu le pourrais[9]. » Le placebo ne permet que d'oublier momentanément la douleur. Janis supporte difficilement la gloire galopante qui, de façon perverse, va bientôt accroître son anxiété. En attendant, ce concert est d'importance, bien plus que le cacheton de 4 500 dollars, soit 900 dollars chacun, une somme à laquelle le groupe est loin d'être coutumier. Toute la presse qui compte doit se retrouver dans la salle.

La photographe Linda Eastman, future Linda McCartney, rôde dans les coulisses en quête de clichés pour le magazine *Creem*. L'effet de l'alcool redonne confiance à Janis encore occupée à répéter quelques attitudes scéniques face au miroir. Peter Albin et Janis, comme ils en ont pris l'habitude, établissent ensemble l'ordre d'interprétation des morceaux. Ce soir-là, ils décident de commencer par « Catch Me, Daddy ». Puis Big Brother and the Holding Company et sa chanteuse en blouse lamé argent font leur apparition sur la scène enrobée d'un light show. La dégaine relâchée de la formation n'est pas un atout vis-à-vis du public new-yorkais, loin s'en faut. Mais Janis va frapper fort. Pénétrant sur scène en tournoyant, elle s'extériorise soudain, frappe le sol du pied, s'empare du micro, se déhanche, se déchaîne en cris, feulements et gémissements parmi les distorsions des guitares. Elle frissonne, s'empare de la scène comme d'un ring et saute à l'abordage. Le public est secoué, abasourdi, surtout après le set de B.B. King, qui semble trop appliqué en comparaison. Des morceaux comme « Summertime » et « Piece of My Heart » électrisent la salle. On bondit sur les fauteuils, on danse dans les allées. Janis et le groupe ont droit à quatre rappels tonitruants, et ils achèvent l'auditoire avec une version déchirante du « Ball and Chain » de Big Mama Thornton. Le succès est total. Même si la salle n'est pas comble, le public et les journalistes ont été triés sur le volet. Grossman et CBS connaissent parfaitement leur affaire. Ça grouille en coulisses à la fin du show. D'importants critiques comme Bob Shelton du *New York Times* ne cachent pas leur enthousiasme. La légende de Janis est en marche. Car c'est elle avant tout qui a frappé les esprits, bien davantage que le groupe. De plus, ses interviews truculentes et décapantes sont un régal pour la presse, même si les propos ne sont pas toujours si spontanés qu'on voudrait le croire, tout en restant parfaitement sincères. Myra Friedman affirme avoir surpris Janis répétant des formules choc dans sa chambre au Chelsea Hotel. Mais on peut remarquer qu'en dépit d'expressions fugitives de désespoir Janis riait très franchement lors des interviews.

Le lundi suivant, Bob Shelton consacre deux colonnes, en tête de la rubrique culture, au compte rendu dithyrambique qu'il consacre au concert, sous le titre « UNE ÉTOILE EST NÉE SUR LA 2e AVENUE ! » Il a même fait recadrer une photo du groupe pour ne conserver que le visage de Janis.

Le soir même du concert, avec un peu d'avance, on arrose la signature officielle du contrat avec CBS. Dès lors, les cachets du groupe vont au moins se multiplier par dix. Les demandes d'interviews affluent, d'autant que la chanteuse se révèle une bonne cliente, avec sa gouaille malicieuse et sans apprêts, son regard à la fois pétillant et saturnien, sa verve débordante. Peggy Caserta est venue spécialement de San Francisco à New York pour fêter l'événement au Chelsea Hotel avec Janis, mais sans négliger au passage de s'occuper du cas Sam Andrew, qui l'affriande toujours.

Après New York, le groupe est réclamé un peu partout en concert — à Boston, Providence, Detroit, Philadelphie et Chicago —, autant dans le circuit des clubs que dans celui des collèges et des universités. Plusieurs tentatives d'enregistrements *live* officiels échouent. La spirale grandissante des concerts suffit à faire perdre la notion du temps à Janis. Elle lui donne surtout l'impression de répéter dangereusement le même présent. D'une prestation à l'autre. Et ainsi de suite, avec la fatigue des voyages incessants, la balance de la sono l'après-midi, la prestation devant un public vampirisant le soir. Il lui faut affronter les fans en quête d'autographes. Lutter contre la confusion entre le jour et la nuit, avec l'attente dans les halls d'aéroport et la redoutable solitude des hôtels, des bars et des loges. Tout cela va pousser Janis à trouver un réconfort illusoire dans les paradis les plus douteux. Avec un profond sentiment de solitude au final, car elle se sent isolée en tant que femme au milieu de musiciens. Elle éconduit ses amants dès que la relation prend de la durée ; il en va ainsi avec Vince Mitchell. Elle se persuade qu'il lui est impossible d'emmener un homme en tournée. D'une part, elle ne serait pas disponible pour lui ; d'autre part, elle courrait le risque de le traîner tel un boulet sous le regard amusé des musiciens, roadies et autres accompagnateurs. Mais il y a surtout le fait que le rock au sens large, dès les années 1960, particulièrement lors des tournées, devient pour l'essentiel une affaire d'hommes qui tanguent entre trivialité et machisme. En Californie, elle est adoubée par les Hell's Angels. Les idées progressistes sont certes dans l'air, mais tout n'évolue pas aussi vite pour les femmes, même si Grace Slick se fait remarquer avec le Jefferson Airplane dans les sphères du rock psychédélique, Cass Elliot et Michelle Phillips au sein du quatuor folk les Mamas and the Papas, Linda Ronstadt dans le milieu country, sans oublier, bien sûr, la très engagée Joan Baez qui n'hésite pas à déduire de ses impôts la part destinée aux dépenses militaires pour la reverser directement à des associations caritatives. La musique noire semble en avance sur ce plan, avec les Aretha Franklin, Etta James ou Tina Turner, même si ces artistes sont parfois contraintes de « blanchir » leur musique pour parvenir au succès. À contrecœur, Janis doit agir en homme parmi les hommes. Mêmes habitudes, mêmes frasques, même vocabulaire. Lors d'une conversation avec la chanteuse Bonnie, du duo Delaney and Bonnie, elle se montrera très explicite à ce sujet :

> Quand les femmes chantent, elles donnent tout ce qu'elles ont dans les tripes. Parce que pour exister dans l'industrie musicale, il leur a fallu sacrifier beaucoup plus qu'on pourrait l'imaginer. Toutes, elles laissent tomber leurs gosses, leur mec, leur vie familiale. [...] Elles renoncent à toute stabilité, à l'exception de la musique. Car c'est la seule chose qui te tienne. Alors, si une femme veut chanter, il faut vraiment qu'elle en veuille. Un mec, c'est différent, il peut se contenter de voir ça comme un simple passe-temps. Il sait qu'il pourra baiser le soir même[10].

Il est vrai que nombre de musiciens se satisfont de savoir leur femme à la maison avec les enfants pour se retrouver en tournée avec la possibilité de conquêtes faciles. Puis de revenir en ménage, la conscience tranquille. Pour une rockeuse, il en va tout autrement. Aucun homme n'accepterait que sa femme soit en permanence sur les routes, au contact de types disponibles, forcé de l'attendre entre deux tournées tout en s'occupant du foyer et de leur progéniture. Janis va donc souffrir d'un sentiment de solitude et d'une déprime permanente. Elle sait pertinemment que les types qui traînent autour des loges sont avant tout des paumés. Bonnie est bien placée pour comprendre Janis, elle qui pendant des années a vécu un enfer, chantant dans des boîtes de strip-tease et des relais routiers sous les cris de : « À poil ! À poil ! »

Entre filles, Janis se laisse aller à une définition grotesque et totalement désabusée de l'homme idéal : « Les vrais hommes habitent à la campagne, dans des cabanes en rondins, ils font pousser de l'herbe et s'échinent à couper des arbres. J'en rencontre jamais. Mais je suppose que c'est justement ça qui te refile davantage de feeling[11]... »

Janis doit donc suivre l'ambiance. Enchaînant les conquêtes d'un soir, qui la laissent chaque jour plus seule et usée, elle doit néanmoins penser au projet du nouveau disque.

Le 8 mars 1968, Big Brother and the Holding Company et Janis sont retenus pour la soirée d'inauguration du Fillmore East (ancien Village Theatre) de New York, avec Albert King et Tim Buckley en première partie. L'événement attire une foule compacte, bloquant les rues alentour. Les événements s'accélèrent. On réclame Janis pour toutes sortes d'interviews et de séances de photos (*Life*, *Glamour*, *Vogue*, *Look*, *New York Times*, *Village Voice*, etc.). La presse est conquise. Son phrasé est rebelle, âpre, presque viril par moments. CBS ressent l'urgence de lancer un album, le terrain est trop favorable.

Le groupe revient pour quelques jours à San Francisco, à l'occasion d'une fête donnée au Carrousel Ballroom en l'honneur des Hell's Angels. C'est dire qu'il y a de la bière... Le journaliste et photographe français Alain Dister se trouve en coulisses, où il a sérieusement entrepris Sarah, une belle Noire comme Janis aime en voir traîner dans les parages. Dans ses carnets américains parus sous le titre *Oh, hippie days !*, il témoigne de l'ambiance régnant autour de Janis après les concerts :

> On est en train de se rouler de furieux palots quand Janis, du fond de sa loge, crie dans notre direction : « Come on Frenchie ! » Un roadie s'approche : « Hey, je crois bien que Janis voudrait te parler... » Et la voilà qui m'embrasse à pleine bouche, Janis. Qui me roule la pelle du siècle, sous l'œil de Sarah un peu interloquée. Mais bon, elle attendra, Sarah, question de hiérarchie. Autour de Janis, le bal des amis et connaissances a repris. Courtisans, managers, groupies, dealers... chacun voulant effacer l'autre devant elle, renvoyée à sa solitude[12].

Mais la notoriété nouvelle de Janis provoque aussi un resserrement de sa garde rapprochée. Alain Dister est éloigné sans ménagement : « J'apprends le protectionnisme, la xénophobie, sous le masque des belles attitudes hippies, cheveux longs et colliers de perles[13]... » Une nouvelle période débute avec la notoriété exponentielle.

Les séances d'enregistrement de l'album *Cheap Thrills* sont planifiées au Studio E de Columbia, à New York, à partir du 19 mars. Ce qui est beaucoup moins planifié, c'est la durée de la plaisanterie, puisque les sessions vont s'étaler sur plusieurs mois. Au grand mécontentement du label CBS. Décidément, la scène reste bien la cour de récréation du groupe, son territoire favori, comparé à l'ambiance feutrée des studios.

CBS, suivant la proposition d'Albert Grossman, confie donc la mission à John Simon, perfectionniste sophistiqué, mais l'affaire ne va pas se révéler de tout repos. Grossman, machiavélique à ses heures, sait pertinemment que John Simon est un producteur à problèmes, plutôt tatillon et peu enclin aux compromis. Il est connu pour son caractère froid et vétilleux, peu prédisposé à s'accorder avec les esprits débridés d'une bande de freaks venus de la côte Ouest. Il se méfie même de la Californie tout entière, étrange contrée qu'il juge avec mépris. Pour lui, Big Brother est juste bon à être capturé sur scène, « à la façon d'une expédition anthropologique, comme le témoignage d'une société primitive[14] ». Rien de moins ! L'écart entre les deux côtes américaines ressemble souvent à un gouffre sans fond. John Simon ira même jusqu'à affirmer : « Les faire entrer en studio était un véritable gâchis[15]. »

Cette fois, cela a tout d'une erreur de casting, sauf que Grossman, très joueur, aime prendre des risques. Son idée fixe consiste à faire de Janis une artiste solo. Une véritable star. En embauchant John Simon, il a l'occasion de créer la zizanie au sein de Big Brother and the Holding Company. Surtout si le producteur reçoit quelques consignes discrètes à cet égard…

John Simon se montre lui-même indécis quant à la direction à prendre. On le voit fréquemment se gratter le crâne, avachi, en plein doute devant les manettes, ou marchant de long en large dans le studio, boudeur et silencieux. Comme beaucoup d'autres, il est persuadé que ces musiciens-là sont sans doute très doués pour enflammer un public, mais nettement moins pour ciseler des compositions en studio, où leurs fautes ne peuvent passer inaperçues. « Leur truc était plus tribal qu'autre chose[16] », soulignera-t-il après coup. Ne percevant pas l'esprit aventurier du groupe, John Simon tâtonne, ne trouve pas la tonalité qu'il convient de donner à l'album. L'enthousiasme, la spontanéité, ce n'est pas son affaire. Il est méticuleux, élitiste, avec une prédilection pour la virtuosité quand elle est académique.

Janis comprend vite que la besogne sera plus complexe que prévu. Ce qui n'est pas sans l'irriter et, jusqu'à l'été, va contribuer à créer une tension entre elle et la bande. À la mi-avril, deux titres seulement — « Combinaison of the Two » et « Piece of My Heart » — sont considérés comme achevés. Le groupe ne s'habitue pas au travail minutieux en studio, une tâche qui leur paraît souvent rébarbative. Une réelle fatigue nerveuse gagne tout le monde, musiciens, techniciens et maison de disques. James Gurley et Sam Andrew sentent à quel point les choses sont en train de changer. À l'écoute des enregistrements, ils constatent qu'ils pourront difficilement reproduire sur scène la musique qu'on leur fait enregistrer. Et cette évidence les paralyse. Le groupe manque de recul et d'un certain professionnalisme, tout du moins celui exigé par les impératifs du show-biz. Le fait que ses musiciens jouent parfois faux ne semble pas gêner Janis.

Alors que l'album *Cheap Thrills* n'est encore qu'en chantier, l'affiche des concerts révèle le malaise ambiant : *Janis Joplin with Big Brother and the Holding Company.* Les défauts acceptables sur scène sont inadmissibles sur bande. L'écart grandissant entre Janis et ses comparses la déprime à tel point qu'elle se console dans l'alcool. Mais sa détermination à réussir est impressionnante. Ce que confirme l'assistant de John Simon, Elliot Mazer : « Elle était incroyablement concernée. Deux semaines durant, avec l'ingénieur du son, nous restions tous les trois en studio de 2 heures de l'après-midi jusqu'à 7 heures du matin. Tout ce qu'on a pu prétendre ici ou là, qu'elle s'amusait sans cesse, et tout ça, ce n'est que des conneries ! Je n'ai jamais connu une artiste aussi bosseuse. Elle était vingt fois plus sérieuse que n'importe qui d'autre dans ce groupe[17]. » Ce que tendent à confirmer les images tournées en studio et reproduites dans le film de Michael Burlingame, *Nine Hundred Nights*. John Simon émet toutefois quelques réserves à propos du côté spontané de Janis : « On sentait qu'elle prévoyait chaque gémissement et chaque cri, au fur et à mesure. Quand on faisait une prise et qu'elle disait : "J'aime ça !", la prise suivante, elle le refaisait exactement de la même façon. Elle contrôlait tout, avec méthode, un peu comme on remplit une grille de mots croisés[18]. » John Simon considère même que cette attitude perfectionniste pourrait se révéler contraire à l'esprit du blues. Janis vise en fait la précision. Elle tente en permanence de séduire, à commencer par son producteur. Tout en conservant un feeling viscéral, Janis cherche à approcher la perfection technique. Rien de paradoxal là-dedans quand on sait à quel point elle a voulu surmonter ses complexes et imposer à elle comme aux autres une image de respect.

L'élégant bluesman B.B. King se produit trois jours de suite, du 5 au 7 avril, au New Generation Club de New York, dans Greenwich Village. Il joue en première partie de Big Brother and the Holding Company. Le bluesman déjà quarantenaire et les jeunes Californiens sont restés proches depuis leur prestation commune de février à l'Anderson Theater. La veille du premier concert au New Generation Club, Martin Luther King, prix Nobel de la paix 1964, est assassiné d'une balle de fusil dans le cou sur le balcon de sa chambre, au Lorraine Motel de Memphis, en Alabama. B.B. King s'assoit dans les loges avec le groupe et partage avec tous son désarroi. Tandis que des émeutes raciales meurtrières continuent d'éclater dans une centaine de villes à travers le pays, à commencer par Washington, Ben leur dit à quel point il est encore plus convaincu de la nécessité de se lier d'amitié entre gens de couleurs différentes. Son concert, ce soir-là, fut bouleversant d'émotion partagée avec le public. Janis et Big Brother participeront à un hommage organisé à la mémoire du leader noir, à New York, au Generation Club.

De passage à San Francisco, le groupe et Janis répètent dans un local des FM Productions, au 675 Golden Gate Avenue. Ils se rendent ensuite à Hollywood, aux studios Columbia, sur Sunset Strip, pour tenter d'en finir avec leur album. Le groupe est harassé, mais Janis toujours aussi motivée et impatiente. Eric Clapton détend un peu l'atmosphère en venant jammer un moment avec eux en studio.

Big Brother and the Holding Company est engagé pour jouer les 12 et 13 avril 1968 au Winterland de San Francisco, une ancienne patinoire reconvertie en salle de concerts en mai 1966. Cette enceinte de 5 400 places est utilisée à l'occasion par Bill Graham. Il en fera son vaisseau amiral après la fermeture du Fillmore West en 1971. Un week-end dans une telle salle rapporte environ 30 000 dollars. Les enregistrements de ces deux concerts donneront bien des années plus tard l'album *Live at Winterland '68*. Big Brother and the Holding Company rentre de tournée très affûté. La scène a requinqué tout le monde. Big Brother apparaît en compagnie d'Albert King, le guitariste gaucher du label Stax, et des Bluesbreakers de John Mayall. Le genre de triple spectacle à ne rater en aucun cas si on a l'occasion d'y assister !

Le 24 avril, évaluant ses nouveaux revenus, Janis écrit à Linda Gravenites pour lui exposer une requête. Elle la charge de chercher une maison vers Mills Valley. Comme David et Nancy Getz se sont séparés, Janis pense que son batteur pourrait s'installer avec elle dans cette nouvelle maison, et travailler son instrument dans un bâtiment annexe. Mais, en fait, Janis espère surtout que Linda emménagera avec elle, lui réservant un espace pour son activité de styliste de mode. Elle songe aussi à faire de ce lieu un véritable paradis pour chats et chiens. Finalement, Linda ne dégote qu'un paisible appartement au dernier étage, situé au 892 Noe Street, à l'écart de Haight-Ashbury, quartier devenu moins fréquentable. Janis se confectionne là un cocon protecteur. Les jeunes femmes possèdent chacune leur chambre et partagent une vaste pièce commune destinée aux fréquentes fêtes organisées par Janis. La chanteuse s'est mise à hanter les librairies et vit une furieuse période de lecture, notamment des biographies dont elle raffole. On remarque pêle-mêle des ouvrages de Francis Scott Fitzgerald *(Tendre est la nuit* et *Gatsby le Magnifique)*, de Vladimir Nabokov *(Lolita)* et du cynique Tom Wolfe *(The Kandy Kolored Tangerine Flake Streamline Baby)*. Une biographie de Zelda Fitzgerald par Nancy Milford, un de ses livres fétiches. Quand Linda lui confectionne un sac, Janis n'a qu'une double exigence, celui-ci doit être suffisamment grand pour contenir à la fois un livre et une bouteille. Deux éléments vitaux. Linda se souvient de cette époque : « Je voyais Janis comme une pirate, une sorte de boucanière, alors j'ai utilisé des satins, des velours, des dentelles, des parures clinquantes et de pacotille que j'effilochais aux extrémités pour en briser le côté luxueux. [...] Malgré tout, elle était incapable de se mettre en valeur car elle n'avait aucune conscience qu'elle pouvait être désirable, séduisante. Elle portait de jolis vêtements simplement parce qu'ils étaient un signe d'identification au monde hippie. Son but premier n'était pas de se faire belle, elle n'imaginait pas pouvoir le devenir[19] ! »

Contrairement à certaines rumeurs sans fondement selon lesquelles Janis n'était pas politisée, le très engagé Chet Helms témoigne que dès cette époque « elle se montrait politiquement avancée et tout à fait capable de soutenir une conversation très informée à tout sujet[20] ». Janis va demeurer dans cet appartement jusqu'en décembre 1969, quand elle fera l'acquisition d'une vaste maison. Mais très vite, au printemps, Linda Gravenites aura abandonné la colocation de Noe Street, lassée et angoissée par les perpétuels excès de Janis.

En mai 1968, en France, les étudiants et de nombreux prolétaires descendent dans la rue à Paris et dans de grandes villes de province, dans le but de faire sauter la chape de plomb morale, politique et religieuse, devenue à leurs yeux intolérable dans le Vieux Monde européen. Mais la véritable révolution est finalement reportée à une date encore indéterminée…

Les tensions sont multiples au niveau international, avec l'intervention soviétique en Tchécoslovaquie qui met fin au « Printemps de Prague », la maoïsation intensive de la Chine, les élections américaines qui porteront Richard Nixon au pouvoir en janvier 1969 sur fond d'enlisement et de carnage au Viêt-nam, alors que son slogan est justement : « Une nouvelle prospérité, sans inflation ni guerre. » Les manifestations antiaméricaines se multiplient sur tout le globe *(War is hell. Don't go)*, tandis que le scandale de l'apartheid en Afrique du Sud, la bande à Baader en Allemagne, les précurseurs des Brigades rouges en Italie, l'intensification du conflit israélo-palestinien et les tensions sanglantes en Irlande captent l'attention. L'été de l'amour est déjà loin et les « forces du mal » semblent avoir le vent en poupe.

Si une frange importante de la jeunesse américaine cherche à vivre en marge de l'establishment, désabusée par les pratiques mafieuses du monde politique et le conformisme de la classe moyenne, l'extrême droite, elle, se montre particulièrement pragmatique, et prend volontiers les armes. Après John Fitzgerald Kennedy à Dallas, en 1963, Malcolm X à New York en février 1965, Martin Luther King à Memphis le 4 avril 1968, c'est au tour de Bobby Kennedy de se faire assassiner le 6 juin 1968, à Los Angeles, juste après avoir remporté les primaires de Californie en tant que candidat démocrate.

Une partie de la jeunesse commence à être surveillée de très près, son communautarisme rebelle ne pouvant convenir à un pouvoir autoritaire qui n'hésitera pas, en avril 1969, à lâcher une meute de plus de 2 000 membres de la garde nationale équipés de masques à gaz dans une manifestation organisée à People's Park mêlant étudiants New Left de Berkeley et hippies parias volontaires. James Rector, un manifestant, sera tué par balle. Le quartier Haight-Ashbury connaîtra alors trois jours d'agitation où nombre d'appartements communautaires seront investis par la police. Des émeutes plus spécifiquement estudiantines éclateront sur différents campus. En attendant, 1968 est une année incandescente pour les étudiants à travers le monde. Au Mexique, plusieurs centaines d'entre eux, qui occupaient leur université, sont abattus par l'armée nationale sur la tristement célèbre place des Trois-Cultures. L'année suivante, plus de quatre cents universités américaines seront en grève ou fermées d'office, suite à des manifestations estudiantines contre la conscription et la guerre au Viêt-nam, où de nombreux livrets militaires sont brûlés selon l'exemple de Jerry Rubin, et surtout celui de David Miller, l'initiateur du genre le 15 octobre 1965, contre deux ans et demi de prison. Des milliers d'insoumis (les *draft dodgers*) se réfugient au Canada, en Amérique latine ou en Europe.

La fracture est profonde entre les hardes réactionnaires qui tiennent le pouvoir par la force et le mouvement pacifiste qui refuse toute manière d'autorité. Un mouvement qui rejette la violence et qui ne veut pas non plus entrer dans le jeu électoral américain au système cadenassé par deux partis caricaturaux. Choisis ton camp, camarade, soit tu t'intègres au système, soit tu restes résolument en marge. Chacun veille jalousement sur ce qu'il considère comme son pré carré.

Toujours en juin 1968, un article du *Time* proclame que Janis est probablement « la chanteuse la plus puissante qui ait émergé du rock blanc ». Un autre, du *New York Times*, décèle en elle « une force de vie envoûtante ». Et pour *Vogue,* magazine pourtant peu enclin à l'emphase, Janis « ridiculise toute l'histoire du chant dès lors qu'elle ouvre la bouche » ! Richard Avedon, emballé par la personnalité et le magnétisme de la chanteuse, organise une séance de photos. Quant au groupe, il se transforme en une sorte de faire-valoir un peu falot. Janis, qui en est bien consciente, consolide son image avec des déclarations de plus en plus crues et frappantes. Lors d'une séance d'enregistrement, agacée par la lenteur des choses et l'indécision de tous, n'a-t-elle pas lâché : « Qu'est-ce qu'on entend ? La voix. Les gens ne disent pas : "La guitare était bien." Ils ne s'en rendent même pas compte. On n'entend que ce qui se trouve au premier plan. Quand on joue "Piece of My Heart", c'est bien la voix qu'on entend. À moins que quelqu'un ne fasse une énorme gaffe, ça sera parfait[21]. » Grossman, de son côté, se montre de plus en plus irrité par les atermoiements de chacun lors des séances d'enregistrement en studio. Le groupe refuse qu'on fasse appel à des musiciens extérieurs. Aucun membre de Big Brother ne veut prendre le risque de briser l'alchimie peaufinée au fil du temps, ce qui n'est pas sans agacer Janis, assoiffée de découverte et d'expérimentations musicales. Elle rêve d'une formation dans le style de celles d'Otis Redding ou d'Aretha Franklin. Une faille se creuse et Janis entrevoit la fin d'une étape, la fin de son groupe, en dépit de l'affection sincère et profonde qu'elle porte à ses compagnons de jeu.

Avec son tenace esprit de professionnel de la côte Est, Grossman persiste à envisager Janis en tant qu'artiste solo. C'est une idée fixe chez lui, et les musiciens ne sont pas dupes. Pour le manager, la spontanéité de la côte Ouest ne suffit pas, il reste primordial de pouvoir mettre sur le marché des disques techniquement irréprochables, quitte à perdre en énergie et en folie. Big Brother and the Holding Company, grâce à sa solide expérience de la scène, reste encore utile pour les concerts. Toutefois, il est évident qu'il faudra bientôt prendre des dispositions draconiennes à l'égard de la formation. Grossman continue son travail de sape auprès de Janis et cherche à la convaincre qu'elle a l'étoffe d'une artiste solo. Évidemment, il joue sur du velours quand on connaît l'ego démesuré et la rage de réussir de la chanteuse.

La presse dans son ensemble, bien préparée par Albert Grossman, s'entend pour considérer le nouveau disque comme le premier du groupe. Elle relègue celui de Mainstream aux oubliettes. L'attente est énorme ; Janis est déjà une star alors que le groupe, à l'évidence, peine à composer de nouvelles chansons. L'énergie prime toujours sur la virtuosité instrumentale. Pour certains, il vaudrait mieux enregistrer les musiciens *live* avec ses distorsions plus ou moins maîtrisées, et de préférence dans leur microcosme de San Francisco.

Début août 1968, le rythme des affaires entraîne de profonds remaniements dans les bureaux d'Albert Grossman. Myra Friedman et Bert Block prennent du galon lors de la parution de *Cheap Thrills*, avec la célébrissime pochette dessinée par Robert Crumb qui reçoit un forfait de 600 dollars pour ce travail. Une pochette affublée du macaron : *Approuvé par les Hell's Angels de Frisco* ! Cette marque d'allégeance s'explique par le fait que le groupe joue de temps à autre pour le chapitre des Angels de San Francisco qui s'engagent en contrepartie à lui assurer une certaine protection. La pochette originale est double. En l'ouvrant, on découvre une photo du groupe sur la scène du Fillmore East, avec un mur d'enceintes surplombé par un vaste light show psychédélique.

Le CD aujourd'hui en circulation ne reprend malheureusement pas cette photo révélatrice du climat dans lequel la musique fut jouée.

La formation s'est donc entendue pour choisir le binoclard Robert Crumb. Les musiciens sont tous fans de ses croquis publiés dans des fanzines comme la série des *Zap Comix*. Ils apprécient particulièrement ses dessins érotiquement obsédés, mais présentés dans un esprit visant à banaliser une sexualité libérée. Ils raffolent aussi de son « personnage culte », Fritz the Cat, le chat paillard, dont sera tiré en 1972 un dessin animé réalisé par Ralph Bakshi. Avant de procéder, Crumb est venu en repérage au Fillmore afin d'observer le groupe. Il accepte la proposition, à la seule condition qu'il soit autorisé à pincer un sein de Janis... De conception audacieuse, la pochette signale les crédits musicaux directement dans les dessins au recto. Cette hardiesse n'était pas prévue au départ. En fait, Crumb a soumis un projet traditionnel recto verso, mais seule la maquette du verso a été retenue, les musiciens ayant adoré leurs propres caricatures. Sous les effets du haschisch, Crumb représente Janis en blonde plantureuse aux pointes de seins agressives, James Gurley avec un œil de cyclope sur le front et un halo doré au-dessus du crâne, et Peter Albin en pleine énucléation. Cette pochette hilarante, qui symbolise à elle seule l'éthique et l'esthétique alternatives de San Francisco, va rester l'une des plus marquantes de toute l'histoire du rock. Le mérite en revient à Janis qui réussit le tour de force de l'imposer à Clive Davis, le grand patron de CBS, et à

Albert Grossman, alors qu'ils préféraient une caricature du milieu hippie californien, signée Bob Cato, maquettiste attitré de Columbia. Sous l'impulsion de l'espiègle Janis, les musiciens détournent ce projet en se jetant tout nus sur le lit prévu pour la photographie de verso. Pour cette séance de photos piratée, Janis ne lésine pas, apportant une bouteille de Southern Comfort, un paquet de Marlboro et le nécessaire à héroïne... La maison de disques, horrifiée, abdique alors, leur projet ayant été ridiculisé par les artistes eux-mêmes.

Janis ne fait qu'une seule concession, concernant le titre de l'album. Son idée de départ était sans doute trop frontale... Elle avait en effet songé appeler l'album *Dope, Sex and Cheap Thrills*, c'est-à-dire... « Dope, sexe et frissons au rabais ». Une formule tirée du matériel promotionnel autour d'un film de 1936, *Reefer Madness* (la marijuana rend dingue !). Cet absurde film de propagande antimarijuana est devenu culte à la fin des années 1960 en raison de sa cocasserie involontaire. Mais si l'on avait retenu la formule proposée par Janis, on aurait franchi le cap ténu entre autodérision et autoparodie. Clive Davis, le patron de CBS, se montre pour le coup inflexible et met son veto. Les mots *Sex* et *Dope* en titre d'album sont inconcevables commercialement parlant, sans compter les éventuelles tracasseries juridiques. Après d'interminables discussions, Clive Davis finit par accepter l'expression *Cheap Thrills*. Les musiciens, de leur côté, bataillent ferme pour que la pochette mentionne uniquement Big Brother and the Holding Company comme nom d'artiste, sans ajout du genre : *Featuring Janis Joplin*. Car certains critiques malintentionnés ne vont pas se priver d'ironiser sur les « frissons au rabais » ! Quelques-uns vont même reprocher à Janis, en lieu et place du « maquillage nègre » des « minstrel shows » — à savoir une production de musiciens blancs travestis en Noirs pour emprunter leur musique —, d'utiliser « une voix nègre » ! Mais telle est pourtant sa voix à l'état naturel ; une voix qu'elle a en plus patiemment patinée en chantant sur celles de ses chanteuses noires préférées. Janis, sans cesse en proie au doute quant à ses capacités vocales et à son talent, ne prend pas ces remarques à la légère et en est profondément blessée. Il est vrai que plusieurs chanteuses noires comme Tina Turner l'impressionnent encore terriblement par leur voix et leur façon trépidante d'occuper la scène.

Laborieux, l'enregistrement de *Cheap Thrills* s'est donc étalé sur de nombreuses semaines, de la mi-mars à la fin mai 1968. Il est réparti sur plus d'une centaine de bandes ! Si les parties vocales de Janis ont été mises en boîte en trois ou quatre prises au maximum, les parties instrumentales en ont parfois réclamé plusieurs dizaines. Il a été très difficile de reconstituer l'ambiance *live*, en phase avec le public. Le bilan est frustrant. Perdus dans cette jungle de bandes, Simon et Mazer ont dû débroussailler à la machette, pressés qu'ils étaient par CBS et son président de boucler l'affaire dans les meilleurs délais.

La presse ayant été chauffée à blanc par le staff de Grossman, les précommandes des disquaires s'accumulent de façon impressionnante, stimulées, en outre, par une rumeur enthousiaste. Major impatiente, CBS entend profiter au maximum du contexte favorable et faire fructifier sa mise sans tarder. L'album est devenu un disque d'or en puissance, même si le son aurait pu être davantage travaillé. Mais il fallait en finir et jeter le vinyle en pâture.

Le concept est assez fumeux puisqu'il s'agit d'un vrai-faux *live* combinant captures directes en concert et prises en studio, sur lesquelles on a rajouté de fausses clameurs de foule. Ce que Peter Albin a confirmé dans une interview accordée à Allan Vorda en 1989, lors de la tournée du 25e anniversaire de Big Brother : « Nous avons essayé de donner l'impression que la totalité de l'album était *live*, ce qu'on a réussi[22]. »

Ce disque se révèle toutefois d'un niveau technique bien supérieur au précédent, lequel avait été enregistré de façon quasiment amateur. Il est aussi plus respectueux des artistes. Cette fois, les morceaux se rapprochent beaucoup plus de leurs versions en concert. Sur sept titres (quatre morceaux bonus seront ajoutés lors de la réédition en CD), quatre durent de quatre à cinq minutes, et le plus long dépasse les neuf minutes. Janis et chacun des musiciens ont sérieusement progressé, le répertoire est nettement plus élaboré aussi, même si la presse ne jugera pas toujours évidente la connexion entre psychédélisme et country blues. Sam Andrew et James Gurley alternent à la guitare rythmique et à la *lead guitar*. Si la presse rappelle que Gurley, un soir, au Fillmore, a été capable de terrasser Jimi Hendrix en personne, avec des morceaux de bravoure sauvage, elle souligne aussi ses limites en studio, lorsqu'à l'évidence il s'ennuie. Quoi qu'il en soit, malgré les problèmes rencontrés, ce disque restera le plus réputé de Janis Joplin, après son chef-d'œuvre posthume *Pearl*.

Cheap Thrills s'ouvre avec « Combination of the Two », un hommage rendu aux deux grandes salles de concerts de San Francisco. Il est signé et chanté par Sam Andrew, Janis n'apparaissant qu'en voix d'accompagnement. Ce titre, bien dans la veine primitive du groupe, avec contre-temps, backing vocaux et guitares sursaturées, propulse l'auditeur au cœur de l'énergie scénique propre à Big Brother. Garantie suprême, c'est Bill Graham lui-même qui présente le groupe : « *Ladies and gentlemen, Big Brother and the Holding Company.* » Ensuite vient « I Need a Man to Love », né d'une improvisation en coulisses, un titre cosigné Janis Joplin et Sam Andrew. Un morceau où Sam s'exprime avec ampleur à la guitare, et où Janis se montre vocalement impressionnante dans les plaintes étirées et déchirées.

La grande surprise est le troisième titre, une saisissante adaptation du célèbre « Summertime » de George Gershwin (et DuBose Heyward), extrait de son opéra *Porgy and Bess* composé en 1935, paroles de DuBose Heyward et d'Ira Gershwin. Negro spiritual à l'origine, ce titre est devenu au fil du temps un standard du jazz et, surtout, l'une des chansons les plus reprises à travers le monde. On en recense à ce jour plus de 5 700 versions discographiques. En 2003 est paru *A Collection of Various Interpretations of Summertime* (label

Under Cover), un album comportant dix-sept reprises parmi les plus célèbres, dont celles de James Brown, Miles Davis, Al Green, Billie Holiday et Janis Joplin. L'idée d'adapter ce titre hypnotique est venue au groupe après que Jack Cassady du Jefferson Airplane lui eut suggéré de le reprendre, et après avoir écouté une version *live* interprétée par Nina Simone en 1959. La guitare de Sam Andrew, dans la longue introduction, est d'une pureté et d'une finesse de toucher stupéfiantes. Son solo croisé avec Gurley est par ailleurs considéré comme l'un des morceaux de bravoure de toute l'aventure du rock psychédélique. Janis, toute en intériorisation, peut exposer son profond feeling et la largeur de son étendue vocale. Plaintes étirées et miaulements enroués, délicatesse et fureur. Avec cette façon unique de tirer, d'allonger la fin des mots dans toute une gamme de vibratos tantôt aigus, tantôt rauques et éraillés. Un classique, tous genres musicaux confondus.

Le bluesy « Piece of My Heart » (de Jerry Ragovoy et Bert Berns) est une autre occasion pour Janis de faire entendre la richesse de sa texture vocale, et son aspect délicatement rauque. Ce titre sera le principal 45 tours tiré de l'album, atteignant la 12e place et restant classé douze semaines au *Billboard*. C'est Jack Cassady, encore lui, qui révèle ce morceau à Peter Albin, après l'avoir découvert dans une version lente interprétée par Erma Franklin, sœur de la grande Aretha.

« Turtle Blues », signé par Janis uniquement, et dans l'esprit de sa période *coffeehouses*, est une chanson autobiographique illustrant la façon dont elle ironisait face à la vie. Derrière une rudesse de façade, Janis dissimule une fragilité intérieure dans laquelle elle tente de se réfugier. Ici, elle se voit donc en tortue. Janis cherche à surmonter la disgrâce physique qu'elle se prête et le malaise chronique dont elle souffre en se dissimulant derrière une relative âpreté. Linda McCartney, qui l'a photographiée brandissant fièrement une bouteille de Southern Comfort tout juste vidée, ou se rongeant les ongles avant de monter sur scène, se souviendra : « Lorsqu'on l'approchait, on percevait tout de suite son sentiment d'insécurité. [...] Pour se donner confiance, elle buvait énormément avant d'entrer sur scène[23]. » Il est ainsi question de se planquer sous une épaisse carapace afin de se faire respecter. Un vrai blues intimiste joué façon cabaret enfumé, grâce au piano du producteur John Simon. Particulièrement à l'aise dans ce registre, la voix de Janis devient une merveille de feeling. Dans le but d'apporter une touche plus authentique, James Gurley et Sam Andrew se rendent même au Barney's Beanery de Hollywood, un bar-restaurant réputé pour son animation nocturne et où Janis a pris l'habitude de jouer au billard. Ils y enregistrent des bruits d'ambiance, mais leur enregistrement médiocre ne sera que peu exploité. Tout juste conserve-t-on le cliquetis de la caisse enregistreuse. On décide alors d'effectuer des bruitages en studio. On convoque pour l'occasion de fidèles compagnons de beuveries comme John Cooke, le nouveau road manager — diplômé de Harvard et surtout embauché en fonction de son signe astral ! — et ami dévoué de Janis, les comédiens Garry Goodrow et Howard Hessman, ainsi que Bobby Neuwirth. Et, comme fond sonore, on utilise leurs élucubrations, sur lesquelles on surajoute le frottement de tessons de bouteille remués dans une poubelle.

Seule composition signée par l'ensemble des membres du groupe, « Oh, Sweet Mary » est une œuvre où tous s'expriment vocalement derrière un travail complexe aux guitares. En fait, il s'agit d'une variante de « Coo-Coo », morceau figurant sur le précédent album. Mais, comme Big Brother a dû céder les droits de publication à Bob Shad, on change le titre, les paroles et même les crédits d'auteurs. Janis y exprime son trouble et son angoisse à l'égard du monde qui l'entoure. Son besoin compulsif d'être entourée d'amis pour combattre une propension à la solitude.

Enfin, pour conclure, vient le morceau de choix, avec le blues « Ball and Chain » de Big Mama Thornton. Tout au long des neuf minutes et plus, saisies en partie au Fillmore de San Francisco, la guitare de James Gurley prend de stupéfiants accents hendrixiens, tandis que la voix de Janis joue à la vie à la mort sur un blues transcendant, empli d'une profonde mélancolie.

Soit sept morceaux seulement sur le vinyle d'origine, mais de longues versions qui rappellent les improvisations ayant fait la réputation du groupe sur scène. Au final, John Simon répartit divers bruits de foule pour donner davantage d'unité à l'ensemble. À ce détail près que les prises *live* annoncées sur la pochette *(« Live material recorded at Bill Graham's Fillmore Auditorium »)* ne sont pas des repiquages de foule... mais des effets de voix de John Simon, d'Elliot Mazer et d'un ingénieur du son. Les véritables bandes *live* des performances de Janis avec Big Brother ne seront exhumées de leurs boîtes qu'après la mort de Janis, lorsque Elliot Mazer entreprendra de composer l'album *Joplin in Concert*.

En attendant la sortie de ce deuxième album, Big Brother and the Holding Company se produit le 3 août au Fillmore East de San Francisco. Le groupe partage l'affiche avec les Staple Singers, une formation soul et rhythm'n'blues de Chicago, composée d'un père et de ses trois filles. Le patronyme familial est réellement Staples, mais le nom du groupe a curieusement perdu le « s » final. Janis, blême, toujours aussi peu sûre d'elle, est surprise dans les coulisses à murmurer : « Jamais je ne parviendrai à chanter comme ça ! » Elle pense avant tout à la profonde voix gospel de Mavis Staples, avec laquelle elle fera plus tard le bœuf au Fillmore East. Mais aussi à d'autres chanteuses noires comme Tina Turner et, surtout, Aretha Franklin. Son complexe de l'échec en est décuplé, d'autant plus que « papa » Staples, un expert de la guitare slide, la convainc de se joindre au groupe pour un titre.

Tous ces doutes ne font que la pousser davantage vers l'héroïne et l'alcool. En fait, la boisson lui permet de limiter le recours aux piqûres, dont elle redoute tout de même les effets. Les tournées à répétition éloignent Janis de San Francisco et de son microcosme qui lui assurait un relatif équilibre. De plus, il faut jouer et rejouer presque chaque soir les mêmes morceaux. Sans compter le besoin d'en créer de nouveaux, de réfléchir à de nouvelles explorations musicales. Routine et fatigue de la route. Un tourment hiératique pour les groupes qui se laissent happer par le succès. Du coup, Janis broie du noir, ne lâche que rarement sa bouteille de Southern Comfort, à tel point que la distillerie, sollicitée par dérision, finira par remercier Janis pour sa campagne promotionnelle aussi assidue qu'involontaire.

L'album *Cheap Thrills* paraît à la fin août 1968 pour devenir n° 1 au *Billboard* trois mois à peine après sa sortie. Il va dépasser le million de copies vendues en un seul mois. Un succès aussi foudroyant que déstabilisant. La critique est enthousiaste, à quelques exceptions près, comme le magazine *Rolling Stone* qui expédie le disque en quelques chétifs paragraphes... avant bien sûr de le classer vingt ans plus tard en bonne place parmi les meilleurs disques de tous les temps ! D'autres journalistes, quoique laudateurs, comme Larry Kopp, appuient directement là où ça fait mal : « Janis Joplin trop pleine d'âme pour ses partenaires de la Holding Company. »

Et le coup de tonnerre survient. Un communiqué de CBS, en septembre, annonce la séparation du groupe. Grossman tranche dans le vif, à la lecture des articles où la presse se focalise uniquement sur les prouesses de Janis, la première grande chanteuse blanche de blues. Si les musiciens de Big Brother and the Holding Company sont surtout défendus par la presse underground qui veille à protéger l'esprit hippie, Grossman n'a de cesse de conseiller à Janis de s'entourer de partenaires plus professionnels, davantage rompus aux exigences du travail en studio. Janis souffre de se trouver confrontée à un tel dilemme, mais la manœuvre audacieuse de son manager finit par aboutir. La situation devient vite intenable entre Janis et les musiciens qui se sentent trahis. La formation a enchaîné les concerts, ne trouvant plus le temps de répéter, ni surtout celui de créer, de renouveler son répertoire. La machine s'est emballée. Même Janis sent qu'elle perd de sa spontanéité.

Albert Grossman sait pertinemment qu'il est bien plus aisé de façonner une artiste solo que de régir une horde de freaks plus ou moins dociles et motivés. Il fait ainsi miroiter des revenus beaucoup plus importants à Janis. Pourquoi partager le gâteau en autant de parts, alors qu'elle en est l'ingrédient majeur ? La séparation, en dépit des rancœurs, va se faire dans une relative douceur. On convient même que le groupe et la chanteuse continueront de travailler ensemble jusqu'à la fin de l'automne, non sans un succès croissant et paradoxal.

Le groupe parvient cependant à répéter sur Golden Gate Avenue, sans cesser d'enchaîner les concerts. Malgré le succès, Janis reste dubitative quant à l'avenir. Elle est sur le point de perdre ses repères et de se jeter dans l'inconnu. Par ailleurs, les critiques n'ont pas été unanimes au sujet du disque. Pour certains journalistes, c'est assurément un choc fabuleux. Pour d'autres, qui raillent le titre de l'album (« frissons au rabais »), le groupe constitue en fait une sorte de « minstrel show ». La tradition des *black faced minstrels* — ces amuseurs blancs au visage barbouillé qui chantaient et dansaient en caricaturant les Noirs — remonte aux années 1830. Janis réagit de façon épidermique à la critique, euphorisée par les louanges, abattue par la moindre réprobation.

Durant l'automne, elle recevra un superbe manteau de lynx d'une valeur de 3 000 dollars. Épatée par sa propre audace d'avoir sollicité la compagnie commercialisant le Southern Comfort, elle lâche à l'attention de Myra Friedman : « Putain, quelle arnaque ce manteau ! T'imagines un peu ? Être gratifiée pour s'être arsouillée deux ans durant[24] ! » Un juste retour sur investissement, en quelque sorte…

En septembre 1968, sous la pression d'Albert Grossman, Janis prend donc la douloureuse décision de quitter son groupe. Avant la diffusion du communiqué de CBS, elle en informe les musiciens dans une chambre du Chelsea Hotel. Aucun d'entre eux ne se montre surpris, même s'ils sont tous contrariés ou vexés. En fait, ils s'attendent depuis plusieurs semaines à cette fatale décision.

Big Brother n'a plus composé en commun depuis plusieurs mois déjà. Chaque musicien sait que la vie des groupes est le plus souvent éphémère. Mais le choc est tout de même douloureux, frontal. À peine la formation est-elle parvenue au sommet qu'elle se sépare. Janis est persuadée qu'elle ne retrouvera jamais une famille soudée sur scène comme l'était Big Brother, qui lui permettait, selon la pertinente formule de Barney Hoskyns, d'« exprimer et érotiser sa souffrance ». Pour Peter Albin, le fondateur du groupe, Janis les trahit cruellement, tandis que les autres musiciens entrevoient presque avec soulagement leur liberté recouvrée. Ils savent que la personnalité et le talent de Janis les auraient progressivement fait passer pour de simples faire-valoir.

Peu rancunier et lié à la chanteuse dont il est souvent le confident, Sam Andrew est attiré par de nouvelles expériences musicales. Mais Janis sait qu'elle a besoin d'un fidèle guitariste pour la soutenir et la conseiller. Un complice avec lequel elle partagerait la mémoire des origines, une sorte de starter sur scène, un fil rouge pour son répertoire. Sam lui recommande l'excellent Jerry Miller du groupe Moby Grape, mais c'est bien sûr à lui, son compagnon d'improvisations, qu'elle finit par proposer le poste. Néanmoins, la chanteuse culpabilise de laisser ainsi le reste du groupe sur le bas-côté, avant d'être sans doute propulsée vers la gloire par l'une des plus puissantes compagnies de disques.

James Gurley, résolument hors show-biz, profondément intégré au milieu hippie de San Francisco, décide de faire une pause. Peter Albin et David Getz, eux, sont décidés à continuer l'aventure de Big Brother and the Holding Company, d'abord en débauchant deux musiciens de New Riders of the Purple Sage, puis en partant en tournée européenne en intégrant Country Joe and the Fish. Big Brother se met donc en sommeil pour plusieurs mois, tout en restant sous contrat avec

CBS pour deux albums. Le groupe va se reformer, à la fin de 1969, en intégrant David Schalloock, Nick Gravenites et Kathi McDonald. Il enregistrera en 1970 un nouvel album, dans l'esprit des débuts, ne serait-ce que par son titre, *Be a Brother*, où il n'est pas interdit de déceler une certaine ironie. Pour le dernier album dû à CBS, en 1971, *How Hard It Is*, la pochette montrera une photo de Janis, en hommage posthume. Entre 1971 et 1978, la formation ne se réunira qu'une seule fois pour un show organisé par leur maître à penser des origines, Chet Helms, au Greek Theatre de Berkeley. Puis il faudra attendre près de dix ans, en 1987, pour que le groupe se reforme à l'occasion… du vingtième anniversaire du Summer of Love ! Le groupe enregistrera même un album en 1996, intitulé *Can't Go Home Again,* suivi en 1997 de *Do What You Love.*

Grossman est persuadé d'avoir fait le bon choix en se débarrassant de cette encombrante bande de hippies. Pour son artiste féminine, il commence à rêver des meilleurs musiciens de studio et d'un producteur ayant fait ses preuves.

Janis se présente maintenant comme la première superstar féminine du rock, ce qui va renforcer sa tendance naturelle à l'égocentrisme. Son attitude avec les photographes est sur ce point très révélatrice. Fière de son talent, mais complexée physiquement, elle joue avec eux au chat et à la souris. Elle s'intéresse à toutes les excentricités vestimentaires et est prête à les adopter sur-le-champ si celles-ci la séduisent ou simplement l'amusent. Obsédée par le fait d'attirer l'attention, elle veut à tout prix se faire remarquer.

Lorsqu'on lui demande si sa vie a changé depuis deux ans et demi, elle répond : « C'est sûr. Je suis encore plus seule qu'avant ! Je n'ai plus la moindre chance de tomber amoureuse ou d'avoir de nouveaux amis. Je n'ai plus besoin de personne. C'est effrayant, surtout pour une femme[25]. » La situation est paradoxale puisque sept semaines après avoir fait son entrée dans les *charts*, l'album se hisse à la première place. Une place qu'il va conserver huit semaines durant. L'album va alors s'incruster soixante-six semaines dans le Top 100. L'aura de Janis Joplin devient définitivement nationale.

En novembre, Janis revient sur sa grande affaire, sa présence scénique. Elle compare ses sensations à celles d'une actrice sentant monter en elle un maelström d'émotions juste après le mot « Action ». Janis s'imagine face à une caméra, sauf qu'elle peut sentir le public réagir au moindre de ses gestes ou à la plus ténue de ses intonations. « T'es pas censée être agressée *sur place*. Ni prendre un coup dans les dents à l'instant même. Tu te tiens sur scène. Tu te remémores tout ça, mais tu ne te dis pas : "Bon, voilà, je n'ai qu'à me souvenir du 14 janvier quand Untel m'a foutu une trempe." Ça se passe pas vraiment comme ça. Tu dois juste te convaincre que t'es occupée à chanter, à passer la tête en un lieu, un espace émotionnel apte pour cette interprétation[26]. » Sous le charme, Mark Wolf est impressionné par l'interview qu'il vient de réaliser et par le concert auquel il a assisté juste avant ; il remballe son matériel, quand tout à coup une voix éraillée lui demande : « Au fait, *man*, est-ce que tu pourrais envoyer une copie de ton article à mon manager ? Tiens, voilà sa carte. » Le journaliste n'est pas au bout de ses surprises, notant en conclusion de son article intitulé « Janis Joplin — Queen of rock » : « Et alors, je vous le jure, l'innocence presque enfantine qu'elle préserve en elle sous une épaisse carapace protectrice m'est apparue avec l'un des plus désarmants sourires que l'on puisse imaginer. "C'est-à-dire que... je tiens un *scrapbook* avec mes coupures de presse." » Groupie d'elle-même et amoureuse de son rêve éveillé. Détail symptomatique, c'est au nounours protecteur, à Oncle Albert comme elle l'appelle, à Albert Grossman en personne, lui qu'elle cherche toujours à épater, que Wolf doit adresser son article. Le moindre signe d'admiration à son égard lui permet de lécher ses plaies anciennes qui, hélas, restent toujours à vif.

Sous l'effet de l'alcool, mais aussi des sucreries dont elle est toujours aussi friande, Janis a repris du poids. Ce qui ne l'empêche pas de rester à l'affût de toute nouvelle expérience sexuelle, comme pour se prouver qu'elle est désirable. Si ce complexe de la disgrâce physique (« Je dois apparaître comme un épouvantail ») va la poursuivre jusqu'à son dernier jour, Janis cherche aussi à masquer un profond sentiment de solitude, puisqu'elle ne parvient pas à prolonger la moindre relation sentimentale. Elle parle souvent de ses performances sexuelles, se vante volontiers de ses exploits. Elle cherche même à séduire Albert Grossman, mais celui-ci, très conscient de ses intérêts, décline la proposition avec dérision : « Si jamais je te décevais sexuellement, tu ne voudrais même plus que je m'occupe de tes affaires[27] ! »

La scène reste le fantastique exutoire sexuel où elle se délivre de ses névroses. Elle cherche à personnaliser outrancièrement son image, à attirer l'attention par tous les moyens. Et malheur à qui lui résiste, sa colère vengeresse pouvant alors devenir redoutable. Les féministes, et surtout les lesbiennes radicales, lui reprochent de ne jamais parler de son homosexualité, car elles voudraient que Janis devienne un porte-drapeau de leur cause. Tout comme elle affiche ostensiblement son penchant pour l'alcool afin de mieux dissimuler sa dépendance à l'héroïne, Janis met en avant son désir des hommes pour cacher au public ses aventures avec les femmes. Elle ne les dissimule pas entièrement, mais elle entend que son hétérosexualité soit bien établie. Une anecdote rapportée par l'acteur Richard Hundgen est révélatrice à cet égard. Un journal underground de San Francisco l'ayant présentée comme lesbienne et porte-parole de la cause féministe, Janis entre en furie dans les coulisses, lors d'un concert à San Diego. Elle brandit la revue en éructant à l'attention de Richard : « Saute dans un avion dès demain et va trouver ce salopard pour bien lui préciser que Janis s'est tapée au bas mot deux mille mecs durant sa courte vie, pour à peine une petite centaine de nanas, et que ce type se débrouille avec ça[28] ! » Une façon aussi cocasse que paradoxale de défendre son hétérosexualité…

De façon pour le moins surprenante, Janis se montre enthousiaste devant la caricaturale comédie musicale *Hair* — douteuse récupération sur le vif du mouvement hippie (sous-titrée « un *musical* américain tribal de rock et d'amour ») — et son tube planétaire « Aquarius / Let the Sunshine In ». Ce spectacle (dont la première eut lieu le 7 octobre 1967 au Public Theatre Off Broadway de New York), dû à Gerome Ragni et James Rado pour le livret, et à Galt Mac Dermot pour la musique, mis en scène par Tom O'Horgan, sera tardivement porté à l'écran par Milos Forman, en 1979, avec John Savage et Treat Williams dans les rôles principaux. Sans doute Janis voyait-elle le comique involontaire de cette farce aussi naïve que faussement provocatrice, jouée à Broadway pour un public bourgeois vaguement progressiste, émoustillé par la nudité momentanée des comédiens et rassuré par l'aspect *Jesus freak* de certains d'entre eux. Janis, hilare, revient même une seconde fois assister au spectacle, parvenant cette fois à y entraîner Big Brother au complet, ce qui est bien la preuve que les relations se sont apaisées avec les musiciens.

Le dernier concert new-yorkais de Janis avec Big Brother and the Holding Company a lieu le 15 novembre 1968, au Hunter College, à Manhattan. Un concert très couru, autant par le public que par les critiques et les photographes, tous conscients de l'importance de l'événement. CBS cherche même à filmer la soirée. Mais Janis, particulièrement stressée par cette échéance, se trouve toujours chez le médecin trois heures à peine avant le début du spectacle. Elle n'a pas dormi depuis la veille et a absorbé une quantité impressionnante de Seconal (un barbiturique en capsules). Elle est persuadée de n'avoir plus de voix. Afin d'éviter le pire, Grossman dépêche en toute hâte l'harmoniciste James Cotton, un ancien accompagnateur de Muddy Waters, et lui propose de jouer en première partie, au cas où Janis ne pourrait assurer le show au complet. Mais, bien évidemment, le médecin ne trouve rien d'anormal à la gorge ni à la voix de Janis. Et le concert est exceptionnel. Janis enflamme la salle, avec sa jupe courte dorée et ses jarretelles assorties, tandis que, dans une supplique insistante et des trépignements rageurs, elle monte à l'assaut pour imposer son rythme et ses pulsions. Elle frémit, tremble et se tord de douleur. Elle hurle, exulte, pousse des cris déchirants. Elle exprime toute la souffrance de la séparation, supplie qu'on partage son affection, avant de s'effondrer d'épuisement avec un sourire d'enfant innocente. Ensuite, en coulisses, Janis refuse de recevoir le moindre journaliste. On la voit abattue, déprimée et toussant bruyamment, même si le concert est particulièrement réussi. Puis, profitant d'un regain d'énergie, elle fait la fête toute la nuit. Elle va même rester près de trois jours sans dormir. Le week-end suivant, au Chelsea Hotel, elle se trouve au plus mal, oppressée, à bout de souffle. Alertée par Vinnie Fusco, Myra Friedman fait aussitôt transporter Janis aux urgences. Au bilan, elle souffre d'une bronchite aiguë et risque une pneumonie. L'hôpital affichant complet,

Janis doit se réfugier à l'hôtel Americana, où elle va parvenir à se soigner.

Après les adieux new-yorkais, Janis se produit deux autres fois au sein de Big Brother and the Holding Company, d'abord à Vancouver le 30 novembre, puis à l'Avalon de San Francisco le 1er décembre, au profit du Family Dog — la boucle se referme, puisque c'est ici qu'avait débuté son aventure avec le groupe, sous les auspices de Chet Helms. La foule est si compacte que de nombreuses personnes suffoquent et perdent connaissance, jusque dans les sorties de secours. Le public hippie est conscient d'assister à un événement d'importance, à la fin d'un groupe emblématique, et peut-être même à la fin d'une époque. Une page se tourne. Sam Andrew en reste candidement persuadé : si Janis n'avait pas quitté Big Brother and the Holding Company, elle serait toujours en vie.

En cette fin d'année, l'intrépide John Cooke, rencontré lors du festival de Monterey alors qu'il travaillait pour le réalisateur D. A. Pennebaker, devient le road manager attitré de Janis. Son rôle sera prépondérant. Selon Myra Friedman, John est doué d'une qualité exceptionnelle : il est le seul personnage répertorié capable de crier plus fort que Janis. Il s'occupe du matériel, éventuellement de la drogue, il organise l'emploi du temps, planifie les concerts et rameute la troupe lorsque tout dérape.

Sur le plan financier, Janis n'était qu'un maillon de la chaîne au sein de Big Brother ; désormais elle est une star à part entière. Sa nouvelle formation — qui faillit se nommer Janis Joplin and the Joplinaires ou la Janis Joplin Review — est constituée de salariés interchangeables. Tout se traite et se négocie désormais sous le seul nom de Janis Joplin. En conséquence, l'argent rentre bien plus rapidement et dans des proportions nettement plus avantageuses. Si Janis se montre économe, et même radine pour certains, notant scrupuleusement ses dépenses, c'est qu'elle redoute que tout cela ne soit qu'éphémère. Peu avant sa mort, elle reconnaîtra être près de ses sous pour une seule raison : elle craint que le succès ne dure pas éternellement. Elle est lésineuse en raison de sa maladive angoisse de l'avenir. Désorientée, elle prend alors une décision sidérante. Elle s'offre une Porsche cabriolet décapotable 356 Super C métallisée, toutefois achetée d'occasion, à Los Angeles. Elle s'empresse bien sûr de la personnaliser. Contre 500 dollars, elle demande au fidèle Dave Richards de peindre à la main, sur l'ensemble de la carosserie grise, des fresques extrêmement ouvragées de style psychédélique. Avec des dominantes jaune, orange, rose et turquoise. Sur une aile, Richard fait le portrait de chacun des musiciens de Big Brother, sans oublier Janis elle-même, ce qui confirme que la rupture se déroule décidément en toute harmonie. Sur une aile arrière, Janis fait peindre un drapeau américain couvert de sang. Sur deux des portes latérales, elle fait ajouter un rapace planant de nuit dans les montagnes, sous un ciel étoilé. À l'arrière, elle demande un soleil personnifié avec un symbole du capricorne, son signe astral. Pour Janis, qui ne saurait se contenter d'une vulgaire guimbarde, cette voiture représente une sorte de tatouage ambulant. Sa voiture va rapidement devenir célèbre dans les rues de San Francisco. Janis retrouve souvent des lettres ou des cadeaux de fans posés à même la capote du cabriolet. Un jour, malgré ses particularités hyper-repérables, la voiture est volée. La police la retrouve juste avant que des abrutis ne commencent à la repeindre !

Certes, Janis achète sans compter des vêtements excentriques, mais l'acquisition de cette voiture ne correspond absolument pas à sa personnalité financièrement précautionneuse. Il s'agit d'une lubie, d'un pied-de-nez, d'un gag peinturluré qu'elle utilise somme toute assez peu, sinon par exemple pour faire découvrir San Francisco à son père. Il s'agit en fait de son unique signe extérieur de richesse, avec la maison qu'elle acquerra plus tard à Larkspur.

Mal à l'aise, orpheline de ses amis proches et nostalgique des heures de fête collective, attristée d'avoir rompu pour une gloire personnelle hypothétique, Janis tente de se rassurer comme elle le peut. Elle crée ainsi sa propre société, qu'elle nomme Fantality, une contraction des mots *fantasy* et *reality*. Et sa maison d'édition Strong Arm Music, nom sans doute choisi en référence aux bras musclés des Hell's Angels.

Avec un enthousiasme quelque peu précipité, et un manque d'expérience flagrant, Janis ameute donc en quelques jours une nouvelle formation. Celle-ci comporte une section de cuivres réunissant Marcus Doubleday et Terry Hensley à la trompette, et Terry Clements au saxophone ténor.

Cette lubie, que Janis a en réalité prévue de longue date, n'est guère du goût d'Albert Grossman. Le manager y voit une contrainte onéreuse et une inflexion musicale étrangère à la voix de son artiste. Il sent que les journalistes établiront des comparaisons pas forcément flatteuses avec des chanteuses comme Aretha Franklin du label Atlantic, surnommée la « Queen of Soul » ou « Lady Soul », qui vient d'apparaître en couverture du *Times*. Cette chanteuse noire, véritable pendant féminin d'Otis Redding, est autant appréciée du public noir que du public blanc.

Afin de limiter les dégâts, Grossman pousse trois amis de Janis, le subtil guitariste Mike Bloomfield et le chanteur et compositeur Nick Gravenites (en rupture avec le groupe Electric Flag), ainsi que Elliot Mazer, à l'influencer dans le choix des musiciens. Mais cette surveillance et ces conseils ne suffiront pas à constituer un groupe cohérent. Parmi les instrumentistes, Sam Andrew assure seul la continuité. Par ailleurs, on engage Bill King aux claviers, le bassiste Brad Campbell et le batteur Ron Markovitz. Certains de ces musiciens seront vite remplacés. Janis est prise d'un certain vertige face à ses nouvelles responsabilités. Sans cesse taraudée par le doute, elle est à peine capable d'expliquer en termes techniques ce qu'elle veut à de vieux requins de studio. Est-elle vraiment en mesure de maîtriser la situation, de prendre en main les choix artistiques ? Elle se met parfois à regretter Big Brother and the Holding Company qui, dans une certaine mesure, lui avait donné confiance en elle. Grossman ordonne à ses

« sous-marins » de surveiller étroitement les premières répétitions. C'est qu'il y a énormément d'argent en jeu pour lui et CBS, et le côté fantasque de la chanteuse attise sa méfiance. CBS entend mettre en avant le côté spontané, le côté *roots* de Janis pour l'imposer commercialement. Hypersensible, la moindre contrariété l'accable. Son regard se charge d'une tristesse désabusée, d'une sorte de lassitude face à l'existence.

Courant décembre, les premières répétitions avec le Kozmic Blues Band ont d'abord lieu à New York, puis à San Francisco, durant trois jours, sous la houlette de Mike Bloomfield. Derrière Sam Andrew à la guitare, aucun musicien ne s'impose vraiment. Or la nouvelle formation doit se produire le 21 décembre au Mid South Coliseum de Memphis, lors de la convention annuelle des disques Stax-Volt, marque dérivée du label Atlantic. Trois semaines à peine se sont écoulées depuis la dernière apparition sur scène de Janis avec Big Brother and the Holding Company.

L'honneur de se produire à Memphis avec quelques grandes pointures noires de la soul et du blues est réel. Janis et le Kozmic Blues Band sont les seuls Blancs invités. Tous les autres intervenants sont des artistes maison chevronnés, à commencer par Albert King et Booker T and the MG's, ainsi que les expérimentés Carla et Rufus Thomas. La troupe de Janis n'est certainement pas assez préparée pour la date fatidique. La chanteuse est à la fois excitée et intimidée, le label Stax étant l'éditeur d'une de ses principales influences, Otis Redding. Ce monstre d'énergie et de sensualité mêlées, le maître du crescendo vocal dramatique, a impressionné Janis dès le festival de Monterey. La chanteuse aurait voulu chanter un jour sur scène en duo avec lui. C'est également Otis et Aretha Franklin qui lui ont donné l'envie de se faire accompagner par une section de cuivres. Otis lui a aussi donné le goût des complaintes torturées et déchirantes, pleines de ferveur.

Dans son pantalon couleur cerise, avec des plumes rouges dans les cheveux, Janis tente de rattraper une prestation plutôt calamiteuse. Certains musiciens des Bar-Kays lui apportent même un précieux soutien sur scène. La chanteuse a gardé ses titres les plus fameux pour le rappel... sauf qu'il n'y aura pas de rappel, juste quelques applaudissements polis et disséminés. Une indifférence embarrassante. Les journalistes présents ne peuvent que constater la déroute, à commencer par Stanley Booth du magazine *Rolling Stone*, conscient du ridicule de se produire ainsi sans préparation face à un public noir de connaisseurs. Son journal, dans le numéro de février 1969, ira même jusqu'à titrer : « Janis Joplin est morte à Memphis. » Elle, qui a toujours redouté l'imposture, se retrouve pour la première fois — depuis qu'elle est star — confrontée à l'échec artistique ; et dans le saint des saints : à Memphis même. Sa prestation contribue à creuser l'écart entre la musique blanche et la musique noire, au lieu de les rapprocher. Un comble ! Comme certains reprochent à Jimi Hendrix de jouer pour les Blancs, on la brocarde pour avoir l'audace de chanter *à la façon* des Noirs. La mort récente de Martin Luther

King a contribué à nourrir une nouvelle méfiance entre les deux communautés. Sans parler de l'affaire des jeux Olympiques de Mexico où, médaillés sur le podium, deux sprinters noirs américains, Tommie Smith et John Carlos, lèvent un poing ganté de noir, tête baissée, durant l'exécution de l'hymne national. Un geste de portée mondiale destiné à faire réfléchir sur le problème de la ségrégation, mais pour lequel les champions sont exclus à vie des jeux Olympiques, perdent leurs médailles, sont bannis de leur équipe nationale et doivent subir de nombreuses tracasseries à leur retour au pays. Le racisme a décidément la peau dure, même de façon sournoise. La mixité musicale apparaît perverse à certains. Voilà un nouveau fardeau à porter pour Janis, qui doit réagir, et trouver au plus vite un son cohérent avec un nouveau répertoire.

Le magazine *Life*, dans son numéro bilan de fin d'année, classe toutefois Janis parmi les grands gagnants de 1968. Albert Grossman, Janis et Myra Friedman assistent à la soirée en compagnie de Bobby Neuwirth qui connaît Janis depuis 1964, du temps où elle traînait aux abords de la scène folk de Berkeley.

En fin d'année, Janis a pris l'habitude d'offrir des cadeaux de Noël à ses plus proches amis, comme Linda Gravenites et Myra Friedman. Elle se montre également attentive aux anniversaires. Toutefois, sa peur en l'avenir et son inquiétude permanente la rendent très prudente avec l'argent. Comme si, tôt ou tard, la gloire devait inévitablement cesser. Comme si celle-ci n'était que le fruit fortuit d'un malentendu.

Un blues cosmique
1969

Nous sommes les fils du soleil, il est là-haut derrière la feuille de l'arbre qui me voile l'œil, il brille, il est une étincelle[1].

ALAIN-CHEDANNE

N'acceptez aucun compromis. Vous êtes tout ce que vous avez[2].

JANIS JOPLIN

Le fiasco de Memphis entraîne aussitôt un profond remaniement au sein du nouveau groupe de Janis. Un groupe « d'accompagnement ». Le style Stax ou Tamla Motown ne s'inocule pas d'un coup de baguette magique. La formation se nomme désormais le Kozmic Blues Band, après avoir failli se nommer Main Squeeze. Pour l'heure, il convient de répéter intensément afin de créer un son et une unité, même s'ils ne sont que de façade. La complicité amicale a cédé le pas à des rapports strictement professionnels entre musiciens baroudeurs. On répète donc sans discontinuer du 2 janvier au 6 février, en préparation d'une série de concerts sur la côte Est dans le circuit universitaire. Ce qui permet à CBS de profiter au maximum du succès de l'album *Cheap Thrills*.

Ainsi, le 9 février 1969, au Boston Music Hall, CBS organise une présentation officielle de la nouvelle formation lors d'un *preview concert*. Puis, les 11 et 12 février, sont organisés des concerts au Fillmore East, avec le Grateful Dead en première partie. Janis sait qu'elle n'a pas droit à l'erreur après le naufrage de Memphis. Son angoisse, qu'elle exhorte par le chant, est phénoménale. Bill Graham, le nouveau propriétaire des lieux, sait combien Janis est tendue en raison des réserves exprimées par la presse. Mais aussi parce que le groupe évolue ensemble depuis quelques petites semaines seulement. Aussi cherche-t-il à la mettre en confiance : portier personnel, champagne et Machu Picchu de guacamole. Zélé, il convainc les responsables de l'émission « 60 Minutes » de filmer l'événement, sauf que cette initiative contrarie singulièrement Grossman. Le manager de Janis sait que le groupe est en rodage délicat. De plus, le bassiste canadien, Brad Campbell, n'est pas en règle administrativement. Ainsi, comme les services d'immigration se montrent particulièrement pointilleux, on convient de déguiser le guitariste. On l'affuble de fausses moustaches, de larges lunettes de soleil et d'une toque de fourrure. Le trompettiste est Luis Gasca, ancien complice de Woody Herman et futur accompagnateur de Ray Charles. Le saxo ténor est l'Anglais Terry Clements, venu du groupe Stoneground. À l'orgue Hammond, Richard Kermode partage les titres avec Gabriel Mekler. Heureusement pour Janis, elle peut compter sur le précieux Sam Andrew à la guitare. La salle est comble, l'événement très attendu. La confrontation s'annonce donc redoutable entre Bill Graham et Albert Grossman, mais un compromis est finalement trouvé. L'équipe télé ne filmera pas le concert, mais seulement l'entrée en scène de Janis, et on se contentera d'une interview exclusive avec la chanteuse. Grossman n'a pas manqué d'intuition sur ce coup-là. Comme il le redoutait, le groupe, nettement plus technique que Big Brother and the Holding Company, apparaît tout de même emprunté, submergé par les cuivres qui semblent faire diversion. Le nouveau répertoire n'est pas encore maîtrisé. La formation manque d'expérience, de vécu et de ce précieux ciment qu'on acquiert à force de galères. Mais Janis, bien que sérieusement éméchée et très nerveuse, parvient à tirer son épingle du jeu, présentant son groupe de façon provocante comme étant « Janis et les Branleurs » ! Elle accentue sa gestuelle, ses cris, ses tics et astuces scéniques, bien soutenue par un light show très élaboré, dû au Joshua Light Show, voulu par un Graham qui cherche à impressionner sa nouvelle clientèle. L'interview accordée après la prestation est particulièrement rock'n'roll pour le malheureux Mike Wallace, contraint de se débrouiller au montage pour atténuer les bordées d'injures de la chanteuse.

Lors du cocktail d'après concert, Janis fait la connaissance de l'écrivain Jean-Claude Carrière, scénariste de Luis Buñuel dont le sulfureux *Belle de jour* sort justement sur les écrans new-yorkais. Il se trouve là en compagnie du réalisateur tchèque Milos Forman, avec lequel il travaille sur le scénario du film *Taking Off*. Les deux hommes rencontrent les pires difficultés de financement, le projet en cours d'élaboration passant même de la Paramount à Universal, sans doute au vu de son sujet concernant une fugueuse américaine en plein conflit générationnel, et aussi de « jeunes personnages s'élevant contre l'argent roi ». Une longue scène hilarante montre la réunion d'une association de parents d'enfants en cavale. Un drogué reconverti fait une démonstration afin de faire comprendre aux parents ce que leurs enfants peuvent ressentir : « Détendez-vous. Que tout le monde s'envole, vous êtes comme de grands oiseaux dans l'azur. Respirez, respirez, vous n'avez rien d'autre à faire. Voilà. Laissez-vous porter par le rythme et envolez-vous. Flottez, flottez vers les cimes. Libérez votre corps. Tout est pur, tout est si beau[3]... » Que deux étrangers s'intéressent à un tel thème rend d'évidence les producteurs aussi fébriles que méfiants. Le film, lors de sa parution, enthousiasmera Allen Ginsberg et obtiendra le prix du Jury, à Cannes, en 1971.

Carrière et Forman, comme beaucoup d'autres, sont frappés par le rire en cascade de Janis. Une réelle sympathie se noue entre eux. Tous trois vont se revoir à plusieurs reprises sur Leroy Street, près de Washington Square, où les deux compères et le cinéaste Ivan Passer ont loué une petite maison. Janis, qui se déplace rarement seule, s'y rend donc le plus souvent accompagnée. Jean-Claude Carrière se souvient d'une jeune femme « plutôt ronde, qui porte en bandoulière une bouteille d'alcool à laquelle elle boit par rasades[4] ». Une femme qui n'aime pas particulièrement parler de son chant et, loin d'être apolitique, qui « insulte l'Amérique mais sans excès[5] ». Il décèle aussi que « quelqu'un se cache en elle[6] », sans qu'on puisse préciser la personnalité de « cet inconnu qui l'exaspère et qui la détruit[7] », qui « prend tous nos risques à son compte[8] ». Sur scène, Janis apparaît à Jean-Claude Carrière comme une « sorcière et une pythonisse » dont la voix transmet des sons « inattendus[9] ». Janis reconnaît qu'il lui est très difficile, presque impossible de retrouver ces sons-là quand elle enregistre en studio.

La presse, consciente d'avoir affaire à un groupe novice, va se montrer magnanime. Les publications californiennes seront les plus acrimonieuses, *Rolling Stone* en tête. Le 15 mars, dans un article signé Paul Nelson, le journal traite cruellement Janis de « Judy Garland du rock », un trait d'humour qui la mortifie jusqu'aux larmes. Le *Chronicle*, sous la plume du moustachu Ralph Gleason, et l'*Examiner*, sous celle de Phil Elwood, ne seront guère plus cléments. Il s'agit pour eux d'un *backup group* monté à la hâte, et au service d'une star. Dans leur ensemble, les journalistes de la côte Ouest regrettent les fêtes spontanées de Big Brother and the Holding Company, et les envolées imprévisibles de Gurley à la guitare. Ils suggèrent même à Janis de retrouver au plus vite ses anciens compagnons de jeu. Meurtrie par ce qu'elle interprète comme un désamour, Janis s'accroche à l'alcool et à l'héroïne, personne ne semblant capable de la rassurer, de lui offrir une affection stabilisante. Au lieu de se rapprocher de ses musiciens, elle s'isole, elle couve son affliction. Les médecins et les psychologues, dont elle change souvent, ne parviennent pas non plus à la rassurer. Les concerts sont souvent chaotiques, émaillés d'incidents. Janis invective les spectateurs, surtout dans les trous les plus retirés des États-Unis, où le public a l'habitude d'assister aux concerts sagement assis, sans participer au spectacle. Après ces provocations, il n'est pas rare qu'on coupe le courant ou que la police intervienne pour distribuer des amendes.

La seule façon de souder le groupe reste de se produire encore et encore sur scène. Pour l'instant en tour de chauffe, la formation se contente de villes secondaires comme Evanston dans l'Illinois, ou Toledo dans l'Ohio, avant de se lancer sur les routes de l'Est, familières à Janis, mais pas forcément aux autres membres du groupe.

George Ostrow et Vince Mitchell remplacent Dave Richards et Marc Bronstein au bureau new-yorkais de CBS. Grossman engage Sam Gordon qui, plusieurs mois durant, va se montrer effrayé par les frasques de Janis et de son entourage. Les temps sont durs. L'incertitude s'incruste. Janis, en pleine confusion, tente de se raccrocher au quotidien par l'héroïne. Les conséquences ne se font pas attendre : en février 1969, elle subit une première overdose dans l'appartement sur Noe Street. Linda Gravenites et Sunshine parviennent difficilement à la ramener à la vie grâce à une solution de sel et d'eau glacée, la giflant violemment jusqu'à ce qu'elle revienne à elle.

La section de cuivres s'élargit encore avec l'arrivée du saxophone baryton Cornelius « Snooky » Flowers. Mais la sauce ne prend décidément pas, malgré une prestation réussie lors du Ed Sullivan Show du 16 mars. La plupart des musiciens sont là pour le cacheton et ne songent pas à entrer en communion « cosmique » avec Janis. Big Brother, en dépit de ses faiblesses chroniques, possédait au moins une âme, une éthique. Janis, consciente du malaise, l'amplifie par une attitude aussi autoritaire que négative. Son humour grinçant, son franc-parler et ses pitreries critiques finissent souvent par blesser les musiciens.

Durant ce mois de mars 1969, Janis déclare : « *Man*, je préfère vivre une dizaine d'années hyper à fond plutôt que jusqu'à soixante-dix ans, écroulée au fond d'un fauteuil face à une télé[10]. » Elle est hantée par la perspective du déclin, par l'idée de devenir une loque alcoolique. Par ailleurs, elle se politise plus ouvertement en défendant, comme Marlon Brando, la cause de l'American Indian Movement qui revendique le contrôle des ressources naturelles sur les terres indiennes et prône l'autonomie politique des réserves. Selon les termes d'un traité signé en 1868, les Indiens, soutenus notamment par les hippies et la Nouvelle Gauche, revendiquent l'île pénitencière désaffectée d'Alcatraz — située dans la Baie de San Francisco. Le Mohawk Richard Oakes et plusieurs compagnons mettront ainsi le pied sur l'île le 20 novembre 1969 pour une occupation symbolique qui s'achèvera le 11 juin 1971.

Janis croit toujours aux vertus de la vie communautaire. Elle vit dans une grande liberté de mœurs et sous l'influence « libératrice » de l'alcool et des drogues. Quand la station de radio de propagande Voice of America, installée en Europe à destination des pays communistes, la contacte, elle tourne cette démarche en dérision et propose comme slogan : « Laissez tomber vos armes et tirez-vous à toutes jambes. » Une affaire sans suite…

À mesure que le président Lyndon Johnson s'engage dans une politique d'escalade au Viêt-nam (au final, 58 000 Américains seront tués), le mouvement pacifiste s'intensifie et trouve même son hymne avec le « Give Peace a Chance » de John Lennon, accompagné par son Plastic Ono Band.

Les tensions sociales montent. L'establishment supporte de moins en moins les contestataires qui dénoncent la guerre au Viêt-nam et les injustices raciales, et qui prônent pêle-mêle l'expérimentation des drogues, la liberté sexuelle et les droits des femmes. Ainsi, le 15 mai 1969, le « Bloody Sunday », le gouverneur (élu en 1966) de Californie Ronald Reagan, très critique envers les hippies et les étudiants gauchistes, et encouragé par les ligues de vertu, décide d'effectuer une sorte de « nettoyage » de People's Park, de Berkeley, ainsi que de divers foyers activistes des alentours. Lors d'une conférence de presse, le 7 avril 1970, Ronald Reagan lâche le fond de sa pensée : « Si pour en finir il faut un bain de sang, qu'il en soit ainsi. Plus de compromis[11]. » La garde nationale investit le quartier. Il s'agit de débarrasser la ville des hippies, au sens large. D'où cette brillante envolée du comédien-gouverneur : « Un hippie, c'est quelqu'un qui s'habille comme Tarzan, a les cheveux longs comme Jane et sent comme Cheetah[12]. » On s'en prend pour commencer aux fugueurs clochardisés et aux vagabonds qui encombrent certaines rues. L'affrontement est violent. On dénombre un manifestant tué par balle, James Rector, un autre aveuglé, Alan Blanchard, et plus d'une centaine de blessés. Durant deux semaines, des échauffourées « animent » les rues de Berkeley.

Une tournée européenne, du 30 mars au 24 avril 1969, survient à point nommé pour calmer les tensions, et fuir un quotidien devenu oppressant. Linda Gravenites est de la partie, émoustillée par la perspective du voyage. On va pouvoir se changer les idées, quitter le panier de crabes du showbiz triomphant et se muer en touristes — passant même par Chartres et Venise ! — sur un terrain musicalement vierge. Le public européen et la presse, qui découvrent Janis sans préjugés, sont enthousiastes, même si les ventes de disques restent limitées sur le Vieux Continent. Au sein de la formation, l'esprit général est à la décontraction, à l'apaisement, d'autant que la drogue reste assez difficile à trouver en ces contrées. Ce détail se révèle une aubaine pour Janis, de plus en plus dépendante de l'héroïne, la seule substance qui, selon elle, lui apporte une « paix » intérieure.

Les spectateurs européens sont déconcertés devant cette petite bombe d'énergie. La tournée concerne chronologiquement les villes de Stockholm, Amsterdam, Francfort, Paris, à nouveau Stockholm, Copenhague (dans les jardins du Tivoli), puis Londres. Le dimanche 13 avril dans l'après-midi, Janis et son groupe se produisent donc à l'Olympia, à Paris, devant une assistance clairsemée. Le photographe Jean-Louis Rancurel saisit la chanteuse crinière au vent, manifestement heureuse de se produire là même où a chanté Édith Piaf, une de ses idoles. À Londres, en revanche, le Royal Albert Hall fait salle comble pour un accueil triomphal, en présence à la fois des Rolling Stones et des Beatles. La presse anglaise se montre extrêmement enthousiaste, du *Daily Mirror* jusqu'au *Melody Maker*. Sortie de son pesant contexte américain, Janis s'amuse, se défoule. En Europe, les musiciens ont trouvé une relative cohésion et deviennent un groupe digne de ce nom. Ils ont un peu partout remporté l'adhésion du public. Malheureusement pour Janis, la tournée s'achève à Londres où, de party en party, elle côtoie un milieu miné par la drogue. Sam Andrew est d'ailleurs victime d'une overdose dont il est sauvé de justesse grâce l'intervention conjointe de Janis, de Linda et de la célèbre groupie Suzy Creamcheeze. Cette dernière le ranimant dans la baignoire grâce à une thérapie sexuelle très personnelle. Dans l'angoisse du retour, Janis replonge ainsi dans l'héroïne, ce qui choque son amie Linda qui décide de rester à Londres tandis que la chanteuse rentre aux États-Unis. Linda culpabilise tout de même de rester en Europe, craignant de retrouver un jour Janis sans vie. Mais pour l'instant, convaincue qu'elle ne peut l'aider, elle s'occupe de George Harrison qui lui a demandé de concevoir un gilet.

À l'exception de très proches amis qui connaissent son penchant pour l'héroïne, Janis parvient à dissimuler son côté junkie. Même si le journaliste John Bowers, de *Playboy*, confirme un jour à Myra Friedman que Janis prend de l'héroïne en tournée. De son côté, Peggy Caserta insistera justement sur l'habileté de Janis à dissimuler sa dépendance, alors qu'elle stocke des dizaines de seringues dans une table de chevet chez son amie. Plusieurs musiciens qui ont tourné avec Janis, comme le batteur Maury Baker, prétendront après sa mort qu'ils ne s'étaient pas rendu compte qu'elle avait recommencé à se piquer. Une autre raison est sa relative infantilisation, son côté perpétuellement inquiet. Elle utilise les bouteilles comme un objet transitionnel, à l'instar d'un doudou pour bébé. Pour se rassurer, se calmer, s'étourdir. Peu importe finalement que la bouteille soit pleine ou vide, comme sur nombre de photos, elle la câline et se blottit contre elle.

Sunshine, elle aussi accro, s'installe souvent chez Janis, sur Noe Street. Bientôt, les deux amies passent un pacte protecteur : elles ne se reverront que si toutes deux décrochent de l'héroïne. Dans le cas contraire, elles resteront simplement en contact téléphonique. Après la mort de Janis, Sunshine s'inscrira à la clinique de désintoxication du quartier Haight-Ashbury.

En mai 1969, Janis Joplin apparaît en couverture de *Newsweek*. Dans l'article la concernant, elle est distinguée comme figurant à elle seule « la Renaissance du blues ». La situation demeure toutefois paradoxale. Alors que le groupe s'apprête à entrer pour une dizaine de jours dans les studios Columbia de Hollywood, le 16 juin, certains pensent déjà qu'il n'existe plus. La magie de la tournée semble s'être volatilisée, même si Gabriel Mekler et Janis composent ensemble « I Got Dem Ol' Kozmic Blues Again, Mama », qui donnera son titre à l'album. Un jour, improvisant seul au piano, Mekler est rejoint par Janis qui plaque quelques mots sur un début de mélodie et, avant de s'en rendre compte, ils composent tout le morceau dont le titre sera raccourci en « Kozmic Blues », lequel donnera son nom au groupe. Brad Campbell décrit l'ambiance générale : « Les sessions de *Kozmic Blues* se sont révélées un chaos total. Tout le monde débinait sans cesse tout le monde. C'était le foutoir le plus complet[13]. »

La production du disque est donc confiée à Gabriel Mekler qui, loin de se montrer un prosélyte du groupe, se plaint de Janis : « Bon Dieu ! Elle cherchait absolument à chanter au lieu de crier. Elle ne savait pas vraiment comment s'y prendre, mais elle voulait étendre le registre de sa voix, s'améliorer. Elle était juste dans les limbes[14]. » Quant aux musiciens, c'est la zizanie, tous se demandent ce qu'ils sont venus faire dans cette galère et se rassemblent selon leurs affinités. Ils ne sont pas convaincus par les compositions, trop calquées sur le même modèle et les mêmes plans. Le public des concerts réclamera d'ailleurs toujours les compositions de la période Big Brother and the Holding Company. Comme le Kozmic Blues Band est remanié pour la énième fois, on est loin d'atteindre la symbiose. On a changé de batteur, Maury Baker prenant la place de Lonie Castille. On fait appel à divers *session men*, mais tant qu'à faire, c'est tout le groupe qu'il aurait fallu changer pour repartir sur de nouvelles bases. Janis se retrouve livrée à elle-même, quasiment seule à porter le fardeau. C'est trop de responsabilité pour une écorchée vive, même si elle est archi-motivée. Il s'agit là de son disque solo, celui où elle doit apparaître en meneuse incontestée. C'est aussi son disque de blues. Enfin presque... En dépit des obstacles, elle tente de prêter un semblant d'âme à l'ensemble, n'interprétant que les textes qu'elle cautionne totalement. Des mots capables de soulager ses doutes et sa douleur transcendés par son chant. Un blues quotidien lancinant où se confondent son art et sa vie intime. Une vie intime toujours agitée. Peggy Caserta rejoint souvent Janis à Los Angeles pendant les enregistrements. Un soir, les deux femmes entraînent Milan Melvin dans une relation à trois qui s'annonce torride, à l'hôtel Château Marmont. Mais, sous l'effet de l'héroïne prise en commun, l'homme et Peggy tombent insonscients. Le lendemain, Peggy et Milan ayant recouvré leurs esprits, Janis leur reproche d'avoir gâché la soirée.

Le 45 tours « Kozmic Blues » doit sortir durant l'été, tandis que l'album est prévu pour novembre. Janis s'écarte de l'*acid rock* saturé de guitares de Big Brother, pour laisser libre cours aux cuivres et à un orgue presque gospel. La chanteuse prend même ses distances vis-à-vis du style de Bessie Smith. Pour la pochette, elle reste fidèle à Robert Crumb, mais ne lui confie que le lettrage du recto, sur un portrait flou d'elle-même saturé de spots rouges. Une photo de Bruce Steinberg.

Malgré des approximations, ce disque est plus personnel que les précédents, tant au niveau du choix des titres que de l'ambiance. Il y a de franches réussites, tel l'entêtant « Try (Just a Little Bit Harder) », de Jerry Ragovoy et Chip Taylor, où il est question de donner la moindre parcelle de son âme. La voix de Janis s'envole dans l'improvisation. Ce titre, grâce à la trompette de Luis Gasca et à son esprit Motown bien maîtrisé, remportera toujours un immense succès en concert. On remarque également « One Good Man », signé par Janis, où la guitare de Sam Andrew parvient à s'exprimer dignement sous l'avalanche de cuivres, aidé de Michael Bloomfield, non crédité parmi les participants au disque. Ainsi que la complainte « Little Girl Blue », déjà chantée par Ella Fitzgerald, avec un quatuor à cordes habilement ajouté. Ce morceau, de Lorenz Hart et Richard Rodgers, devait être le pendant de « Summertime » pour ce disque. « Little Girl Blue », et l'album dans son ensemble, est dédié à la très chère amie Nancy Gurley, décédée le 4 juillet d'une overdose d'héroïne, alors qu'elle campait le long de la Russian River, près de Healdsburg, avec James et leur fils Hongo Ishi. Nancy est morte brusquement alors qu'elle faisait la lecture à son fils âgé de trois ans. James passe alors des moments effroyables, étant accusé de meurtre pour avoir lui-même injecté la drogue dans le bras de sa femme. Janis volera aussitôt à son secours, déboursant plus de 25 000 dollars pour le sortir d'affaire grâce à l'avocat Michael Stepanian, un des grands défenseurs de la communauté hippie. Plus tard, Janis viendra également au secours de Sam, arrêté pour une sombre histoire de papiers d'identité qui n'auraient pas été en règle.

Hélas, Janis ne tirera aucune leçon de cette perte cruelle. En effet, son premier réflexe consiste à se faire une piqûre d'héroïne pour évacuer la douleur. Cette réaction est d'autant plus navrante que, peu avant sa mort, Nancy s'inquiétait au sujet de Janis, écrivant ce message destiné à Richard Hundgen : « De grâce, prends bien soin de Janis, notre canari. » Comme le souligne justement Jean-Claude Carrière :

> De l'herbe verte à la poudre blanche : lancée dans la douceur de l'herbe de printemps, l'utopie américaine s'est achevée dans l'amertume de la neige d'hiver[15].

Une reprise réussie du « Dear Landlord » de Bob Dylan, enregistrée le 17 juin, est curieusement écartée de l'album et ne paraîtra qu'en 1999 parmi les *bonus tracks*, après avoir été inhumée six ans plus tôt lors de la parution du coffret intitulé *Janis*. Deux autres morceaux d'un intérêt discutable seront tardivement ajoutés, de pâles versions *live* de « Summertime » et de « Piece of My Heart », enregistrées lors du festival de Woodstock. Contre toute logique, il s'agit de titres de la période Big Brother, et surtout de versions qui ne tiennent guère la comparaison avec les précédentes. Les cinq autres titres sont l'excessivement « cuivré » « Maybe » de Richard Barrett, « As Good As You've Been To This World » et « Work Me Lord » du fidèle complice Nick Gravenites, « To Love Somebody », une reprise du tube de 1967 des Bee Gees, et enfin « Kozmic Blues », la composition commune Janis Joplin et Gabriel Mekler. Cette dernière, qui était au départ dominée par le clavier, avant que les cuivres ne recouvrent le tout, n'est pas dépourvue de feeling authentique.

Pourtant, en dépit de quelques éclats, ce disque semble à plusieurs égards être un gâchis ou peu s'en faut. Myra Friedman stigmatise l'affaire : « Un bruyant staccato d'incohérence musicale, dominé par une section de cuivres[16]. » On est loin du feu sacré et des montées d'adrénaline de l'ère Big Brother and the Holding Company. Michael Bloomfield apporte son soutien (non crédité) aux arrangements et à la *lead guitar*, plaçant parfois Sam Andrew dans une situation embarrassante. Ce dernier ne comprend plus trop ce qu'il fait parmi ces musiciens en quête de cacheton et peu concernés par le résultat final. Alors qu'il aurait voulu être l'âme instrumentale du projet. Déboussolée, Janis fait enfin son amant de ce frère de route, avant de le virer du groupe après convocation dans sa chambre. Sam s'emporte, lui rappelle que c'est Chet Helms et lui qui l'ont créée. *Bad trip* assuré, même si la mise à pied se trouve finalement différée ! Vexé, Sam accepte cependant de rester jusqu'à ce que Janis lui trouve un remplaçant, qui sera le Canadien John Till. Le dernier concert de Sam avec Janis a lieu le 19 juillet au Forest Hills Stadium de New York, le guitariste rejoignant alors Big Brother and the Holding Company. La situation est devenue à ce point intenable pour Andrew qu'il quitte la scène avant même la fin du concert. Apercevant dans les loges un énorme sac de pistaches apporté par Albert Grossman, il en déverse une grande partie dans son étui de guitare. Selon lui, un geste symbolique. Il recevait enfin « quelque chose » de la part d'Albert. Sam et Janis, pratiquement voisins en Californie, vont rester amis, leurs groupes respectifs partageant plusieurs fois la même affiche.

Face au relatif naufrage annoncé, deux solutions se présentent : soit Janis s'abandonne totalement à la drogue, soit elle fait face, seule contre tous. Elle choisit la seconde voie… non sans emprunter parfois la première. Elle veut sauver l'entreprise et affirmer son statut de chanteuse qu'elle ne prend jamais à la légère. Gabriel Mekler aura au moins eu une initiative heureuse, durant l'enregistrement de ce disque, en décidant d'héberger Janis chez lui. La chanteuse fut ainsi contrainte de partager pendant plusieurs semaines la vie de famille du producteur, avec femme et enfants, ce qui l'a détournée un moment de son penchant à l'autodestruction.

Cependant, l'album n'est pas un échec commercial, loin s'en faut, puisqu'il atteindra tout de même la 5e position au *Billboard* le 18 octobre, et y restera en lice plus de quatre mois. Les 45 tours, eux, n'atteindront pas les quarante premières places.

Le 3 juillet 1969, Brian Jones est retrouvé mort dans sa piscine de Hartfield, dans le Sussex. Une disparition prémonitoire. Cendres et cercueils vont alors s'accumuler à grande vitesse. Brian est l'un des tout premiers d'une longue liste d'artistes majeurs du rock à disparaître aussi tragiquement que prématurément, à l'âge de vingt-sept ans, ou presque. Dans l'ordre, on relève les noms d'Otis Redding en 1967, de Brian Jones en 1969, de Jimi Hendrix, Al Wilson et Janis Joplin en 1970, de Jim Morrison et Duane Allman en 1971, de Ron « Pigpen » McKerman et Gram Parsons en 1973, de Cass Elliot en 1974, de Tim Buckley en 1975, de Keith Moon, Ronnie Van Zant et Marc Bolan en 1977. *Riders on the storm…* Autant de disparitions qui rassurent les partisans de l'ordre, hostiles aux manifestations de liberté.

Suite à sa prestation au festival pop d'Atlanta, début juillet, où elle chante en duo avec Little Richard, Janis est de retour à New York. Elle doit faire sa première apparition télévisée au populaire Dick Cavett Show, le 18 juillet, puis se produire le lendemain au Forest Hills Stadium. En dépit de ses problèmes avec la drogue et l'alcool, Janis n'a encore jamais fait annuler le moindre concert. Elle veille à monter sur scène consciente et ponctuelle. Janis ne se pique jamais avant un concert, mais juste après, une fois que s'estompe la montée d'adrénaline provoquée par le show et l'affection rassurante mais éphémère du public, comme si l'extériorisation fantasmée de la scène laissait soudain place à un gouffre vertigineux.

Janis se plaint par ailleurs que la presse s'intéresse davantage à son style de vie et à ses frasques qu'à la singularité de sa voix ou à sa technique de chant. Elle voudrait être considérée et respectée en tant que vocaliste. Toutefois, elle croit comprendre pourquoi il en est ainsi : « La seule raison que je puisse trouver, c'est que la plupart des artistes ont une vie professionnelle *et* une vie privée bien distinctes, alors que, chez moi, les deux se confondent. Sans doute le public apprécie-t-il d'ailleurs davantage ma musique s'il est convaincu que je me détruis moi-même[17]. » Lors de la même interview, elle reconnaît implicitement consommer des drogues et de l'alcool. Sans oublier les amphétamines. Curieusement, il est possible que les effets combinés de ces drogues aient freiné sa déchéance physique. Car il est plus grave de s'adonner à une seule drogue dure de façon constante et irrémédiable. Comme Janis n'est jamais sûre de pouvoir se procurer de l'héroïne en tournée, elle se rabat sur l'alcool, qui lui sert d'assurance stress en attendant de retrouver de la drogue. Certains, comme Vince Mitchell ou John Cooke, vont bien tenter de la mettre en garde contre les drogues et l'alcool, mais les réactions violentes de la chanteuse découragent vite tous ceux qui osent s'aventurer sur ce terrain. Elle joue volontiers de son statut de star et décourage ses amis par des attitudes intimidantes : défi des valeurs morales, de la raison et, aussi, défi de la mort. Comment concilier sa dépendance à la drogue et sa conscience professionnelle débordante ? Certes, il y a l'alcool et la drogue, mais également toutes sortes de sucreries hypercaloriques dont elle se gave pour se remonter le moral. Le tout, additionné, lui provoque une surcharge pondérale. Au pire, elle peut ainsi atteindre les soixante-quinze kilos pour un mètre soixante-cinq, alors que son poids idéal oscille plutôt entre les cinquante-cinq et soixante kilos.

Durant l'été 1969, l'Amérique profonde s'est trouvé un rêve par procuration avec le premier homme sur la Lune, Neil Armstrong. Mais pour une autre Amérique, moins concernée par l'astronomie, c'est avant tout la saison des grands festivals en plein air, des immenses fêtes collectives. Janis est donc sur les routes, courant de concert en concert avec le Kozmic Blues Band, depuis le festival pop d'Atlanta jusqu'à celui de Woodstock, en passant par La Nouvelle-Orléans de son adolescence. Elle harangue le public, l'incite à bouger, à sauter, danser, à partager sa frénésie scénique. Quand les spectateurs sont trop sages, elle menace de quitter la scène et d'interrompre le concert. À la façon de Jim Morrison, elle cherche la réciprocité, la participation physique et psychologique du public. Le happening permanent.

Elle cherche aussi à agacer la police et les promoteurs : « C'est ça le rock. Ce que j'essaie de vous dire, c'est de bouger votre cul et de réagir[18] ! » Elle attend du répondant et de la participation. Ce qui l'intéresse, c'est la symbiose, une communion quasi charnelle avec la foule ; elle parvient toutefois à éviter les débordements, même s'il y a de temps à autre des dégâts matériels.

Au début d'août 1969, Janis se décide à passer neuf jours à Saint-Thomas, une clinique de désintoxication, dans le but de freiner sa dépendance. Mais c'est l'échec.

Juste avant Woodstock, Janis convoque amants et maîtresses de sa cour au Holiday Inn réquisitionné par les organisateurs. Un jour, elle congédie Vince Mitchell et lui annonce l'arrivée imminente de quelqu'un de très proche, sans préciser le sexe de la personne. Vince doit déguerpir, remplacé sur le seuil de la chambre par Peggy Caserta. Le lendemain, contrairement à ses habitudes, Janis se présente devant des journalistes en présence de Peggy, caressant ostensiblement sa magnifique poitrine. Janis se croit soudain au-dessus des rumeurs, au pays où tout est permis.

Peu avant, Janis a fait un rapide crochet par les îles Vierges où John Morris, l'un des organisateurs du festival de Woodstock, lui a prêté sa maison. À son retour, quand il lui demande si tout s'est bien passé, elle répond avec forfanterie : « Oh, comme partout ailleurs. J'ai baisé avec un paquet d'inconnus[19]. » Elle s'égare, ne maîtrise plus rien dans sa vie. Et il y a ce concert monstre qui s'annonce avec un groupe dont déjà elle ne veut plus. Elle est dans un flou permanent sous l'effet de l'alcool, toujours une bouteille à la main.

En ce mois d'août 1969, Janis prend donc la direction de White Lake et Bethel, où elle doit participer au Woodstock Music and Art Fair, autrement dit l'Aquarian Exposition. « Three Days of Peace and Music. » Un festival de paix et de convivialité organisé sur les terres du fermier Max Yasgur à Bethel, par quatre jeunes audacieux : John Roberts (un héritier fortuné — mais plus pour longtemps !) et Joel Rosenman (un diplômé de Yale), ainsi que Mike Lang (organisateur du Miami Pop Festival) et Artie Kornfeld (néophyte vice-président de Capital Records). Mais les temps ont déjà bien changé depuis Monterey ; l'industrie musicale et les imprésarios pullulent en coulisses, réclament des cachets et des défraiements faramineux. Jimi Hendrix est le plus doté avec 18 000 dollars, Janis arrive en cinquième position avec 7 500 dollars, alors que des artistes comme Santana et Ten Years After sont loin d'atteindre les 1 000 dollars. L'esprit généreux et fraternel qui régnait deux ans plus tôt semble d'une autre époque, même si les groupes californiens dans leur ensemble vont encore dominer l'événement. Cette fête démesurée va se dérouler pendant trois jours de musique quasi ininterrompue — premiers groupes sur scène dès 7 heures du matin ! — dans des conditions dantesques, sur le plan climatique comme sur celui de la surpopulation. Plus de 500 000 spectateurs accourent de partout. Une infime minorité acquitte les 18 dollars du billet d'entrée pour les trois jours. La pluie abondante transforme la plaine en un véritable bourbier, notamment le dernier jour. Des hordes bariolées et chevelues se grisent de liberté collective, donnent en spectacle leur mode de vie débridé aux riverains ahuris devant cette invasion pacifique et pacifiste. L'heure est au vagabondage sexuel et à la dope, à la fraternité et à l'amour, avec des bains nus collectifs dans différents points d'eau. Une génération a découvert le désir pour le plaisir et non plus pour la simple procréation et la perpétuation de l'espèce dans le respect d'une pesante morale religieuse. Le spectacle de ce vaste capharnaüm est relayé par les médias omniprésents. On assiste au ballet d'une quinzaine d'hélicoptères transportant les musiciens et divers privilégiés. Tout le pays est témoin et prend conscience d'une liesse collective surprenante. Le réseau routier est totalement saturé, les voitures abandonnées sur plus de cinquante kilomètres le long de la New York Thruway. L'ambiance est au chaos, entretenu par le mauvais temps, la pénurie de nourriture, les ordures accumulées, le manque de sanitaires. Néanmoins, au-delà de ces conditions difficiles, c'est le triomphe d'une musique qui sera répercutée dans le monde entier grâce au film *Woodstock* de Michael Wadleigh, avec la collaboration de Martin Scorsese comme assistant. Les jeunes sont heureux de se retrouver entre eux, sans police, sans surveillance, face à leurs héros musiciens, des héros de leur âge ou presque. Ce n'est pas un festival au sens strict, mais plutôt la manifestation d'une culture, l'expression d'une communauté d'esprit et d'un mode de vie. On se croirait dans un rêve éveillé où l'on se reconnaît en se blottissant les uns contre les autres, oiseaux meurtris tombés du nid étouffant de la société de consommation. Avec la musique comme détonateur. Un flot incontrôlé d'énergie. La plupart des grands artistes rock sont là, ainsi que des musiciens comme Ravi Shankar — avec son sitar et ses ragas —, qui a tant influencé le rock psychédélique. Mais ce ne sont pas forcément les plus grandes stars qui font un malheur, hormis Jimi Hendrix en clôture paroxystique. Les prestations de Country Joe McDonald, Santana, Joe Cocker (« With a Little Help to My Friend ») et Ten Years After (« Goin' Home ») vont rester parmi les plus mémorables. Janis Joplin, quant à elle, va plutôt rater ce rendez-vous historique. Elle reste trop longtemps confinée dans la zone réservée aux artistes et techniciens, habillée d'une longue robe bariolée, portant comme à son habitude de longs colliers de perles et une multitude de bracelets. Elle apparaît d'abord souriante et détendue, photographiée une bouteille de champagne à la main, après avoir déambulé un flacon dans chaque main, tequila et vodka.

Les services de sécurité, dérisoires, sont débordés, les palissades arrachées. Le concert devient en quelque sorte gratuit. Les organisateurs auront largement l'occasion de se rattraper durant les décennies suivantes grâce aux produits dérivés. Janis s'ennuie en attendant de longues heures son passage sur scène. Ce qui n'est guère recommandé dans son cas, alors qu'elle traverse une période de déstabilisation et perd facilement le contrôle sur toute chose. Elle commence à mélanger les alcools, tout en s'inoculant de l'héroïne. Elle se produit finalement avec une demi-journée de retard. Dans un état second, en pleine nuit, plusieurs personnes doivent la soutenir afin qu'elle entre sur scène. L'œil hagard, ricanante, un sourire crispé lui déformant le visage, pieds nus, chancelante, Janis demande même où se trouve le public ! Sa voix est faible, hésitante, parfois étouffée, surtout quand elle prononce « Please » comme un appel désespéré. Elle doit même s'interrompre un instant, prononçant un discret « Oh ! » de dépit, avant de reprendre maladroitement, *a cappella*. Elle est livrée à elle-même par une formation invisible dans tous les sens du terme, trop distante et doucereuse, sans âme collective à laquelle se raccrocher comme à l'époque de Big Brother. Les guitares sont inaudibles, absentes, les cuivres recouvrent tout, même le martèlement d'une batterie au son désordonné. Les cris félins restent bloqués dans sa gorge. Le groupe, lui aussi, se montre déplorable, molasson, démotivé. Janis se retourne souvent, égarée, à la recherche de musiciens dissimulés dans la pénombre. Comment oublier ce « détail » : quelques jours plus tôt, Sam Andrew a quitté la formation pour retourner en Californie et réintégrer Big Brother and the Holding Company. Il a été remplacé en catastrophe par John Till, lancé dans un baptême du feu des plus périlleux. Pour la cohésion du groupe, c'est le coup fatal, même si John se révèle être un superbe instrumentiste. Janis a coupé le lien avec son passé récent. La magie du Monterey Pop Festival semble appartenir à une tout autre histoire. Même si elle est à l'aise dans ce contexte, lançant au public qui commence à manquer de nourriture : « S'il vous reste quelque chose à manger, le gars à votre droite est votre frère, et la fille à votre gauche est votre sœur, alors partagez en toute fraternité[20]. »

Compte tenu du résultat, Grossman s'oppose à ce que la prestation de Janis et du Kozmic Blues Band figure sur la version originale du film de Michael Wadleigh. L'intransigeant manager s'oppose également à ce que le Band apparaisse dans le film, et ne donne finalement son accord que pour Richie Havens. Janis n'apparaîtra que sur la seconde édition, en 1994, et pour trois minutes à peine. Le titre du document deviendra alors *Woodstock : The Director's Cut !* et quarante minutes seront ajoutées à la version d'origine. Le festival terminé, Janis regagne New York et le Chelsea Hotel en compagnie de Peggy Caserta, où les deux femmes convoquent différents hommes pour de chauds trios. Kim Chappell, restée à San Francisco, n'apprécie pas du tout l'escapade de Peggy sur la côte Est. Janis semble devenue plus qu'une concurrente entre elle et son amie.

Si 1969 est l'année de Woodstock et celle d'un grand espoir pour une partie de la jeunesse américaine, c'est aussi le début de la grande désillusion. Sam Andrew en parlera, bien des années plus tard, avec une amertume amusée :

> Le rock, les hippies, ce fut comme tout le reste : au début c'était affaire d'amour, de liberté, comme les premiers chrétiens. Et puis, peu à peu, sont arrivés le pape, l'Inquisition, l'or[21]... !

Le pendant ouest du festival de Woodstock, le Wild West Festival, est annulé dix jours avant sa programmation fixée au 22 août. Les nouvelles contraintes légales et l'augmentation considérable des taxes d'assurance ont pratiquement rendu impossible l'organisation de manifestations musicales géantes. Le concert dramatique d'Altamont, au cours duquel un spectateur est assassiné par les Hell's Angels, en décembre 1969, viendra accentuer ce climat de défiance servant à merveille les politicards trop ravis d'épouvanter à bon compte leur électorat.

Un tragique fait divers va également contribuer à ternir le mirage hippie. Dans la nuit du 8 au 9 août 1969, à Benedict Canyon, le gourou sanguinaire Charles Manson expédie quatre de ses psychopathes pour assassiner et mutiler au couteau cinq personnes dont l'actrice Sharon Tate, enceinte du réalisateur Roman Polanski. Un réalisateur intrigué par le satanisme, puisqu'il a lui-même réalisé l'année précédente le film *Rosemary's Baby*, où le mari d'une jeune femme enceinte fréquente une secte qui, en l'enfant à venir, voit Satan incarné. Le mot *pig* est barbouillé avec du sang sur les murs. Mais, en fait, Manson cherchait à se venger du producteur Terry Melcher (qui a refusé de s'occuper de lui en tant qu'artiste) et de l'actrice Candice Bergen. Or le couple a déménagé plusieurs semaines plus tôt…

Le massacre rituel commis par Manson et sa bande n'est pas un acte isolé. Il figure parmi une longue série de crimes démoniaques, dont la plupart à caractère raciste, et sera savamment exploité. Manson et sa bande sont arrêtés et condamnés à mort. Une certaine presse et les cercles politiques réactionnaires font rapidement l'amalgame pour discréditer le mouvement hippie dans son ensemble. Et la musique rock, puisque Manson prétend avoir été influencé par des paroles de chansons. Mais cette monstruosité fera réfléchir un grand nombre d'adeptes dans les communautés et contribuera au rapide déclin du mouvement. C'est un déclic inexorable. Nombre de jeunes ont l'impression qu'on est allé trop loin, et qu'il est illusoire de vouloir créer une société en marge, une « société dans la société », repliée sur elle-même. D'autant que les premières études sérieuses effectuées sur le LSD donnent des résultats alarmants qui font douter les adeptes les plus convaincus. Les frontières entre rêve et folie s'estompent parfois dangereusement. Un certain effroi gagne le mouvement qui commence à se déliter sous l'effet d'une paranoïa générale savamment entretenue. La fin de la décennie va tourner au cauchemar. Nombreux sont ceux qui rentrent dans le rang, cherchent la sécurité, le confort et le travail régulier. Retour vers la télévision ronronnante, la voiture rutilante, le psychanalyste en vogue et le réfrigérateur bourré à craquer.

La même année, le jeune acteur Dennis Hopper réalise *Easy Rider*, un film prémonitoire sur la fin du rêve hippie, à partir d'un scénario de Peter Fonda, avec une B.O. réunissant les Byrds, Jimi Hendrix et Steppenwolf. Hopper et Fonda interprètent deux motards *sur la route*, chevauchant leurs *choppers* à très large guidon et longue fourche, vivant de trafics divers entre le Mexique et La Nouvelle-Orléans. Ils sont rejoints un temps par un avocat aussi progressiste qu'alcoolique interprété par le jeune Jack Nicholson. Tous trois seront confrontés à l'impasse des communautés hippies rurales et à la ségrégation antijeunes à cheveux longs qui règne encore dans l'Amérique profonde. Cette errance tragique, éloge de la différence et de la liberté individuelle, s'achève dans un bain de sang. Les jeunes révoltés sont broyés par un système pourtant désuet et périmé en apparence. Ce film, qui a reçu le prix de la Première Œuvre à Cannes en 1969, permet de comprendre combien la société américaine était alors coupée en deux, entre les jeunes et les anciens, entre les réalistes et les utopistes. Ce que Jerry Rubin soulignera en ces termes : « L'apathie, le désespoir, le cynisme et la solitude se mirent à dominer, et nous oubliâmes qui nous étions devenus[22]. »

Affligée par la perte de son chien George, disparu alors qu'elle l'avait laissé dans sa Porsche décapotable, Janis cherche aussitôt à compenser. Elle acquiert à Larkspur une maison calme et silencieuse, la dernière au fond d'une impasse ombragée donnant sur West Baltimore Avenue. Ce nouveau domicile, précédemment occupé par un chirurgien-dentiste, est nettement plus en rapport avec son statut de rock star. Il est niché dans une zone boisée de la péninsule de Marin County. Janis devra attendre décembre avant d'y emménager avec sa gardienne, ses animaux et toute une ribambelle d'amis ou prétendus tels. C'est une bâtisse massive et rustique, aux poutres apparentes, avec des portes vitrées coulissantes et des pièces immenses dont deux salles de bains. L'une de ces deux salles, lors des gigantesques fiestas, sera réservée aux amis qui prennent de l'héroïne. Un spacieux living-room lumineux est décoré de tapis orientaux fixés aux murs ou posés à même le sol, de meubles de style victorien et d'imposants lustres pendus au plafond. Janis supplie Linda de quitter Londres pour venir la rejoindre dans cet écrin isolé, pour l'aider à s'installer et lui confectionner des vêtements de velours et de satin. Janis souhaite créer un repaire paisible, à l'écart de la frénésie du milieu du rock, un lieu où se ressourcer et vivre différemment. Elle semble alors déborder de bonnes intentions : « Je vais avoir un piano et, pour une fois, je vais essayer de vivre selon l'"autre manière". Tu te souviens, on avait discuté des deux façons d'affronter le Kozmic Blues... L'une consiste à se défoncer et à connaître le plus de bon temps possible, la seconde à tenter de s'accepter et de se mettre en accord avec soi-même. Eh bien, je vais tenter la façon n° 2. Plus de dope, promenade en forêt, reprise du yoga, peut-être même de l'équitation (te marre pas), et puis essayer d'apprendre le piano — il me semble que tout ça, au-delà de l'excitation d'acquérir une maison aussi paisible, tout ça devrait être merveilleux. On devrait vraiment être heureuses ici, je le sens, et j'ai vraiment besoin de toi. Je t'en supplie, viens[23]. »

En attendant, Janis se fait confectionner des costumes de scène par la maison Nudie's, de Hollywood, spécialisée dans la country music : « Ils font ces *incroyables* vêtements western — tellement voyants et pimpants. Tout à fait ce que je cherche ! J'ai un ensemble violet avec des fleurs et des volants, rehaussés de toutes sortes de cailloux du Rhin colorés. Je suis très excitée — de vrais cailloux du Rhin colorés[24] ! » Janis, qui cherche toujours à convaincre Linda de quitter Londres et de la rejoindre, lui décrit divers aspects de la maison : « Le balcon est vaste, avec des bancs un peu partout, un barbecue encastré ; il surplombe un ruisseau, et des séquoias passent carrément à travers le plancher. Je vais en faire abattre quelques-uns pour qu'on puisse voir le soleil l'après-midi — parce qu'en ce moment tout est dans l'ombre. [...] Le garage est presque aussi confortable qu'une tanière. Tout est équipé pour la stéréo[25]. » Janis se réjouit aussi que l'ancien propriétaire lui laisse plusieurs meubles dont un lave-vaisselle et une superbe table de billard Baldwin millésimée 1906, l'année du fameux tremblement de terre. Cette lettre, derrière les propos enthousiastes et rassurants, s'apparente à un véritable appel au secours. Entre les lignes, Janis avoue sa peur du vide et de l'isolement, elle confie implicitement qu'elle se drogue, qu'elle est stressée et manque d'activités sportives. Il y a toujours chez elle cette peur panique de se retrouver seule, face à elle-même. À une époque où tout le monde considère l'autodestruction comme un choix personnel qu'il convient de respecter.

Durant l'été, Janis et son roadie et amant occasionnel Vince Mitchell ont combiné de faire du camping dans les collines boisées d'Austin. Les premières vacances de la chanteuse depuis longtemps auront donc lieu en compagnie de partenaires de tournée plutôt qu'avec des intimes. L'occasion se présente après une série de concerts estivaux. Début octobre, la chanteuse, George Ostrow, Vince et le frère de ce dernier louent une camionnette, la bourrent de matériel et de provisions, et partent une semaine pour pêcher, nager et faire des randonnées. Janis amuse ses compagnons en refusant de se séparer de ses bottes de scène argentées… Quittant les bois, les quatre comparses louent un bateau et partent à la pêche. Plus tard, non sans amertume, Vince fera cette remarque en repensant à ces journées idyliques : « Elle n'imaginait même pas qu'on puisse s'amuser comme ça, en vivant dehors, sans rien glander. En fait, personne n'avait jamais pris la peine de lui consacrer du temps et de la rendre heureuse[26] ! » Hélas, il faut bientôt rompre cette parenthèse pour un concert à l'université du Texas, à Houston. Janis est dépitée de constater que ses anciens camarades ne viennent pas la trouver à la fin du concert. Puis le cirque infernal reprend ses droits. À nouveau déprimée, elle avoue être intriguée d'apprendre ce qu'on dira à son sujet après sa mort. Commentant la disparition d'un comédien qu'elle a fréquenté, elle déclare cependant à Linda : « Il y a ceux qui meurent et ceux qui survivent. Moi, je suis de ceux qui survivent[27]. » Moins d'un an plus tard, elle sera retrouvée morte dans une chambre d'hôtel.

Un autre ne survit pas non plus au mouvement hippie. Et c'est peut-être tout un symbole. C'est Jack Kerouac. Revenu de tout, ombre de lui-même, l'écrivain meurt très diminué, le 24 octobre 1969, âgé seulement de quarante-cinq ans. Dès 1970, les mouvements beat et hippie n'existeront plus vraiment. Et cette fois, il semble qu'il n'y ait personne pour passer le relais à la génération suivante… C'est le chant du cygne de l'utopie, du rêve en un monde meilleur. La planète entière va se durcir, se rembrunir, se sectariser dans la haine de l'autre.

Sam Andrew assiste à un concert de Janis au Hollywood Bowl. Convaincu que le nouveau guitariste lui a volé son « léché » de guitare et divers plans musicaux, très contrarié, il quitte le show avant la fin, en compagnie de Peggy Caserta. Apprenant cela, Janis sera ulcérée. Sam ne comprend pas pourquoi elle s'est séparée de lui, sinon qu'elle veut sans doute s'affranchir de la période Big Brother, dont lui-même demeurait un fort symbole. De rage, il se débrouille pour pénétrer dans la chambre de Janis au Landmark Hotel afin de lui dérober de l'héroïne.

À l'automne, la nouvelle conquête de la chanteuse est le râblé Paul Whaley, le batteur explosif et fondateur du groupe Blue Cheer. Quoique psychédélique et très proche des Hell's Angels, cette formation joue un rock surpuissant qui en fait l'un des précurseurs du hard rock. Le *summer sound* de 1967 est déjà en train de bifurquer sur une voie dure, et entreprend peut-être un mauvais voyage.

Linda Gravenites quitte enfin Londres, le 15 novembre, pour retrouver la chanteuse à New York. *A priori*, c'est une très bonne nouvelle pour Janis. Une amie authentique revient vers elle pour la protéger. Et briser l'omerta de son entourage au sujet de la drogue. Il faut dire que tous ceux qui ont tenté de l'en éloigner en ont été pour leurs frais. Quant à Grossman, il se réfugie dans son rôle de producteur papa poule, à la fois laxiste et pragmatique, passablement lassé des caprices et frasques de son artiste. Peu importe les excentricités de Janis, du moment que les disques se vendent, que les concerts s'enchaînent et que l'argent rentre. *The show must go on…*

Linda est interloquée de voir à quel point Janis collectionne les amants ou maîtresses d'un soir, mais leurs retrouvailles sont chaleureuses. Bientôt, elle commence à concevoir de nouveaux vêtements de scène, notamment pour l'important concert prévu en décembre au Madison Square Garden.

Le 16 novembre 1969, Janis rejoint une fois de plus Jim Morrison dans la légende. Celui-ci s'est fait arrêter sur scène devant 12 000 spectateurs au Dinner Key Auditorium de Miami, le 1er mars précédent, pour « conduite impudique sur scène, attentat à la pudeur, obscénité et ivresse publique ». Une affaire pour laquelle il risque sept ans de prison. Janis va l'imiter en se faisant elle aussi arrêter en Floride, à la fin d'un concert, dans les coulisses du Curtis-Hixon Hall de Tampa. Elle est interpelée pour propos obscènes en public. Ce soir-là, le concert est particulièrement torride et le public déchaîné après une première partie assurée par l'indéfectible ami B.B. King. Ça bondit un peu partout comme des kangourous, sur les fauteuils et dans les allées, et même sur la scène prise d'assaut. Les flics commencent à être sérieusement sur les dents. Depuis Woodstock, les autorités ont senti qu'elles ne devaient plus se laisser déborder par cette jeunesse trop enthousiaste et rebelle. Bien sûr, pour Janis, il est hors de question de faire un appel au calme au micro. Elle se contente de lâcher : « Rappelez-vous ça, si vous ne détruisez rien, ils ne pourront rien faire contre vous[28]. » Mais les policiers, inflexibles, exigent que les spectateurs restent assis et que personne ne bouge. Comme c'est loin d'être le cas, ils investissent la scène au beau milieu de « Summertime », avec sirène et porte-voix pour ordonner au public de se taire et de rester tranquille. Janis sort de ses gonds, s'empare du porte-voix, insulte les *pigs* — comme elle les appelle sur place — et frappe même l'un d'eux à la tête. Le public adore et applaudit à tout rompre. L'électricité est coupée, le concert s'achève dans la confusion. Excédée, Janis harangue un policier pour avoir eu le culot d'interrompre son concert. Évidemment, elle le fait dans son langage explicite, résolument paillard, et la police l'inculpe pour propos « vulgaires et indécents ». Après plusieurs incidents du même genre, les contrats prévoient des retenues sur cachet en cas de débordements jugés immoraux ou illégaux. Le 20 novembre, Janis et son avocat Herbert Goldburg sont convoqués au quartier général de la police, à Tampa. La chanteuse est photographiée tout sourire à la sortie du bâtiment, en veste et toque de fausse fourrure, levant le bras et faisant le V de la victoire. Les choses rentrent dans l'ordre avec le règlement d'une caution. Du moins le croit-on sur le coup, car les répercussions seront plus graves que prévu auprès des programmateurs de concerts, peu enclins à jouer les aventuriers. La perspective de s'attirer des ennuis avec la police pousse nombre d'entre eux à annuler des engagements, ou tout simplement à éviter d'inviter Janis Joplin et d'autres artistes à problèmes, comme les Doors. Janis et Jim commencent à être catalogués pour leur alcoolisme et leurs attitudes provocatrices. Les forces réactionnaires continuent leur reprise en main, après avoir donné le pouvoir au président Richard Nixon.

Dix jours après le concert de Houston, Janis est de retour à New York. Avec l'appui de Myra Friedman, mais aussi d'Albert Grossman qui voit les clignotants rouges s'accumuler le long du parcours de sa chanteuse, Linda Gravenites se résout à aborder frontalement le problème de la drogue. Après une réaction furieuse, Janis se rend à l'évidence et accepte de consulter un endocrinologue réputé pour son action auprès des toxicomanes. Mais elle ne freine pas ses activités.

Le 27 novembre, à l'occasion du concert des Rolling Stones au Madison Square Garden de New York, Janis chante en duo avec Tina Turner, une amie dont elle apprécie depuis longtemps la chorégraphie effrontément sexuelle. Puis elle se produit dans la foulée au festival rock de West Palm Beach.

L'aventure hippie et les sixties vont recevoir le coup de grâce le 6 décembre 1969, à l'occasion du concert gratuit des Rolling Stones organisé à l'Altamont Speedway Stadium, dans la grande banlieue de San Francisco. Cette manifestaion, bâclée dans sa préparation, est filmée par les frères Maysle sous le titre *Gimme Shelter*. Elle va dégénérer malgré la présence des Rolling Stones, de Gram Parsons, du Jefferson Airplane, de Crosby, Stills, Nash and Young et de Santana. Près de 300 000 spectateurs se retrouvent piégés dans un traquenard. Le Grateful Dead a recommandé qu'on s'adresse aux Hell's Angels pour assurer le service d'ordre. Rémunérés en bière à volonté, les motards de l'enfer vont faire preuve d'un zèle outrancier dans cette mission. Ils abattent en plein concert Meredith Hunter, un spectateur noir de dix-huit ans. Le film tiré du concert démontre clairement que plusieurs Hell's Angels ont bel et bien participé au crime. Mais l'opinion publique attribuera généralement ce désastre au mouvement hippie dans son ensemble, et l'assassin, Alan Pasaro, sera même acquitté. C'est une catastrophe. La violence tant bannie semble reprendre ses droits sur l'idéal de paix du *Summer of Love*. Un idéal que certains auront beau jeu de caricaturer, même si la réputation des Hell's Angels en prendra un sacré coup, avec leurs symboles nazis dont, dans bien des cas, ils ne connaissent pas eux-mêmes la signification. Les Hell's sont pour la plupart des prolétaires analphabètes, portés avant tout sur la boisson, les motos, le cuir et la castagne. Ainsi, les jeunes se battent entre eux, une aubaine pour les forces réactionnaires du pays. On entre alors dans une zone de paranoïa de plus en plus inévitable. La presse nationale et la police se déchaînent sur les brisées de l'affaire Manson.

Le 9 décembre 1969, Janis pénètre dans le cabinet du docteur Ed Rothchild, à l'institut Sloan Ketelring. D'entrée de jeu, avec son bagou intarissable, elle cherche à convaincre le médecin que la drogue a sur elle un effet calmant, quasiment thérapeutique. Bref, que son usage est indispensable dans son cas ! Rothchild, en dépit de son expérience, est décontenancé par l'attitude de cette patiente hors du commun : « Elle était vraiment capable de manipuler qui que ce soit. Le problème est que si son intelligence était redoutable, ses émotions, en revanche, demeuraient enfantines et ingérables. Quelque chose semblait la pousser à parler sans cesse. Elle était incapable de rester en place, tranquille. Elle était toujours remontée. Je devais absolument la laisser parler. Je crois qu'elle n'aurait pas toléré que je l'interrompe[29]. » Ed Rothchild réussit à lui faire avouer qu'elle a déjà dû faire face à six cas d'overdose jusqu'à ce jour, entre juillet 1968 et décembre 1969. Il lui fait subir des tests pour connaître l'état de son foie, qui curieusement ne révèlent rien d'alarmant, ce qui incite Janis à fanfaronner de façon provocante : « Eh bien, voilà qui prouve à quel point je suis quelqu'un de sain et de costaud[30] ! » Mais, derrière cette boutade, elle a flairé le danger. Elle se met à la Dolophine, une sorte de méthadone en cachets destinée à agir comme un leurre pour détourner les héroïnomanes de leur dépendance. Mais elle suivra le traitement deux petites semaines seulement... Ce qui est un peu juste dans son cas ! Même si elle accepte de consulter un psychanalyste de San Francisco. Pour mieux rassurer Myra Friedman, elle lui lance un jour : « T'en fais pas pour la dope, j'y toucherai plus jamais... sauf si je décide un jour de me foutre en l'air[31]. » Tout à fait rassurant, en effet !

Toujours animée par une énergie hors du commun, Janis aime créer de mini-scandales dans les magasins où son accoutrement et son attitude alarment les commerçants : « On ne me traite jamais correctement avant que je commence à aligner les billets de 100 dollars[32] ! » Janis se met ensuite à chercher des conquêtes prestigieuses pour épater la galerie. Elle fréquente l'acteur Michael J. Pollard, remarqué dans *Bonnie and Clyde*, et fantasme sur le joueur de football Joe Namath, le célèbre quarterback qu'elle évoque même dans sa chanson « Ego Rock ». Elle passe souvent ses après-midi à boire et à jouer au billard au Anxious Asp, sur Green Street. Là où Jack Kerouac lisait jadis ses poèmes et où les murs des toilettes sont tapissés de pages du fameux rapport Kinsey sur le comportement sexuel des Américains.

À la mi-décembre, Janis et son groupe donnent un concert à Nashville, où la chanteuse interprète pour la première fois sur scène la chanson de Kris Kristofferson, « Me and Bobby McGee ». Pour l'occasion, elle fait la une du *Nashville Tennes-*

sean. Le groupe file ensuite à New York. Le 19 décembre, au Madison Square Garden, devant 17 000 personnes ayant payé leur place 7,50 dollars, Janis et le Kozmic Blues Band donnent leur dernier concert de l'année. Il s'agit également du dernier spectacle de la chanteuse avec cette formation. Compte tenu de l'acoustique déplorable de la salle, le show est décevant, même si ses amis Johnny Winter et Paul Butterfield viennent la rejoindre sur scène. Michael Pollard, Bobby Neuwirth et Linda sont présents. Ainsi que Toby Ross, un type de vingt-deux ans raccolé par Janis sur Bleeker Street, au Nobody's. Ce bar du Village est devenu son lieu de chasse privilégié pour lever les jeunots. Les goûts de Janis, question hommes, varient d'un extrême à l'autre, entre le genre bûcheron velu et le style damoiseau androgyne. Élevé en France et en Angleterre, Toby est excité à l'idée de s'immiscer si facilement dans l'univers d'une star dévergondée, qu'il décrit comme l'« ultime fille américaine ». Une équipe de télévision se trouve dans les coulisses avec le journaliste Scott Osborne. Janis se démène en vain au sein d'un groupe de musiciens fantômes. Seules les interventions de Paul Butterfield et Johnny Winter parviennent à sauver la soirée. De plus, le public se montre trop sage au goût de Janis qui l'incite à se lever et à danser. On frôle la catastrophe ; le désastre du concert de Tampa n'est-il pas en train de se reproduire ? En fait, Janis a la tête ailleurs. Elle pense aux vacances prévues au début de l'année 1970, qui serviront à décorer sa maison nouvellement acquise en Californie. Elle sait aussi que l'heure est venue de créer un nouveau groupe. Le Kozmic Blues Band s'est éteint en ce soir de décembre. Janis a toutefois le grand plaisir de voir Bob Dylan honorer la petite sauterie mondaine organisée par Clive Davis après le concert.

Le 20 décembre, elle s'envole pour la Californie accompagnée de Toby Ross. Elle se donne trois semaines pour aménager sa maison de Larkspur, entourée de séquoias. Dave Richards, l'ancien roadie, s'occupe des travaux de charpente et de menuiserie ; il est chargé de transformer le garage en studio d'enregistrement. Janis organise fin décembre une mémorable pendaison de crémaillère où coule bien sûr l'alcool à flots, et où circulent toutes sortes de produits illicites. Les musiciens de Big Brother sont de la fête, sauf Sam Andrew qui a décliné l'invitation. Ils côtoient sans heurts les membres du Kozmic Blues Band, et Janis confie en aparté à James Gurley qu'elle est fermement décidée à se séparer d'eux. Sur le tard, elle se retire dans sa chambre en compagnie de Peggy Caserta et de Mike Bloomfield — la nouvelle proie de Peggy après qu'elle eut croqué Sam Andrew. Ensemble, ils se piquent à l'héroïne tandis que 300 à 400 invités déchaînés s'éparpillent à l'extérieur parmi les séquoias et les eucalyptus. Linda, tout comme le voisinage de ce quartier hyperchic de Marine County, est accablée par le spectacle de cette bacchanale.

En cette fin d'année, la revue *Jazz and Pop* sacre Janis Joplin « meilleure chanteuse pop ». La nouvelle résidente de Larkspur songe alors à se faire tatouer par Lyle Tuttle. Grand maître du genre, Tuttle va aussi graver la peau de diverses célébrités, de Joan Baez à Cher, en passant par Peter Fonda, Gregg Allman et Kris Kristofferson. Il s'est lui-même fait graver son premier tatouage à l'âge de quatorze ans, en 1946, alors qu'il a fait une fugue. Pensant faire plaisir à sa mère, l'adolescent se fait dessiner sur le bras droit un cœur avec le mot *Mother* à l'intérieur. Émue, celle-ci n'osa pas le gronder. Se sentant encouragé, Lyle se fit progressivement tatouer le corps entier, à l'exception du visage, des mains et des pieds. À partir de 1949, il a consacré sa vie entière à une pratique qu'il contribua à transformer en art, jusqu'à ouvrir bien plus tard à San Fransisco le plus important musée au monde consacré au tatouage. Personnage de légende, Lyle Tuttle fit très tôt la couverture de *Rolling Stone*, et même du *Wall Street Journal*.

Les ateliers de tatouage, souvent situés dans les quartiers malfamés, sont d'autant déconsidérés dans les années 1960 qu'une épidémie d'hépatite vient de frapper les États-Unis. On accuse ces échoppes de manquer aux règles d'hygiène. Rares sont alors les femmes qui osent ce genre de pratique, car elles risquent d'être marginalisées, comme marquées au fer rouge de la déviance. Lyle, à cette époque, est persuadé qu'il participe ainsi à la libération de la femme, les tatouages étant jusque-là surtout réservés aux militaires, aux marins, aux prostituées et aux durs à cuire comme les Hell's Angels. Janis se fera tatouer la formule *One for the boys* et un petit cœur rouge très fin sur le sein gauche, ainsi qu'une discrète fleur sur le talon droit et un bracelet florentin tricolore sur le poignet gauche. À l'occasion d'un passage au Dick Cavett Show, en 1970, elle dira au sujet de ses « décorations » : « Le tatouage sur mon poignet est pour tout le monde, celui sur mon sein est pour moi et mes proches. » Puis, après une pause, en étouffant un rire : « C'est juste un extra pour les mecs, une sorte de cerise sur le gâteau[33]. » Encore une fois prudente en ce domaine, elle ne précise pas « pour les filles et pour les garçons ». Lyle Tuttle, devenu un familier de la maison de Janis, y réalisera parfois des tatouages pour les amis de passage. Jusqu'à dix-huit convives dans la même soirée… À la mort de la chanteuse, dans une interview accordée à *Rolling Stone*, Tuttle révélera avoir effectué plusieurs centaines de tatouages du petit cœur de Janis pour des fans.

Une fois les libations terminées, Janis se retrouve souvent seule dans sa grande maison de banlieue. Elle écume les bars du secteur et devient une habituée du très classe Trident, à Sausalito, où on la voit souvent traîner jusqu'à la fermeture. Là, elle boit et pérore, laissant éclater son rire féroce. Linda, qui rêvait de tranquillité dans la grande maison, ne suit pas Janis dans ses dérives. Elle déprime à son tour, découragée par les errements de son amie. Pour la rassurer et lui démontrer qu'elle peut décrocher de l'héroïne si elle le veut, Janis lui propose de partir en vacances à Rio de Janeiro, pour le carnaval. Cette idée lui est venue au souvenir du film *Orfeu Negro* de Marcel Camus, d'après une pièce de Vinicius de Moraes.

Un film de danses, de mythes et de rythmes, où un conducteur de tramway est élevé au rang de Dieu grâce à ses talents de danseur et de guitariste. Un film où tous les acteurs sont noirs, comme Bessie Smith et Otis Redding, même si la bossa-nova remplace ici le blues dans une descente aux enfers qui fascine Janis.

Tels des papillons attirés par une flamme 1970

Nous vivons ensemble, nous agissons et réagissons les uns sur les autres ; mais toujours, et en toutes circonstances, nous sommes seuls. Les martyrs entrent main dans la main, dans l'arène ; ils sont crucifiés seuls[1].

ALDOUS HUXLEY

Elle a été mystérieusement désignée. Sur scène, elle apparaît comme l'offrande majeure, centrale, du sacrifice. Elle court pour nous au-devant de la mort. Je n'ai jamais rencontré pareille évidence. Elle meurt pour nous[2].

JEAN-CLAUDE CARRIÈRE

Tobby Ross est de retour à New York le 6 janvier. Au lieu de profiter du calme revenu, Janis se sent comme une lionne en cage dans sa trop grande maison. Elle continue de sortir sans cesse et rôde dans les alentours en quête de n'importe quelle aventure capable de tromper son ennui. Elle a atteint la célébrité, mais sans que cela lui apporte le moindre repos. La notoriété la pousse dans une fuite en avant incontrôlée. Son côté cyclothymique et capricieux ne fait que s'accentuer.

Lassée par les critiques de la presse, le manque de cohésion du groupe et l'absence de connivence musicale, Janis a donc décidé de dissoudre le Kozmic Blues Band. Au sein de cette formation, elle a éprouvé un trop grand sentiment de solitude. Tout cela n'a fait que la rapprocher de l'alcool et de différents produits de l'oubli, héroïne en tête. Cette fois, aucun remords ne la ronge, contrairement à ce qui s'était passé lors de sa séparation avec ses amis de Big Brother and the Holding Company. Pour le coup, elle se borne à licencier des employés peu motivés. Mais il fallait tenter l'aventure, essayer d'ouvrir d'autres voies musicales. Quoique dépitée, Janis est bien décidée à se lancer dans une autre expérience. En attendant, elle souhaite tenir la promesse faite à Linda en fin d'année.

Au début de février 1970, Janis et Linda Gravenites prennent donc l'avion pour des vacances au Brésil. Afin de sortir du cycle infernal de la dépendance, mais aussi pour se reposer de l'enchaînement effréné des concerts et enregistrements. Les deux jeunes femmes assistent au carnaval de Rio de Janeiro, là où le rythme est sans fin. Durant cette escapade, éloignée de la faune de parasites qui gravitent autour d'elle, redécouvrant les avantages de l'anonymat, Janis parvient à se détacher un temps de l'héroïne. Linda et Janis ont loué un superbe appartement avec vue directe sur l'océan. Elles se baignent chaque jour, puis se reposent avant de faire la fête toute la nuit en dansant la samba. Un matin, Janis fait même une belle rencontre sur la plage. Le solide et jeune barbu, originaire de Cincinnati, se nomme David Niehaus. Il vient d'achever ses études en droit et a décidé de s'offrir un voyage autour du monde avant de commencer sa carrière de professeur. Immédiatement enthousiaste, Janis avoue au téléphone à Myra Friedman qu'elle n'a jamais été aussi heureuse et qu'elle en profite pour faire le point. Elle plaisante même, proposant à Myra d'avertir *Rolling Stone* du scoop : elle a décidé de s'enfoncer dans la jungle, emportée par « un grand ours d'homme ». Malgré cette idylle soulignée par un paysage paradisiaque, Janis ne saurait oublier sa carrière. Elle adresse alors un câble angoissé à Albert Grossman : « Je sais bien que je ne suis ni le Band ni Dylan, mais occupe-toi de moi aussi[3]. » Ce câble affecte quelque peu le manager, qui affectionne sincèrement Janis. Mais, victime de son succès, il gère avec difficulté son écurie de stars et procède en fonction de la courbe des ventes, accaparé en parallèle par la construction d'un nouveau studio, celui du label Bearsville. On le voit ainsi de moins en moins au bureau new-yorkais. Janis et David Niehaus partent alors pour deux semaines en amoureux dans la jungle, puis au Salvador, où Janis trouve le moyen de chanter trois soirs de suite dans le bar attenant à un bordel.

Fin février, Linda est de retour à la maison de Larkspur pour superviser les travaux de charpenterie et s'occuper des trois chiens (dont un berger des Pyrénées, Thurber, ainsi nommé en hommage au conteur et caricaturiste James Thurber) et des deux chats de Janis. Elle retrouve Dave Richards, l'ami commis aux opérations de bricolage, ce qui laisse aux deux tourtereaux une semaine de répit au Brésil. David devait ensuite accompagner sa nouvelle amie aux États-Unis, mais des problèmes administratifs contraignent Janis à rentrer seule. Lorsque David finit par la rejoindre en Californie, Janis a eu le temps de replonger dans le milieu du show-biz, de renouer avec ses multiples fréquentations et de reprendre ses mauvaises habitudes, à commencer par l'héroïne. Déjà, les bonnes résolutions sont oubliées. David panique, lui demande d'abandonner sa carrière et toutes ces folies, puis de partir avec lui autour du globe, d'abord en Turquie, puis au Népal. Janis lui propose de l'accompagner sur les routes en qualité de collaborateur personnel, ce qu'elle n'a proposé à aucun autre homme jusqu'à ce jour. Ils ne parviennent à se convaincre ni l'un ni l'autre, et David part donc seul, la mort dans l'âme. Tous deux s'aiment d'un véritable amour, mais David, comme tant d'autres jeunes à cette époque, ne rêve que de voyages autour du monde, puis d'une vie tranquille, sans contrainte particulière, auprès d'une gentille institutrice. Sans compter que l'entourage de Janis, Peggy Caserta en tête, ne voit pas cet intrus d'un bon œil. De toute façon, Janis est viscéralement attirée par son destin de chanteuse, ce que ne comprend pas le nounours des plages brésiliennes. Janis va s'emparer de cette nouvelle douleur, de ce nouveau blues, et le chanter. Épouvanté par le microcosme trépidant dans lequel Janis se débat, David prend le large. Il a découvert la dépendance de Janis à l'héroïne, ainsi que sa liaison avec Peggy Caserta. Janis lui a même proposé de former un trio érotique. C'en est trop pour le paisible garçon qui met le cap sur l'Asie. Cette nouvelle séparation replonge Janis dans ses habitudes de fuite du quotidien et de dépendance à tout ce qui l'éloigne de la réalité. Une illusion de paix s'est envolée.

Entourée de musiciens, de fans surexcités, de gens du business et de fournisseurs de drogue, Janis s'étourdit dans un tourbillon incessant. Les fêtes désenchantées se succèdent. Janis s'enfonce dans une solitude ponctuée de rencontres sans lendemain. Elle se défonce pour faire face à cette valse des sentiments. Les parasites sont légion autour d'elle. Sa gloire et son argent charment les médiocres. Et Janis se laisse attirer tel un papillon vers une lumière incandescente. Elle joue de sa notoriété, s'habille de façon toujours plus extravagante, tente de profiter des moindres privilèges que lui confère son statut de star. Mais elle n'en est pas dupe et consulte à nouveau un psychanalyste. Sans grande conviction. La fin des années 1960 connaît un grand boom pour la psychanalyse. Les parents désemparés envoient leurs enfants drogués ou fugueurs chez des spécialistes, ou carrément en cure en Europe et ailleurs.

Linda se désole en constatant que la parenthèse brésilienne n'a pas servi à grand-chose. Elle se replie dans un mutisme réprobateur. À force de ne plus se parler, sinon pour s'adresser des reproches, l'ambiance devient insoutenable dans la maison. Janis finit un jour par lui rétorquer que si elle n'est pas contente, elle n'a qu'à partir ! Abattue, convaincue que c'est sans espoir, Linda s'entend répondre : « Bien, demain je serai partie. » Elle n'est pas la seule à vouloir sauver Janis. Sunshine respecte le pacte douloureux qui l'éloigne de son amie tant que l'une d'entre elles n'abandonne pas l'héroïne. Grossman, de son côté, essaie d'expédier Janis en cure de désintoxication au Mexique. Mais en vain. Il est trop occupé par ses affaires pour donner une suite efficace à ce qui va demeurer une velléité. Lorsque Janis se plaint d'avoir besoin de telles béquilles pour supporter son quotidien, le comédien Peter Coyote lui rétorque que si ses journées sont à ce point insupportables, elle n'a qu'à les changer ! Mais Janis se sent incapable d'infléchir le cours des choses.

Le 28 mars 1970, au studio D de Columbia, à Hollywood, Janis retrouve ses amis Paul Butterfield et Mike Bloomfield, au sein du Butterfield Blues Band. Sous la férule de Todd Rungren aux manettes, elle enregistre avec eux « One Night Stand » de Barry Flast et Sam Gordon — deux compositeurs à la solde de Grossman. Hélas, ce titre ne figurera que sur l'album posthume *Farewell Song*, en 1982. Ce morceau pop blues chargé de feeling démontre à quel point Rundgren aurait pu être le producteur idéal pour Janis. Mais la chanteuse va presque toujours contourner cette évidence, et notamment sur ce coup-là. Elle refuse d'assumer les paroles, trop « limpides » à son sens. Pourtant, l'équilibre est parfait entre l'harmonica de Paul et la guitare de Mike, jamais envahissants, et une section de cuivres parfaitement dosée derrière une rythmique souple et bien balancée. C'est même un instant de magie où, d'une voix admirablement maîtrisée, Janis trouve une chanson qui rend parfaitement compte de sa détresse existentielle du moment. « Où que j'aille, on veut s' rapprocher de moi. / Ça me va tant que le jour suivant je me sens libre[4]. » Il n'est pas étonnant que sa voix soit à ce point fébrile et nuancée en exprimant tant de solitude.

Début avril 1970, Linda laisse place à la jeune Lyndall Erb, une fan ravie de s'installer chez Janis. Sa présence contrarie cependant quelques intimes, comme Sunshine qui juge que cette jeune fille ne fait pas partie de leur cercle. Durant un temps, Grossman va compter sur Lyndall pour surveiller Janis, jusqu'au jour où il constate que les deux femmes sont devenues des amies. Mortifiée par le départ de Linda Gravenites qui veillait sur elle, Janis téléphone à Myra Friedman pour épancher sa douleur. Mais nombre de ses amis finissent par se lasser et Myra se montre directe : « Tu sais, Janis, Linda ne pouvait plus supporter ton comportement de junkie. Et c'est pareil pour moi. Personne parmi tes proches ne peut plus le supporter[5]. » Janis s'effondre, clame qu'elle n'a pas l'intention de rester une camée, qu'elle entend réagir. Ce qu'elle va en effet tenter de faire. Mais le départ de Linda la marque énormément. C'est un nouveau désamour. Un point de non-retour. Elle est délaissée par son amie la plus proche comme elle a été abandonnée peu auparavant par l'homme qui comptait le plus pour elle. Elle n'a même plus de groupe. C'en est trop. Linda représentait un garde-fou contre la réalité, et cette protection a disparu. Reste la douleur vive et plus personne pour calmer le jeu, surtout pas Peggy, entraînée dans le même tourbillon. Janis panique et semble renoncer à l'héroïne, se contentant de la Dolophine, mais personne n'y croit plus dans son entourage. Elle tente bien une nouvelle analyse jusqu'à la mi-mai, avec un autre spécialiste, mais elle n'estime pas avoir besoin d'une thérapie à long terme. D'autant plus que ce praticien s'évertue à la convaincre de changer radicalement son style de vie. Janis lève le coude dès son lever, pour rester dans un état second jusqu'au soir. Les concerts sont comme une rémission où elle donne le meilleur d'elle-même avant de finir la nuit à nouveau dans l'excès.

Janis se joint à Big Brother and the Holding Company pour un concert au Fillmore West, le 4 avril, suivi d'un autre au Winterland, le 12 du même mois. Bill Graham, ému par ces retrouvailles, fait peindre la loge de Janis en violet, sa couleur favorite. Il ajoute des fleurs, du gin et du guacamole dont elle est friande. Nick Gravenites, le parolier qui a remplacé Janis au sein de la formation, interprète avec elle le blues « Ego Rock » qu'ils ont écrit ensemble. Derrière des paroles ouvertement biographiques, le rire de Janis est éclatant de malice et illustre sa rancœur à l'endroit de son passé texan (« Port Arthur est le pire endroit que j'aie jamais connu. / Je n'appellerai jamais le Texas ma maison »). Le son est abrupt, mais Janis chante de façon déchirante, bouleversée par l'intensité de ce vrai blues où il est question d'incompréhension ambiguë (« Je suis un grand garçon maintenant »), de vengeance (« Et j'ai réussi à aimer chaque homme qu'elles n'auront jamais ») et de douleur (« Les femmes se retrouvent toujours à chanter le blues[6] »). Mais Janis est déçue de constater que Big Brother a déjà oublié une partie de son ancien répertoire. Les rumeurs de reformation vont bon train, mais demeureront sans fondement. Big Brother et Janis ont fait des choix de carrière radicalement différents. Aussi apparaît-elle encore plus déprimée après ces retrouvailles pourtant chaleureuses.

En avril et mai 1970, Janis doit donc former son troisième groupe, avec le soutien — plus attentif cette fois ! — de l'échaudé Albert Grossman. Pour commencer, le manager charge Bob Neuwirth de veiller au grain afin d'éviter les égarements coutumiers. Neuwirth semble l'homme de la situation, étant donné qu'il a déjà assuré une semblable mission auprès de Jim Morrison, à la requête de Paul Rothchild. Grossman ne veut surtout pas reproduire l'erreur commise lors de la formation du Kozmic Blues Band. On commence ainsi par évacuer la pesante section de cuivres pour favoriser cette fois les claviers. Grossman exige des arrangements plus sobres et entend éliminer les grenouilles de studio. Il faut dénicher de véritables complices pour Janis. Sur ses recommandations, Nick Gravenites et Michael Bloomfield sont chargés d'aider la chanteuse à constituer le casting. Histoire de ne pas repartir de zéro, Janis et Albert ont la pertinence de retenir deux membres du Kozmic Blues Band, le bassiste Brad Campbell et le guitariste John Till, qui vient de remplacer Sam Andrew. Ainsi assure-t-on un minimum de cohérence au départ et peut-on maintenir l'ancien répertoire, du moins en partie. Le batteur Clark Pierson est repéré tout à fait par hasard, alors qu'il joue dans un club de strip-tease de San Francisco. Pour l'orgue, on retient les services de Ken Pearson, qui s'est autant fait remarquer sur la scène jazz que sur la scène rock au Canada. Le jeune pianiste Richard Bell est débauché auprès de la formation rock du chanteur Ronnie Hawkins, lui-même à l'origine du groupe The Band. Comme conseillers artistiques pour les compositions, l'apport est majeur, puisqu'on parvient à attirer Bobby Womack et Spooner Oldham dans le projet. Cette fois, Grossman suit de près les répétitions, qui ont d'abord lieu dans le garage de la maison de Larkspur. Il rentre confiant et rassuré à New York. Les amis les plus proches de Janis à cette époque sont Peter Coyote, Nancy Getz, Linda et Nick Gravenites, Tom Donahue, mais aussi Dave Richards, toujours accaparé par les travaux dans la maison, et Vince Mitchell dans le rôle de l'amoureux transi.

Janis retrouve quelque enthousiasme en sentant qu'un clan solide est en train de se souder. Ses nouveaux musiciens représentent une sorte de compromis entre ses précédents groupes. Au niveau humain, tout semble coller, et pour Janis, c'est essentiel. Primordial pour son feeling personnel. Afin de mieux illustrer l'effet obtenu, on baptise le groupe Full Tilt Boogie (« Guinche à fond la caisse » !), un nom dû à Janis et à Bob Neuwirth. À la décharge du Kozmic Blues Band, il faut reconnaître que Janis n'avait pas beaucoup aidé le groupe à trouver son unité, car elle était trop dépendante à l'héroïne. Cette fois, détachée pour un temps de son fardeau, elle réussit à forger une âme commune à ce groupe en parfaite symbiose avec elle.

Si Janis s'éloigne de l'héroïne, elle se garde un exutoire avec ce qui restera malgré tout sa « drogue favorite » (l'expression est de John Cooke), l'alcool. Une drogue qui a l'insidieux mérite d'être légale... Car Janis a besoin de vivre dans une ivresse permanente. Comme nombre d'alcooliques, elle pense que cette dépendance est cool, sympa aux yeux de son entourage, contrairement à l'héroïne. Elle prend soin de s'entourer de musiciens qui ne rechignent jamais à lever le coude, sans pour autant être des alcooliques invétérés. Cette confrérie conforte son vice. Ceux qui ne peuvent suivre le rythme s'éliminent d'eux-mêmes. Ken Pearson, petite nature, manque ainsi à plusieurs reprises de jeter l'éponge.

Cela n'empêche pas Janis d'être clairvoyante quant à sa dépendance. « Ah ! c'est sûr, si tu appelles aller mieux le fait de se contenter d'une bouteille quotidienne de tequila, alors pas de problème, je vais mieux[7] ! » lance-t-elle avec une moue ironique à l'attention de Vince Mitchell.

Cette fois, elle semble sûre de son affaire. Elle évolue enfin au sein d'une formation chaleureuse et solidaire, essentiellement constituée de musiciens canadiens. Alors qu'elle avait plutôt été une pièce rapportée au sein de Big Brother and the Holding Company, et qu'elle s'était égarée au centre du puzzle hétéroclite du Kozmic Blues Band. Soudain très enthousiaste, elle lance : « Je peux enfin dire à ces mecs ce que je souhaite... et ils le font ! C'est *mon* groupe. Je possède enfin *mon* groupe bien à moi[8] ! » Pour autant, la démarche musicale n'est pas radicalement différente. Le blues demeure central, même si l'on évite autant les approximations avant-gardistes de Big Brother que les boursouflures du Kozmic Blues Band. Le producteur Paul Rothchild veille au grain, remonté qu'il est par le talent de Janis. Les concerts de cette période seront parmi les plus réussis de la chanteuse. Le groupe, décidé à la mettre en avant, laisse sa chanteuse assurer le show en toute confiance. Son expression corporelle est impressionnante, toute en transe et déhanchements. Sa façon de chanter se transforme, sa palette vocale gagne encore en maîtrise. Les hommes sont émoustillés quand elle lâche : *« I need a man to love me, don'cha understan' me, baby ? »* Les femmes, elles, sont bouleversées de voir l'une des leurs s'offrir ainsi sans retenue. Corps et âme. Dans un rituel primitif. Elle frappe le sol, déploie sa crinière, lance de lascifs feulements et s'adresse à chacun parmi le public. La musique pulse sur les traces du fauve avant de s'estomper en nuances, tandis qu'un cri final aigu traverse l'auditoire. Janis tient longuement la note jusqu'à ce que la foule se déchaîne une fois le morceau achevé.

En ce printemps 1970, le brillant entremetteur Bobby Neuwirth se présente comme le « compagnon de beuverie » de Janis. Neuwirth et son ami texan Kris Kristofferson, alors âgé de trente-quatre ans, vont séjourner plusieurs semaines chez la chanteuse, dans la maison de Larkspur. Janis tombe aussitôt amoureuse du séduisant Kris. Chanteur et auteur-compositeur du futur grand hit de Janis, « Me and Bobby McGee », Kristofferson est doué d'un charisme impressionnant. Il est au seuil d'une grande carrière d'acteur, à la fois pour Sam Peckinpah, Dennis Hopper, Martin Scorsese, Michael Cimino, James Ivory, Tim Burton et John Sayles. Rien que ça ! « Me and Bobby McGee » est pour lui un morceau autobiographique, que Janis va s'approprier, notamment sur le plan des paroles. Celles-ci lui rappellent son départ en stop depuis le Texas vers la Californie, en compagnie de Chet Helms. Peu lui importe que Roger Miller ait déjà enregistré une version country de ce titre.

Durant ces quelques jours, Janis est plutôt en forme et ne semble pas toucher aux drogues dures. Elle inflige d'abord un sévère marquage à la culotte au beau Kris, ne cessant de tourner autour de lui dans ce qui restera une mémorable période de délire éthylique et musical. Kris apprécie Janis, mais à l'époque il souffre d'une bougeotte aiguë, et cette passade le distraie tout au plus. Pour le retenir, Janis commet l'erreur de lui présenter ses amies intimes, auprès desquelles il va produire un effet certain. Ainsi Peggy Caserta, mais aussi Kim Chappell vont-elles sérieusement s'occuper de son cas, vantant ses yeux bleus, sa voix craquante et son corps d'athlète « pour lequel on serait prête à mourir ». Elles qualifient Kris de « divin », et le jugent même comme « un amant supérieur » ! Janis regrette vite la publicité faite autour de l'oiseau... Kris rejette par ailleurs une grande partie de l'entourage de Janis. Il méprise tous ces parasites. Ces gens qui profitent sans vergogne de la générosité de la chanteuse. Une générosité motivée par une hantise de la solitude. Janis cherche maladivement à être entourée, adulée, rassurée. Ce printemps-là, elle prend la fâcheuse manie de demander un peu n'importe qui en mariage. Cette marotte passagère, qui révèle une fois de plus le côté instable de sa personnalité, est en contradiction totale avec son goût forcené de l'indépendance et de la liberté. Un temps, elle feint même de rêver à une vie casanière de femme au foyer, mais personne ne la croit dans son entourage, ne serait-ce qu'un instant. Janis aux fourneaux et au plumeau, dans l'attente, le soir venu, d'un *square* largué ou d'un jeune cadre hyperstressé ? C'est pourtant ce qu'elle prétend parfois en fanfaronnant. Le séduisant Kris, pour sa part, ne songe qu'à déguerpir malgré les bringues où le trio passe le plus clair de son temps à écumer les bars de Sausalito et des environs. La nuit est consacrée à des fêtes mémorables dans la maison de Larkspur. Ces fêtes réunissent parfois une bonne centaine de convives, inconnus ou amis proches, comme l'acteur Michael Pollard qui filme même certaines libations. Les noubas organisées chez Janis, épiques, sont parfois préparées par un type bizarre, le Fantôme, habillé en Indien et qui se prend volontiers pour le Christ. Le type est toutefois efficace pour assurer la vaisselle et le ménage, puisque « le turbin rapproche de Dieu », selon ses propres termes. Le matin, à son réveil, Kris n'a guère le loisir de se livrer à une réflexion approfondie. « Je me levais avec la ferme intention de me tirer vite fait, mais Janis se ramenait avec les verres du petit déjeuner (en fait des *piña colada*), et très vite nous étions faits, incapables de penser, et par conséquent de partir. Quand elle se sentait insultée, ce qui était fréquent, elle te le faisait savoir. Elle était toujours là à se plaindre de la faune qui vivait à ses crochets, mais c'est bien elle qui rameutait tout ce monde, ce qui ne l'empêchait aucunement de se plaindre que chez elle c'était devenu une véritable pension[9]. »

Toutefois, non sans mal, le divin Kris va finir par s'extirper de ce guêpier de stupre, en laissant derrière lui un superbe cadeau d'adieu pour le nouvel album, sa chanson « Me and Bobby McGee ». Même s'il ne l'a pas écrite à l'origine pour Janis.

Courant mai, les affaires doivent impérativement reprendre leur cours. Janis s'active à préparer une série de concerts dans la région de San Francisco. Kristofferson a donc repris sa route, *This Old Road*, comme il intitulera son album chef-d'œuvre, plus de trente-cinq ans plus tard, toujours aussi intègre. Sur le titre « Final Attraction », il cite même encore le nom de Janis Joplin, l'implorant de revenir parmi d'autres fantômes comme Hank Williams ou Jimi Hendrix.

Pour Ken Pearson, le rythme des fêtes est décidément trop trépidant, tant au niveau de l'alcool que de celui des filles ou des répétitions épiques, sans parler du manque de sommeil. Il annonce à Janis au téléphone qu'il est en passe de devenir un véritable zombie et qu'il doit malheureusement quitter le groupe. Janis, sans se démonter, lui répond calmement : « De quoi tu as besoin pour supporter ça ? Tu veux des pilules, le nom de mon docteur[10] ? » Janis va finir par le convaincre de rester.

On organise bientôt un concert de chauffe en vue d'une première tournée. Depuis qu'elle a dédié son album *Cheap Thrills* aux Hell's Angels de Frisco, Janis a pris ses distances avec ses encombrants compagnons motards, à quelques exceptions près, comme Sweet William — qui recevra une balle dans la tête le jour de la mort de Janis et restera paralysé —, Crazy Pete et Freewheelin' Frank, qui écrit des poèmes. Ce recul remonte à l'automne 1969 quand Janis fut frappée et plaquée contre un mur, chez elle, dans son appartement de Noe Street, par un des Angels avinés. Ceux-ci s'étaient invités à une party et avaient fait main basse sur un stock du disque « I Got Dem Ol' Kozmic Blues Again Mama ! » La tragédie d'Altamont, quelques mois plus tôt, avait eu raison des illusions de Janis à leur propos :

> Après m'avoir frappée, un type est revenu me voir pour me dire : « T'aurais dû me dire qui t'es. » Je lui ai répondu qu'ils devraient se montrer plus cohérents. Conduisez-vous donc en salauds tout le temps, comme ça, au moins, vous serez d'authentiques hors-la-loi et vous pourrez être fiers de vous[11].

Tandis que le groupe répète à Larkspur, une délégation de Hell's Angels, emmenée par Sweet William, vient proposer à Janis d'animer une petite fête dans leur goût. En fait, comme à son habitude, la délicate confrérie ne lui donne pas vraiment le choix. Janis se dit alors, quitte à tester le nouveau show, autant le faire devant ce public peu regardant. Ainsi, quelques jours plus tard, le groupe se retrouve sur la scène d'une salle délabrée de San Rafael, le Pepperland, encerclée de motos aux larges guidons. Un panonceau provocateur stipule : « On est prié de laisser ses armes à l'entrée. » Pas moins de 2 000 Hell's Angels et un public filtré par eux se serrent dans la bâtisse. Les Anges se sont organisés pour que le distributeur de Southern Comfort de la côte Ouest sponsorise la soirée. Une délicate attention visant à remercier Janis, même si à cette époque elle délaisse quelque peu sa boisson fétiche au profit de la tequila. Les Hell's se chargent également des autres ingrédients nécessaires. L'ambiance est d'autant moins triste que les anciens partenaires de Big Brother and the Holding Company, avec leur nouveau chanteur Nick Gravenites, se produisent également sur scène ce soir-là ! L'affaire semble tourner au duel musical. Mal à son aise, Janis fait particulièrement honneur au sponsor de la soirée, tandis que le Full Tilt Boogie se terre dans sa loge. Big Brother et Nick Gravenites jouent en ouverture. Des Angels s'occupent du changement de matériel sur scène entre les deux prestations. Juste avant le show, à moitié ivre, Janis est mêlée à une bagarre avec un des Gypsy Jokers, qui veut boire dans sa bouteille. Heureusement, Sweet William et quelques Hell's prennent la défense de Janis. Une Janis contusionnée et titubante monte alors sur scène dans une chaleur suffocante. Tout le monde semble en nage ce soir-là, et pas seulement à cause de la chaleur… Mais le set arrive à son terme sans incident majeur, même si Janis s'effondre en sortant de scène. Grands seigneurs, les Angels rémunèrent le groupe pour sa prestation et remettent une liasse de billets à Grossman, venu spécialement de New York pour l'occasion. Ce dernier connaît ce soir-là l'une des plus belles frayeurs de sa carrière d'agent artistique. Janis finit par s'évanouir, toute surprise de sortir indemne de pareil traquenard. Neuwirth, Cooke et Kristofferson — ce dernier venu spécialement pour l'occasion — ont réussi à l'extraire de là et à l'allonger dans la voiture. Après l'avoir laissée chez elle dans un état lamentable, ils filent aussitôt retrouver Kim et Peggy au Trident, pour une fin de nuit qui s'annonce torride.

Le lendemain, au téléphone, Janis confie à Myra Friedman que les Hell's Angels la dégoûtent. Elle lui avoue aussi qu'elle ne se souvient absolument pas de son passage sur scène, mais juste de la présence embarrassante des membres de Big Brother, ainsi que d'une bagarre dont elle garde encore les stigmates. Après cette soirée éprouvante, elle tombe dans une minidépression sans cause, typique des alcooliques. Une déprime qui s'amplifie lorsqu'elle apprend que Kim et Peggy ont fini la nuit avec *son* Kris. Quoi qu'il en soit, les journalistes présents, et tout le monde en fait, semblent convaincus que Janis est enfin accompagnée par un groupe cohérent, digne de son talent. Le meilleur qu'elle ait connu jusque-là. Le groupe joue vraiment pour elle et souligne ses qualités d'interprétation, attentif aux moindres détails. Un concert triomphal au Freedom Hall de Louisville, le 12 juin, le confirme, mais ce soir-là on frôle l'émeute, Janis donnant encore violemment du poing contre un membre de l'équipe de surveillance.

Janis se régale après avoir été éloignée de la scène pendant cinq longs mois. Le public lui manquait, avec son tropisme d'amour qui la rassure, la réconforte comme une prise de drogue. Une étreinte cosmique et charnelle. Son désir et son énergie sont immenses. Et puis il faut réamorcer la pompe à finances. L'album du Kozmic Blues Band remonte à l'automne 1969. John Cooke, après avoir fini ses travaux de menuiserie à Larkspur, reprend ses fonctions de road manager, au grand soulagement de nombreux proches de Janis. Lui seul est capable de la faire taire en cas de crise aiguë. En plus, Cooke a un don naturel pour embobiner la police et démêler toute situation préjudiciable — voire considérée comme irrémédiablement compromise — auprès des organisateurs de concerts. Bref, le genre de lascar absolument indispensable dans le sillage immédiat d'un groupe de rock.

Avant la fin mai 1970, la troupe — avec Vince Mitchell et George Ostrow — part donc pour une tournée de deux mois qui débute en Floride (Gainesville), là même où Janis a eu des démêlés avec la justice six mois plus tôt. Un drôle de choix, plutôt provocateur. Le public n'est pas toujours au rendez-vous, et certains concerts doivent être annulés. C'est d'autant plus dommage que les prestations sont de qualité. La formation est soudée et en phase artistique avec la chanteuse. Malgré tout, Janis boit à tel point qu'un pilote d'hélicoptère refuse de la prendre à bord, prétextant que les règlements fédéraux interdisent d'embarquer des passagers en état d'ébriété. Il faut donc prendre l'autocar, dans lequel, aussi saoule qu'épuisée, Janis tombe dans une sorte de coma éthylique, reprenant ses esprits quelques minutes à peine avant le concert. Elle est consciente qu'elle ne chante pas convenablement lorsqu'elle a trop bu. Janis a l'habitude de se saouler à des moments précis de la journée, le matin notamment, et juste après le concert, afin de se présenter consciente et avec une voix à peu près claire au début des shows. Myra Friedman, toujours inquiète de la santé de Janis, fait appel au Conseil national sur l'alcoolisme, qui la dirige vers le médecin Richard Perkins. Le bon docteur lui rappelle que l'alcool est un sédatif et que le meilleur stimulant reste le café. Or la chanteuse a horreur de cette boisson. Comme elle redoute de ne pouvoir avoir d'enfants en raison de son alcoolisme et des effets de la drogue, Janis consulte un spécialiste mais sans obtenir de réponse satifaisante.

Le groupe est toujours efficace en tournée, avec une Janis portant un gilet brodé d'or et des bas résille, mais la série de concerts dans le Midwest laisse à désirer quant à son organisation. Les promoteurs sont souvent incompétents et les assistances clairsemées, comme à Kansas City, le 14 juin. Certains concerts doivent même être annulés. Albert Grossman est alors totalement accaparé par son conflit avec Bob Dylan, un événement qui commence à ébranler son empire. Ainsi la promotion est-elle défaillante, au point que les radios ne sont pas toujours informées de la venue de Janis dans le secteur. Sans compter que les promoteurs n'apprécient guère la façon dont Janis harangue la foule et incite le public à danser dans les travées et jusque sur scène, à faire la fête, au détriment des fauteuils et de l'équipement de la salle. La situation devient incontrôlable, le public réagissant parfois de façon violente. Janis n'aide d'ailleurs pas spécialement la promo, refusant pratiquement toutes les interviews, excepté au téléphone. Elle se remet à douter d'elle-même. Depuis quelque temps, le public a été échaudé par plusieurs grands concerts. Le show-biz continue de poser sa grosse patte sur tout ça. C'en est fini des concerts gratuits pour la bonne cause et, surtout, c'en est fini des bonnes vibrations. La police reprend les choses en main. Les conditions sont de plus en plus strictes pour se produire sur scène. C'est une sorte de chant du cygne. Les rêves et les illusions se fânent. Les rebelles perdent de leur superbe. Un rêve passe. Mais sur scène, Janis parvient à faire abstraction du public, peu importe pour elle que les spectateurs ne soient que quelques centaines ou plusieurs milliers. Sa façon de chanter est presque toujours impressionnante. Dans la chambre d'un Holiday Inn, elle confie à Myra Friedman à quel point elle se sent seule, même si elle est presque toujours accompagnée, et combien l'avenir l'effraie. Elle trouve difficilement le sommeil, hantée par une idée absurde : elle craint que le public découvre qu'elle ne sait pas chanter. Une de ses obsessions majeures. Elle se persuade aussi que Grossman se désintéresse d'elle, et que tous l'abandonnent. Myra Friedman la presse de calmer le rythme, de faire attention à elle, mais Janis éclate en sanglots : « Mais j'ai rien d'autre que ça dans la vie[12] ! » Un aveu désespéré.

Désorientée, elle téléphone souvent au Texas à ses parents, pour leur dire à quel point elle est fatiguée. Sa mère, elle aussi, lui conseille d'en faire moins, lui rappelle que l'argent n'a jamais eu d'importance à ses yeux. Les revenus annuels de Janis dépassent désormais les 300 000 dollars, une somme mirobolante pour l'époque. Elle rétorque à sa mère, désabusée : « Oui, mais pour "eux", ça compte[13] ! » Le système a effectivement grand besoin d'elle, même si Grossman demande parfois qu'on la ménage. En fait, Janis ne refuse jamais les concerts, non pas pour l'argent, mais pour la confrontation avec le public et afin de progresser dans son art. À partir de là, Janis répète un peu partout qu'elle se sent anachronique, en décalage avec son époque. Elle boit de l'alcool au lieu de fumer de l'herbe ou de prendre de l'acide. Elle s'identifie à Bessie Smith, c'est-à-dire à une chanteuse de blues noire plutôt qu'à n'importe quelle chanteuse blanche de rock ou de folk. Par ailleurs, elle adopte un surnom suggéré par Dave Richards : Pearl. Amusée, elle affuble aussitôt sa chère Peggy Caserta du surnom de Ruby. Pearl, un nom canaille, qui ressemble à celui d'une chanteuse de cabaret, un nom idéal pour cultiver son dédoublement de personnalité. On la surprend parfois à se parler à elle-même et à se surnommer Pearl ! Elle entre peu à peu dans la peau d'un personnage d'autofiction, même si elle s'en défend, avec ces plumes colorées dans les cheveux, ces colifichets, satin, perles et velours. Elle en parle même à sa mère, qui demeure un relais important dans sa vie. Interpellant un clown des rues, elle lui lance sans agressivité, mais non sans dérision : « Je parie que je me fais plus de fric que toi en faisant le même boulot[14] ! » Elle fait de terribles efforts pour éviter l'héroïne en s'éloignant de quelques grandes tentatrices intimes, comme Peggy Caserta et Sunshine.

Ses dernières apparitions télévisées seront pour le célèbre Dick Cavett Show de la chaîne ABC, les 25 juin et 3 août 1970. Ce talk-show de fin de soirée accueille des célébrités du monde littéraire ou politique, ainsi que des sportifs et des musiciens. Un concept novateur pour l'époque, d'autant que le ton y est très libre, même si ABC censure parfois l'émission. Le présentateur vedette aborde des sujets presque tabous à l'antenne, comme la libération de la femme ou la guerre au Viêt-nam. Il permet aussi aux artistes de rock de jouer dans des conditions *live*. Avec candeur, Janis déclare au sujet du célèbre animateur : « Il sera tellement content de me voir enfin "propre"[15]. » Jusque-là, elle était toujours apparue défoncée dans cette émission. Ce 25 juin, elle interprète « Move Over » et « Get It While You Can », encore inédits et destinés à figurer sur son prochain album. Puis, se tournant vers les invités du jour, dont la plantureuse Raquel Welch qui s'évertue à se prétendre hippie, elle demande à Douglas Fairbanks Jr, alors âgé de soixante et un ans, s'il a connu Francis Scott Fitzgerald, l'un de ses écrivains favoris. L'invité troublera Janis en déclarant : « Peut-être que la meilleure chose à faire est d'arrêter avant que quelqu'un ne vous dise : "Dis donc, pourquoi t'arrêtes pas ?"[16] » Après l'émission, Janis fait promettre à Myra Friedman de la prévenir lorsque le moment sera venu pour elle de tout arrêter.

Du 28 juin au 4 juillet 1970, Janis se trouve embarquée dans une folle randonnée ferroviaire, celle du Festival Express. Une semaine durant, un train doit traverser de part en part le Canada avec à son bord plusieurs groupes de renom, soit environ cent cinquante personnes, accompagnateurs compris. La tournée doit commencer à Montréal le 24 juin, jour de la fête « nationale » du Québec, mais le spectacle est interdit par le maire de la ville, Jean Drapeau, qui refuse d'être confronté à deux événements populaires le même soir dans sa ville. Ce n'est qu'un début. Les tracasseries politiques et policières vont émailler ce voyage insensé, ponctué d'émeutes sur fond de guerre au Viêt-nam et de répression sanglante. À l'université du Kent, le 4 mai 1970, quatre manifestants sont abattus par la garde nationale, sans compter une centaine de blessés dont neuf graves. Ray Manzarek fait alors ce constat :

> Ce fut le début de la fin du rêve de paix et d'amour et d'égalité. Nous avons réalisé que nos propres pères étaient prêts à nous tuer[17].

Pour cette tournée canadienne sur rails, certains jeunes inconscients, et surtout des politiciens opportunistes, réclament que les shows soient gratuits. Afin de calmer les tensions, le Grateful Dead accepte de donner de tels concerts en marge des spectacles officiels. Ce périple reste encore aujourd'hui le concert le plus long de toute l'histoire de la musique rock, dans le temps comme dans la distance ! Un documentaire extraordinaire est paru en DVD en 2003 (soit près de vingt-cinq ans après les événements), sous le titre *Festival Express*. Ce film capte Janis dans les meilleures dispositions. En communion festive jour et nuit avec les musiciens, elle apparaît en toute confiance et particulièrement dans son élément. Sur scène, elle se montre extrêmement à l'aise dans de torrides parties vocales.

Au sujet du voyage, le regretté bassiste Rick Danko, du Band, a donné ce témoignage :

> Ce fut l'une des plus grandes *jam sessions* de tous les temps. Une fête ferroviaire à travers tout le Canada. Il y avait des wagons pour la musique. Des wagons pour boire. Des wagons pour la bouffe. Des wagons pour la baise. Ha ! ha ! vous imaginez un peu la balade sauvage. Ce fut une *party* d'enfer. C'était sexe, drogue et rock and roll au top[18] !

Deux jeunes et intrépides promoteurs canadiens, Ken Walker (l'équivalent de Bill Graham pour Toronto) et Thor Eaton, ont l'idée de louer un train entier qu'ils remplissent de troubadours psychédéliques. Le but consiste à parcourir le Canada d'est en ouest, de Toronto à Calgary, sur plus de trois mille cinq cents kilomètres. Des concerts sont prévus à chaque étape. Pour ce trip infernal, ils parviennent à faire embarquer le Band, le Grateful Dead, Janis Joplin et son Full Tilt Boogie, mais aussi Delaney and Bonnie and Friends, le Buddy Guy Blues Band, Eric Andersen, les Flying Burrito Brothers, Mashmakhan, Seatrain, Sha na na, Ten Years After et Tom Rush. Et le Québécois Robert Charlebois. Cette longue chevauchée ferroviaire réunit dans le même bocal une fine équipe de viveurs, de musiciens lancés dans une fiesta non-stop grâce à une large palette de substances euphorisantes. C'est la fête permanente dans les compartiments. Janis repense sans doute alors à Bessie Smith, qui possédait son propre wagon de chemin de fer (afin d'éviter les tracas de la ségrégation), confortablement conçu pour partir en tournée en toute promiscuité avec ses accompagnateurs. On boit et on fume en quantités astronomiques. Janis, quand elle n'est pas plongée dans un livre de Thomas Wolfe, sa passion du moment, s'éclate en permanence. Elle réussit à faire reprendre en chœur « Me and Bobby McGee » par la plupart des passagers. La chanson de Kris Kristofferson devient la rengaine favorite de toute l'équipée. Janis rit et fanfarone : « Putain, il y a bien trois cent soixante-cinq personnes dans ce train, et on ne m'a baisée que soixante-cinq fois[19] ! » Elle vit en apnée alcoolique durant tout le voyage, mais ses concerts se révèlent particulièrement fameux. On trouve certains de ces enregistrements sur l'album *Janis in Concert*, mais surtout dans l'édition Legacy de l'album *Pearl*, où l'un des deux disques (comportant 13 titres dont 6 versions totalement inédites) est consacré à ce festival ambulant. Dans les wagons, Janis est la reine de cérémonie, jouant de la country avec Jerry Garcia et tapant le blues avec Delaney Bramlett et Buddy Guy, qui dira à son sujet :

Elle était en permanence incandescente. Du genre capable de mettre le feu à du bois mouillé. Le matin, elle déambulait, une bouteille de Southern Comfort à la main, elle me disait « *Motherfucker* » avant même de me dire bonjour[20].

Selon le témoignage de Sylvia Tyson, Janis privilégie nettement la compagnie des hommes, comme toujours dans le cas de brèves liaisons.

Le promoteur Ken Walker va se hisser au niveau d'un personnage de légende. Prévenu par John Cooke qu'il n'y a plus une goutte d'alcool dans tout le convoi, il n'hésite pas, en pleine nuit, à faire arrêter le train à la première gare repérée sur la carte, à Chapleau, là même où mourut l'écrivain Louis Hémon, l'auteur de *Maria Chapdelaine*, écrasé par un train. John Cooke fait passer le chapeau de wagon en wagon pour une quête qui rapporte 300 dollars en quelques minutes. Aussitôt, une délégation de crise est mandatée pour aller faire le plein au magasin le plus proche dont on réveille brusquement le propriétaire. Dans l'euphorie ambiante, Jerry Garcia réussit même à convaincre le conducteur du train de lui laisser un moment son poste, actionnant le sifflet de la locomotive pour fêter l'entrée au Manitoba.

À Calgary, le maire de la ville, Rod Sykes, insiste lourdement auprès de Ken Walker pour que le concert soit gratuit. Ce qui serait utile au politicien pour redorer son blason auprès de la jeunesse du coin, mais bien sûr calamiteux pour le téméraire promoteur. Face au refus de Walker, le maire le traite d'ordure d'homme de l'Est et de monstrueux capitaliste, entre autres amabilités. Ken, qui aurait perdu la rondelette somme de 534 000 dollars canadiens dans l'affaire s'il n'avait lui-même « légalement arnaqué » une compagnie d'assurances de Toronto, atteste qu'il garde encore aujourd'hui sur son poing la trace des dents du dignitaire.

Le dernier jour, 4 juillet, personne ne veut quitter le train magique, chacun laissant transparaître une réelle nostalgie. Janis, cependant, se languit de ses animaux restés à Larkspur. Dans la voiture-restaurant bondée, Janis et Bonnie Bramlett se lancent dans une conversation animée quand, tout à coup, le journaliste David Dalton les croise, équipé de son magnétophone. C'est Janis qui, dans son rude langage stimulé par l'alcool, lui propose de se retirer dans le coin-bar et de brancher son engin. Pour Dalton, les deux jeunes femmes partagent une profonde vulnérabilité, à peine masquée derrière une dureté de façade. Bonnie demande à Janis ce qu'elle écoute en priorité quand elle chante. Celle-ci répond : « La batterie et la basse. » Delaney : « C'est pareil pour moi. Le fondement, c'est le rythme. » Janis : « Oui, c'est ce qui te botte le cul. » Bonnie : « Surtout depuis que tu es toi-même devenue un instrument prépondérant. Chacun veut jouer de son outil comme le plus grand guitariste. Tu en reviens aussitôt à la base. Tout ce dont tu as besoin, c'est le rythme. » Janis précise sa façon d'agir sur scène :

> Le plus souvent, je suis tellement impliquée dans la chanson que je n'écoute même plus le groupe. Je n'entends les musiciens que lorsqu'ils se trompent. Quand ils sont bien, je continue juste de chanter, de lâcher mes conneries et de raconter mes histoires. [...] Je rentre en moi, donnant tout ce que j'ai, et je me contente de parler de Janis, de tous les hommes qui l'ont blessée, et de tous les hommes que peut-être elle a déçus. Et chaque chose qu'on veut dire commence soudain à sortir de la bouche sans même qu'on en ait l'intention. [...] Dans les années 1950, on chantait parce qu'on avait de belles mélodies. Sans écouter les mots. [...] Mais aujourd'hui, je dépasse ça, en disant : « Je ressens les choses, je me fais violence, au secours, à l'aide ! » Je lance des mots, et si je vois que le public ne réagit pas, c'est comme si je prenais un foutu coup en plein dans les dents[21].

La conversation se poursuit et Janis ne semble pas en veine de confidences :

> Une fois, à Las Vegas, on m'a demandé : « Mais où as-tu appris à chanter le blues comme ça ? Où as-tu appris à chanter de cette façon-là, si profonde ? » Mais j'ai pas appris, merde. J'ai juste ouvert la bouche, et ça s'est mis à sonner comme ça. On peut pas sortir quelque chose de valable si on le ressent pas. Je peux pas faire semblant. J'ouvre juste la bouche, et c'est là.

Le 4 juillet, Janis se trouve à Seattle, à l'Edgewater Inn. Elle passe la soirée en compagnie d'Eddie West, le road manager du grand harmoniciste et chanteur de blues James Cotton. Tous deux sont penchés sur un balcon de l'hôtel, et ils balancent des pétards comme des gamins. Épaté par la joyeuse insouciance de Janis, Eddie lui fait remarquer : « T'es vraiment trop cool en ce moment ! Qu'est-ce que ce sera quand t'auras trente ans ! » Mais le masque tombe aussitôt, Janis se rembrunit et lâche laconiquement : « Faut pas croire, *man*, j'arriverai jamais jusqu'à l'âge de trente ans[22]. »

Après le périple canadien, Janis est de retour dans sa maison de Larkspur, le 8 juillet, mais doit aussitôt s'envoler avec Lyndall et le Full Tilt Boogie pour Hawaï. En débarquant à Honolulu, toute l'équipe est bien imprégnée d'alcool. Les colliers de fleurs jetés autour du cou à l'arrivée égaient encore davantage l'ambiance, tout comme la *pakalolo* ou le *puna butter*, la marijuana locale. John Cooke, imbibé comme les autres, tente de s'acquitter au mieux de l'intendance. L'atmosphère décontracte à ce point la bande que Janis et le groupe offrent un spectacle grandiose aux 7 000 spectateurs. Le lendemain, le *Honolulu Advertiser* s'enflamme, soulignant que ce concert a été un « délire foudroyant ».

Le 10 juillet, en compagnie de John Cooke, Janis quitte précipitamment Hawaï, annulant un show qui devait pourtant rapporter la bagatelle de 15 000 dollars. Elle sacrifie cette somme pour rejoindre une de *ses* villes du Texas, Austin. Elle ne veut en aucun cas rater la fête donnée en l'honneur des soixante-dix ans de son fidèle ami Kenneth Threadgill, auquel elle doit tant. Elle aura d'ailleurs la délicatesse d'arriver discrètement au jubilé organisé dans un parc près de Oak Hill, afin de ne pas voler la vedette à son ami. Elle finit bien sûr par monter sur scène, tout près du lieu où, étudiante, elle se produisait balbutiante au sein des Walker Creek Boys. Le Full Tilt Boogie étant resté à Hawaï, elle fait une courte prestation folk en solo, interprétant deux titres de Kris Kristofferson, « Me and Bobby McGee » et « Sunday Morning Comin' Down ». Janis a rapporté d'Hawaï une typique couronne de fleurs qu'elle passe au cou de Ken. Cette bouffée de nostalgie lui procure un bonheur rare. Mais la folle expédition canadienne, l'euphorique escapade hawaïenne et l'émouvant anniversaire ne sont qu'un répit avant une rude épreuve.

Dès le lendemain 11 juillet, Full Tilt Boogie et Big Brother and the Holding Company se croisent à nouveau pour un concert, à San Diego, où ils partagent l'affiche. Janis révèle à cette occasion que si elle est si seule, c'est du fait qu'elle ne tombe pas vraiment amoureuse des autres pour eux-mêmes, mais en fonction de ses propres besoins, comme un calmant, un placebo. Si quelqu'un se présente avec un miminum de tendresse, autant s'en emparer, à tout hasard, quitte à souffrir encore davantage par la suite.

Chet Helms rencontre Janis lors d'un concert du Grateful Dead au Pepperland de San Rafael. Encore embrumée par l'alcool, et profondément déprimée, elle provoque une violente bagarre en coulisses. Le barouf est tel que le Dead est contraint d'interrompre son concert. Janis interpelle ensuite le grand rouquin : « C'est vraiment dommage qu'on ait jamais baisé tous les deux, non[23] ? » Joignant le geste à la parole, elle se précipite sur lui et l'embrasse avec une telle furie que le pauvre Chet en reste tuméfié durant plusieurs jours. Repensant à cet épisode, Helms précise que, sur le coup, il s'était cru dans une scène du *Festin nu* de William Burroughs.

En raison de l'alcool qu'elle ingurgite, Janis a repris du poids, ce qui contribue à la déprimer. Lors d'un repas en compagnie d'Albert Grossman, elle lâche, désabusée : « Je me mets du rouge aux joues comme le font les petites vieilles parce que je perds ma ligne, et quand moi aussi je serai âgée, j'aurai des cannes toutes maigres, et tout le reste sera rond[24]. » Elle laisse aux convives un désolant sentiment de solitude. Elle est blessée que le séduisant Kris Kristofferson, de passage à Los Angeles, ne soit pas venu la voir. En pleine gloire ascendante, Kristofferson est sur le point d'être désigné « auteur-compositeur de country de l'année ». En larmes, Janis s'en prend aussi à Grossman ; elle vient d'apprendre par Jack Nicholson que son manager a refusé une proposition de cinéma la concernant. Le réalisateur Bob Rafelson, proche du Living Theatre, producteur malicieux des Monkees, et connu pour se tenir volontairement en marge des grands studios, aurait songé à elle pour un rôle dans *Five Easy Pieces*, film où un musicien de grand avenir — interprété par Jack Nicholson — renonce à sa vocation pour se consacrer à l'exploitation pétrolière. Dans ce long métrage, les protagonistes évoluent entre la poursuite du bonheur subversif et le vertige de l'échec, une thématique qui ne saurait laisser Janis insensible. Le cinéma est une tentation importante pour elle, qui confie à l'actrice Shelley Winters qu'elle serait très intéressée par une expérience de comédienne.

Toujours obsédée par son sentiment de solitude, Janis téléphone à Myra Friedman pour lui dire, en pleurs, qu'elle vient de réaliser que les seules personnes qui l'aiment vraiment font toutes partie de son personnel artistique. « Tu es la seule à avoir des photos de moi dans ton bureau[25] ! » Ce qui est puéril, et bien sûr inexact.

Janis se trouve fin juillet à Los Angeles pour les premières séances d'enregistrement de l'album *Pearl*. Elle croise souvent le délicat compositeur James Taylor qui enregistre tout près de là, avec Carole King au piano, son album *Sweet Baby James*, appelé à connaître un succès retentissant. Ce chanteur dépressif, habitué des cliniques psychiatriques, connaît aussi de sérieux problèmes avec l'héroïne.

Janis réside au Landmark Hotel de Hollywood, sur Franklin Avenue, là même où elle décédera bientôt. Pour l'heure, elle est exaltée par la qualité des premiers titres enregistrés. Cette fois, l'affaire est confiée à un redoutable expert, Paul Rothchild, le producteur vedette des Doors, déjà responsable d'une centaine de disques (dont certains des Everly Brothers, de Joni Mitchell ou de Crosby, Stills and Nash !). En pleine rupture avec les Doors, il a laissé le groupe en plan sur l'enregistrement de *L.A. Woman* qui sera pourtant leur fabuleux chant du cygne. Rothchild, qui voulait jadis faire signer Janis pour le label Elektra, se montre alors encore plus emballé par la personnalité et le talent de la chanteuse, qui selon lui a un feeling énorme et se donne à 150 %. Il qualifiera plus tard l'album *Pearl* de « travail d'amour total ». Cette admiration est réciproque. Janis découvre en Rothchild un amateur de littérature et, surtout, le premier producteur capable de déceler chez elle des aspects encore inexplorés de sa voix. Il tente de la convaincre de réduire le nombre de concerts, ainsi que sa consommation d'alcool. Il y parvient parfois en conversant avec Janis et en lançant quelques remarques subtiles.

Le 31 juillet, au Chelsea Hotel, Myra Friedman retrouve Janis de retour à New York pour un concert au Forest Hills Stadium, dans le Queens. Janis semble plutôt en forme, excitée autant par son prochain show que par l'enregistrement de son nouvel album. Mais une autre aventure semble aussi la motiver. Elle vient, en effet, de renouer avec Seth Morgan, de six ans son cadet, qu'elle a rencontré au début de l'été lors d'une des fameuses fêtes organisées à Larkspur. Il y était notamment présent en tant que fournisseur de cocaïne. Janis se laisse impressionner par la flagornerie de ce prétendu descendant de banquier, en fait le fils du poète new-yorkais Frederick Morgan, éditeur de la *Hudson Review*. Ce jeune diplômé de Berkeley, destiné à n'être qu'une brève liaison parmi tant d'autres, provoque chez Janis un coup de foudre à retardement. Habile, Seth sait se montrer indifférent, voire agacé, par la notoriété de la chanteuse. Paradoxalement, cette attitude rassure Janis quant aux intentions de son amant à son égard ; il prétend même ne pas être convaincu par la valeur de la musique du nouveau groupe. Pour une fois qu'un homme ne s'intéresse pas à elle uniquement pour sa gloire ou son argent ! Ce que Janis ne mesure pas très bien, c'est que le brillant diplômé qui circule en Harley est avant tout un dealer dépourvu de scrupules. Et un dragueur impénitent. Violent à l'occasion, même avec les femmes. Un jour, il fut sur le point d'occire Peggy Caserta pour une dette de quelques centaines de dollars. Il fera d'ailleurs plusieurs années de prison à la fin des années 1970, pour braquage. Ce beau parleur au vernis intellectuel est en fait un arnaqueur qui ne saura pas éviter à Janis de rechuter dans l'héroïne. *A priori*, tout semble annoncer une liaison sans lendemain, mais bientôt les nouveaux tourtereaux se mettent à parler mariage au Mexique et voyage de noces en croisière. Janis s'emballe et se montre étonnamment naïve, surtout lorsqu'elle voit l'aventurier régler certaines notes de restaurant, habituée aux parasites qui vivent à ses crochets. Elle se retrouve soudain *live* dans une chanson désabusée de Bessie Smith : « Ah ! Ah ! Tu m'as brisé le cœur ! / Ah, si seulement je m'étais rendu compte, / Avant qu'on s'attache ou même qu'on se rencontre ! » Seth n'est donc pas désintéressé, loin s'en faut. Au bout de deux semaines, il s'installe carrément dans la maison de Janis, à Larkspur, tandis que la chanteuse retourne à Los Angeles pour l'enregistrement de son disque. Aveuglée par l'amour, Janis n'imagine pas que le sordide manipulateur attire des femmes jusque dans sa maison et dans son propre lit, sans se cacher le moins du monde. L'intendante de Larkspur, Lyndall, est habituée à l'amour libre, très libre, que pratique la propriétaire des lieux. Janis, de son côté, est flattée qu'un fils de bonne famille, un intellectuel visiblement désintéressé, s'intéresse à ce point à elle. Seth sera l'auteur d'un unique roman à succès, *Homeboy*, qui s'ouvre sur un extrait de poème écrit par son père, « Meditations for Autumn » (« De la naissance à la mort / La vie est une boucherie »). Après la publication de ce livre très remarqué, la critique comparera Seth Morgan à des écrivains du calibre de Tom Wolfe, William Burroughs, Henry Miller et Hubert Selby Jr. Le roman, qui illustre un trajet cauchemardesque entre criminalité et justice, paraîtra en 1990, l'année même où son auteur se tue dans un accident de moto. Mais pour l'heure, il fait miroiter à Janis les avantages d'une paisible vie de famille. Son statut d'artiste populaire et son compte en banque bien garni attirent généralement des paumés à la petite semaine dont elle a appris à se méfier. D'où sa paranoïa souvent excessive à l'encontre des amants trop empressés. Mais, cette fois, elle est curieusement rassurée par ce charmeur qui sait se montrer brillant en société. Un peu trop même. Le hâbleur n'est pas spécialement apprécié dans l'entourage de Janis ; on lui reproche un culot effronté. Mais chacun a pris l'habitude des foucades de la chanteuse et sait que celles-ci ne durent généralement pas longtemps. Sans négliger le fait que Janis se bute facilement quand on se risque à critiquer ses liaisons. Seth déplaît tout particulièrement à Peggy Caserta, délaissée, qui a percé à jour le personnage et voit en lui un minable voyou et un habile manipulateur. Peggy est par ailleurs très vexée car Janis lui répète sans cesse que Seth est une véritable bête de sexe au lit. Toujours partageuse, la chanteuse parvient à planifier une nuit en trio, mais le projet sera sans lendemain. Après la mort de Janis, Seth prétendra qu'ils partageaient une réelle passion, avant de reconnaître que si elle n'avait pas été Janis Joplin, l'artiste célèbre, tous deux se seraient sans doute contentés d'être des amis exubérants.

Le 1er août 1970, les 12 000 places du stade de Forest Hills ne sont qu'à moitié remplies. La pluie menace. Emmett Grogan, un vieil ami, se trouve dans la loge en compagnie de Janis. Il est accompagné de l'actrice Tuesday Weld qui vient de tourner dans le film *A Safe Place* (Un coin tranquille), avec Orson Welles et Jack Nicholson. Il y a là aussi Jerry Tobias, le photographe du magazine *Circus*. Ainsi qu'une jeune poétesse encore peu connue de vingt-trois ans, Patti Smith. Mais l'orage éclate. Trombes d'eau. Le public quitte précipitamment les lieux. Face à la débandade, Albert Grossman, qui sait se montrer grand seigneur, invite tout le monde à dîner au Remington's, au Village. Le concert est remis au lendemain.

Ce soir-là, Janis, contrairement à ses habitudes, a pris de la cocaïne. L'assistance est plutôt maigrelette, une partie seulement des spectateurs étant revenus. Les amis du Paul Butterfield Blues Band, eux aussi de l'écurie Grossman, se produisent en première partie, avec un blues électrique dont ils furent parmi les pionniers. Paul, qui est un proche de Nick Gravenites, a eu l'occasion de jouer avec les bluesmen Muddy Waters et Howlin' Wolf, ce qui impressionne toujours Janis. Sur le plan vocal, le set de la chanteuse n'est cependant pas à la hauteur. Les effets mêlés de l'alcool et de la cocaïne limitent sa voix mais, comme le groupe assure de plus en plus, le public est conquis. Après le concert, au bar-restaurant El Quijote, mitoyen du Chelsea Hotel, Janis recommence à déprimer, se plaignant d'être seule, puis elle murmure : « Je vais encore essayer pendant huit mois et demi… et si ça va pas mieux, je mettrai fin à tout ça[26]. » Myra Friedman lui demande : « Ah bon, et pourquoi huit mois et demi ? » Janis répond d'une petite voix : « Sais pas. Ça sonne bien. » Quelques jours plus tôt, elle a vu *Huit et demi*, le film de Federico Fellini.

Le 3 août 1970, Janis Joplin apparaît pour la dernière fois à la télévision, au Dick Cavett Show, en compagnie de la légendaire Gloria Swanson et de la jeune actrice Margot Kidder. Janis effectue une brillante prestation en interprétant « Try (Just a Little Bit Harder) », mais certains croient remarquer qu'elle a dû replonger dans l'héroïne. Son regard ne semble plus aussi présent, elle répond difficilement aux questions, sans sa volubilité coutumière. Janis laisse paraître du ressentiment en évoquant sa période estudiantine à Port Arthur où elle fut un sujet de risée. Elle annonce aussi qu'elle a pris la décision — l'une des toutes dernières de sa vie — de participer à une réunion pour fêter la dixième année de son départ du lycée. En réalité, cette résolution n'annonce rien de bon. Cela s'apparente surtout à un retour sur les lieux du crime, à une expérience masochiste sur les traces de l'un de ses doubles, « le mec le plus moche du campus ».

Le mardi 4 août, Emmett Grogan emmène Janis dîner en compagnie du comédien Rip Torn qui vient de jouer dans *Au-dessus des lois* de Norman Mailer, et de son épouse, Geraldine Page, qui tourne cette année-là dans *Les Proies*, de Don Siegel. Janis panique quelque peu, impressionnée par l'actrice qui a étudié à l'Actors Studio, visiblement peu consciente de sa propre aura : « C'est une vedette ! C'est une grande dame ! *Fuck*, moi, j' suis qu'une cinglée de freak, *man* ! Qu'est-ce que je vais faire[27] ? »

Janis se prépare alors à donner ses tout derniers concerts. Après une prestation au Ravinia de Highland Park, dans l'Illinois, devant 18 000 spectateurs, elle est de retour à New York le jeudi 6 août, pour le Peace Festival produit par Sid Berstein au Shea Stadium, cette fois devant 20 000 spectateurs. Peter Yarrow anime le show toute la journée et une partie de la nuit. Les artistes, comme au « bon vieux temps » (si rapproché pourtant !), se produisent gratuitement pour la cause pacifiste. Mais ce retour aux sources va engendrer une véritable foire d'empoigne. Et cela pour un motif impensable quelques mois plus tôt : l'ordre de passage des groupes ! Une pénalité de

10 000 dollars plane pourtant sur les organisateurs si le spectacle dépasse l'horaire imparti. Les mentalités ont décidément bien vite changé. Janis, très contrariée d'apprendre que son set est écourté, crée son petit esclandre.

Le samedi suivant, 8 août, Janis et Full Tilt Boogie sont en concert au Capitol de Port Chester, dans l'État de New York, avec le groupe Seatrain en première partie. Le couple Torn, qui n'a jamais vu Janis sur scène, est invité. Geraldine Page s'avoue très impressionnée par les deux shows consécutifs : « Janis, la plupart des acteurs donnent seulement une partie d'eux-mêmes. Je ne me souviens pas en avoir vu un seul tout donner comme toi[28] ! » Mais Janis se laisse aller à une nouvelle crise, répétant qu'elle ne peut plus supporter tout ce cirque.

Plusieurs concerts de Janis restent menacés. Les promoteurs sont devenus nerveux et méfiants. Pour toute défense, Janis tient à préciser : « Ma musique n'est pas supposée vous pousser à provoquer une émeute. Ma musique n'est destinée qu'à vous donner envie de baiser[29] ! » Un argument typiquement joplinien… L'état dépressif de Janis ne peut donc aller en s'arrangeant, même si son sens de l'humour frappe toujours ceux qui l'approchent.

Croisant Kris Kristofferson, Janis le prévient : « Si rien ne s'arrange, je vais recommencer la seringue. » Elle lui parle même à plusieurs reprises de suicide. « T'en fais pas, tu ne seras pas là. Personne ne sera là[30]. » Ce genre de remarque, que Janis lance très rarement, sera utilisé par certains pour étayer une théorie du suicide. D'autant que Janis prend également des initiatives surprenantes pour une femme de son âge. Ainsi s'arrange-t-elle avec Myra Friedman pour que cette dernière écrive un livre sur elle, un livre qui dira la « vérité ». Doit-on en déduire que Janis songe déjà à rassembler les éléments d'une histoire destinée à connaître bientôt son épilogue ?

Le 12 août 1970 a lieu le tout dernier concert de Janis Joplin, au Harvard Stadium de Cambridge, en banlieue de Boston, devant plus de 30 000 personnes. Une telle foule rend l'ambiance extrêmement tendue. La police, prête à en découdre, dépêche sur place des brigades spéciales casquées, avec matraques et cerbères aux crocs d'acier. La ville vient de connaître de violentes manifestations d'étudiants. La journée débute mal, de petits malins réussissant l'exploit de dérober la sono ! Il faut trouver en catastrophe un nouveau matériel... lui-même détourné avant l'ouverture des portes ! Une course contre la montre s'engage pour débusquer une troisième sono. Quelques gauchistes ayant participé aux émeutes harcèlent la police avec délectation. La tension est à son comble lorsque la chanteuse paraît enfin sur scène. Galvanisée par l'électricité ambiante, Janis est sidérante de fougue et de sensibilité, de feeling étincelant. C'est le concert à ne pas rater, et surtout l'ultime show jamais donné par Janis.

Le lendemain 13 août, Janis s'envole pour le Texas, mais nullement dans l'intention de passer quelques heures paisibles en famille. Au contraire, elle concrétise sa curieuse décision de revenir à Port Arthur pour assister à une réunion d'anciens élèves. C'est le 10e anniversaire de la promotion 1960 du lycée Thomas Jefferson. Devenue entre-temps une véritable vedette nationale, Janis doit accorder une conférence de presse dans la salle du Petroleum, au second étage de l'hôtel Goodhue. Aussitôt, elle constate que les mentalités n'ont guère évolué, même si elle déclare à la télévision locale : « Ça s'est un peu dégelé depuis mon départ. Il y a pas mal de cheveux longs et de mouvement, ce qui veut dire défonce. Ça commence à ressembler au reste du pays. [...] À l'époque, je dessinais, je vivais comme une recluse[31]. » Quand elle réclame une vodka au serveur, celui-ci lui rétorque sèchement que ce n'est pas une boisson texane, mais une mixture pour sympathisants communistes. Mise en condition, Janis, « le mec le plus moche du campus », se défoule et déverse son fiel contre sa ville et sa région d'enfance, qu'elle ridiculise en la comparant à la Louisiane, de l'autre côté de la rivière, où dix ans plus tôt elle pouvait picoler, écouter du blues, fumer de l'herbe sans que personne ne trouve à y redire. Elle s'en prend aussi à ses anciens congénères : Janis savoure une vengeance programmée de longue date... Jubilatoire !

La réunion des anciens a donc lieu en présence de la chanteuse, même si le peintre et ami Robert Rauschenberg (plus tard considéré comme le grand initiateur du Pop Art), lui aussi natif de Port Arthur, a tout tenté pour dissuader Janis d'y participer. Buvant tequila sur tequila durant toute une nuit, sans la convaincre. Il sait à quel point les mentalités n'ont guère évolué en à peine une décennie. Mais personne n'est capable de faire renoncer Janis quand elle a pris une décision à ses yeux importante, surtout si celle-ci touche à son passé. Elle sait pertinemment qu'elle va souffrir en se confrontant à ses cicatrices indélébiles. Mais il est si difficile d'éviter de se mortifier face à son propre passé, de s'empêcher de gratter les plaies de sa jeunesse. Tôt ou tard, on finit toujours par retourner sur les lieux attachés à ses pires souvenirs.

Le jour est donc venu de les affronter. Il faut d'abord sacrifier au rite de la traditionnelle photo de groupe... au nom du « bon vieux temps ». Mais Janis, plus écorchée vive que jamais, entend bien gâcher la fête devant ses anciennes copines, fagotées pour la plupart comme de faraudes mères de famille, et devant ses anciens copains engoncés dans leurs strictes costumes et transformés en respectables employés pour les raffineries du secteur. Parée de ses atours les plus extravagants dans le style bohémienne hippie, boas aux couleurs acidulées et colifichets en surabondance, Janis contraste outrageusement. Elle a insisté pour que ses amis bambocheurs, les plus excentriques, John Cooke, Bobby Neuwirth et John Fischer, l'accompagnent pour profiter du spectacle... et aussi y contribuer. Elle veut prouver à quel point elle est devenue une star adulée, belle et désirable, en dépit des brimades du passé scolaire où on la rejetait et où on l'humiliait. Elle veut afficher la plus grande différence possible face aux pécores du coin. Elle entend qu'on sache que plusieurs hommes à la fois la courtisent. Et quels hommes ! Des durs de durs, sans comparaison possible avec ces mauviettes qui l'ont jadis blessée ! L'heure est venue d'en mettre plein les mirettes à ces ploucs de Texans qui ont souillé son adolescence. Janis sort le grand jeu, quitte à passer pour une dévergondée auprès des anciennes premières de la classe. Quand on lui demande de chanter, elle joue les offusquées et rappelle que pour ça elle demande un cachet de 50 000 dollars par concert…

Le lendemain, à la télévision locale, pour la chaîne 4, après un petit déjeuner composé pour l'essentiel de bloody mary, Janis trouve judicieux de déclarer que, question dope, la ville semble enfin commencer à se décoincer. Elle répète qu'elle méprise les gens de Port Arthur, et ajoute même des phrases ambiguës à propos de sa famille. Elle dit qu'après avoir quitté le Texas elle n'a plus jamais autant souffert, et qu'une telle adolescence suffit largement à faire de vous une chanteuse de blues. Ces diverses amabilités seront bien sûr aussitôt consignées dans le *Houston Chronicle* et le *Port Arthur News*. Le bobardier Chet Flippo décrit alors Janis comme une « putain babylonienne ». Et une échotière indignée du *Beaumont Enterprise* souligne que mademoiselle Joplin non seulement n'est pas maquillée, mais ne porte même pas de soutien-gorge. Les parents de Janis reçoivent des appels téléphoniques outrés et injurieux après les déclarations de leur fille. Vingt ans après la mort de Janis, les journaux texans demanderont dans un sondage s'il est ou non opportun de lui rendre hommage. Pensez donc : une droguée qui a eu l'impudence de venir leur faire la morale et de les provoquer sur place. Près de

80 % des personnes interrogées répondront par la négative… À ce taux-là, et quitte à mourir si jeune, Janis aurait pu forcer la dose et exprimer encore plus ouvertement sa vengeance !

Après un détour inévitable dans des bars du secteur avec son cercle rapproché, Janis se rend au Channel Club, où Jerry Lee Lewis se produit sur scène. Elle en vient vite aux mains avec le rocker fou qui a eu l'impudence de lancer une remarque désobligeante à l'encontre d'elle-même et de sa sœur, Laura. Ensuite, Janis s'affiche en buvant plus que de raison avec Bobby Neuwirth et John Fischer. Sa cote locale en prend forcément un sacré coup, mais quel régal ! En fait, elle n'a que trop attendu ce moment. Ce fumet de scandale humilie la famille Joplin, soulagée que son aînée ne s'éternise pas dans les parages. Une violente dispute s'ensuit où, pour une fois, le père semble faire la loi à la maison. Le clan finira par se réconcilier au téléphone, une fois Janis revenue dans sa demeure de Larkspur.

Le 30 août 1970, Janis révèle à Myra Friedman qu'en 1969, l'une des dernières fois où elle est allée à Port Arthur, elle a assisté à la messe. Cette confidence sidère bien entendu son amie, mais Janis précise les circonstances : « J'ai cessé de croire à tous ces bobards vers l'âge de dix ans, rassure-toi. C'est pas le problème. Mais, comme mes parents ont fini par accepter ma façon de vivre, il m'a semblé que je devais au moins faire pareil. Alors, j'ai mis mes habits les moins choquants, je me suis fait une sorte de chignon afin de ne pas incommoder ma mère, et j'y suis allée[32]. » Myra n'est pas au bout de ses surprises. Janis la désarçonne tout autant en parlant du « lavage de cerveau hippie ». « Franchement, je vois pas ce qu'ils font de mieux. Ce sont des imposteurs. Ils trompent leur monde avec toute cette foutue culture. Ils critiquent le lavage de cerveau subi de la part de leurs parents, mais que font-ils d'autre ? Je n'ai jamais connu un seul d'entre eux qui tolère un autre mode de vie que le leur. J'en ai marre de ces mecs. J'en ai marre de tout ce qu'ils pensent et de ce qu'ils propagent ! Personne n'apprendra donc jamais quoi que ce soit[33] ! » Et à la charnière de deux décennies, sous l'effet de la désillusion, les sixties se reflétant dans le rétroviseur des grandes espérances, Janis n'est assurément pas la seule à éprouver ce sentiment.

Lors d'un transfert en voiture, Janis est prise de vomissements, ce qui inquiète sérieusement Myra Friedman. Intriguée, la collaboratrice d'Albert Grossman remarque son visage congestionné et sa pâleur d'un rose morbide. Et si la rigolade ambiante finit par reprendre ses droits parmi l'équipage, Myra est prise d'un troublant pressentiment. Elle parlera encore plusieurs fois au téléphone avec Janis, mais c'est la toute dernière fois qu'elle la voit vivante. Toby Ben alerte bientôt Myra sur le danger encouru par Janis : « Écoute bien ! Il faut que tu en parles à Albert Grossman, sinon cette fille va *mourir* ! Si tu ne fais rien, elle va mourir. Mourir[34] ! » Interloquée, Myra lui répond qu'il exagère, que Janis n'en est tout de même pas rendue là. À New York, les gens ignorent que la chanteuse a repris le chemin de l'héroïne sous l'influence de Peggy Caserta. Mais, en Californie, certains l'ont forcément remarqué… et n'ont rien dit, rien fait.

Au début de septembre, tandis que Seth Morgan prend ses aises à Larkspur, Janis retourne à Los Angeles et aux studios Sunset Sounds. Elle doit reprendre l'enregistrement de son album *Pearl*. C'est dans les mêmes studios que Paul Rothchild, en état de grâce, a enregistré les deux premiers albums des Doors. Les murs suintent encore de ces coups de génie.

Seth ne vient retrouver Janis dans la chambre n° 105 du Landmark Hotel que pour les week-ends. En semaine, il reste à San Francisco et s'occupe de son petit trafic. La chanteuse s'est installée dans cet hôtel avec les autres membres du groupe, plus John Cooke, Phil Badella et Vince Mitchell. Les musiciens, très concentrés sur les enregistrements, sont assez casaniers, tandis que Janis, entre les séances d'enregistrement, s'ennuie et déprime sans son amoureux. Même si Peggy vient parfois la retrouver quand elle réussit à s'éloigner de Kim ou de son autre maîtresse du moment. Hélas, l'hôtel est un véritable repaire pour toxicomanes. Les dealers s'y sentent comme chez eux, avec une clientèle constituée essentiellement d'artistes, le plus souvent sous dépendance. Dans ces cas-là, Janis peut facilement perdre le contrôle de la situation.

Gagnée par le stress de l'enregistrement et par celui de son absurde projet de mariage, Janis se laisse à nouveau tenter par l'héroïne, se disant bien sûr que ce n'est que passager. Depuis le printemps, elle s'était « limitée » à l'alcool, échaudée par l'overdose de sa grande amie Nancy Gurley et par l'effacement de Linda Gravenites, découragée par les écarts de Janis. Or la pression est à son comble pour la chanteuse. Les enjeux sont considérables, tant au niveau professionnel que sentimental. Kris Kristofferson, dont elle est sur le point d'enregistrer le « Me and Bobby McGee », semble l'un des seuls à sérieusement s'alarmer. Il tente de prévenir son amie, mais en vain. Lui-même est trop accaparé par sa carrière en plein boom… et par ses problèmes personnels avec l'alcool.

Janis focalise sur le disque en préparation. Elle y voit un probable chef-d'œuvre. Enfin ! Huit chansons sont quasiment bouclées et il reste encore de la place pour deux titres. Mais les compositions satisfaisantes manquent. Janis devient très exigeante. Après discussion avec Paul Rothchild et les musiciens, elle demande à Nick Gravenites de venir la rejoindre au plus vite et de lui fournir le matériel pour deux titres. Nick relève le défi et arrive avec une chanson sur laquelle il est en train de travailler, « Buried Alive in the Blues » (Ensevelie vivante dans le blues), un titre incroyablement prémonitoire. Il n'a alors écrit que quelques vers *a priori* définitifs, mais tout le monde se montre emballé par le projet. Nick, cependant, qui connaît bien Janis, est effrayé de la voir boire et sans doute se droguer plus que jamais. Il tente de la ramener à la raison, mais Janis ne lui laisse pas le moindre espoir :

Hey, *man*, je ne veux pas vivre de façon peinarde. Je veux flamber. Je veux couver sous la cendre. Je ne veux rien d'autre[35].

Nick comprend vite qu'il ne peut plus rien pour elle.

Seth, qui a assisté à plusieurs séances d'enregistrement, prétendra plus tard que Janis buvait moins et ne prenait pas de drogue, du moins en sa présence, et que lui-même pestait sans cesse contre l'héroïne. Quand Janis lui demande de l'aider, il ne l'écoute pas, persuadé qu'elle ne cherche qu'à accaparer davantage son attention. Mais un inconscient désir de mort semble rôder, en dépit du fumeux projet de mariage. Janis fait de la vitesse sur la moto de Seth, en se moquant de son inconscience : « Imaginez ma fin de carrière ! La brève et bienheureuse vie de Janis Joplin s'achève dans un accident de moto[36] ! » Mais on le sait, c'est Seth qui connaîtra ce destin tragique… une vingtaine d'années plus tard.

Les premiers enregistrements se révèlent prometteurs, mais Janis reste anxieuse face à l'enjeu de cet abum. Elle s'interroge sur le choix des titres, sur la direction musicale à suivre. Elle raconte toutefois au photographe Baron Wolman qu'elle a déjà une idée précise de l'album : ce sera une sorte d'hommage à son goût immodéré pour les bars et l'alcool. Au recto de la pochette, on la verra debout derrière un comptoir, occupée à servir quatre péquins vus de dos, les musiciens du

Full Tilt Boogie. Au verso, la photo serait inversée, Janis de dos, les musiciens de face, et on pourrait y lire : « Les consommations sont pour le compte de Pearl. » En révélant son idée, irrésistible selon elle, on l'imagine facilement lâcher son fameux rire.

Comme il est sérieusement question de mariage, Janis demande à son conseiller juridique, Bob Gordon, de s'occuper des formalités. On parle régime matrimonial. Janis confie à Seth qu'elle pense mettre sa carrière en sourdine et faire un enfant. Elle continuera à enregistrer des disques et à donner des concerts de loin en loin, mais elle veut en finir avec le cercle infernal des tournées, des enregistrements et de la promo à la chaîne. En surface, tout semble aller pour le mieux, mais Janis est consciente que son empressement auprès de Seth comporte un aspect maladif. Elle avoue ainsi à Myra : « Quand on veut vraiment quelqu'un, on a tendance à trop en faire. On est sans cesse après lui, et on en fait tellement qu'on finit par le faire fuir[37]. »

Peggy Caserta vient parfois retrouver Janis au Landmark Hotel. Après la disparition de la chanteuse, Peggy déclarera à Myra Friedman : « Nous étions tels des papillons attirés par une flamme[38]. » Aux yeux de bien des gens, Janis semble s'être écartée de l'héroïne depuis environ cinq mois, après avoir tout de même subi six overdoses et vu plusieurs de ses proches en mourir. Mais sa volonté demeure fragile : « Si je ne suis pas capable de me piquer une fois et d'arrêter, alors, c'est que je n'ai jamais vraiment arrêté[39] », dit-elle à Peggy.

Un jour, pourtant, Janis confie à Lyndall qu'elle a rechuté. Elle prétexte l'intensité des séances d'enregistrement, les incertitudes, l'enjeu capital représenté par le disque en chantier après l'accueil mitigé du précédent. Lyndall tente bien de l'en dissuader, mais Janis jure que ce n'est que temporaire, que ça se terminera avec la parution de l'album. À la demande de Janis, Lyndall garde la confidence secrète, peut-être convaincue par les arguments. Quant à Myra Friedman, elle se dit persuadée que la chanteuse a recommencé à se piquer vers le 11 septembre. Janis est alors en état de paranoïa latente. Tout semble l'inquiéter. Sera-t-elle encore bientôt classée chanteuse de l'année, autant par *Playboy* que par le *Melody Maker* ? Et si le disque s'avérait un échec ? Quelle tournure prendrait alors sa carrière ? Devant ses amis, elle se déclare enthousiaste, euphorisée même par cette nouvelle formation et les espoirs dont elle est porteuse. Le groupe est soudé, solidaire dans sa démarche artistique, bien encadré par le très attentif Paul Rothchild. Les séances se déroulent dans un meilleur climat que les précédents albums. Mais un problème majeur demeure quant au choix des compositions. Comme Janis est aussi exigeante que Rothchild, les choses s'éternisent, ce qui crée un climat d'incertitude particulièrement nuisible pour la chanteuse.

En apprenant la disparition de Jimi Hendrix à Londres, le 18 septembre 1970, Jim Morrison déclare : « Quelqu'un croit-il aux présages ? » Révélant sa profonde personnalité, il revient vers Janis pour la saluer. Blafard et plutôt bouffi, même si pour l'heure il ne boit plus que du vin blanc, il annonce à sa « vieille copine de beuverie », comme il l'appelle, qu'il a décidé de tout plaquer, à commencer par la musique. Il se retire à Paris dans le but d'écrire, mais aussi pour éviter la menace de prison qui pèse sur lui suite à la grave affaire de Miami. Janis et Jim tombent dans les bras l'un de l'autre, pour de brefs adieux qu'ils devinent sans doute définitifs. Quelques jours plus tard, Janis sera retrouvée morte dans une chambre de son hôtel. Et moins d'un an plus tard, en juillet 1971, Jim sera enterré au cimetière du Père-Lachaise, à Paris… À la nouvelle de la mort de Janis, il s'assombrit et lance à son interlocuteur, pensant aussi à Jimi Hendrix : « Tu es en train de boire avec le numéro trois. »

Elle-même choquée par la mort de Jimi Hendrix, Janis déclare devant Seth agacé par ces propos : « Je peux tout de même pas partir la même année, vu qu'il est plus célèbre que moi[40]. » Une phrase étonnante, où se dessine à nouveau comme une prescience de sa disparition prochaine. Elle insiste d'ailleurs auprès de Peggy Caserta, comme pour se rassurer à bon compte : « Ce qui est plutôt bien, c'est que ça diminue les risques. Deux stars du rock ne peuvent décemment disparaître la même année[41] ! » Si Janis ne pense pas spécifiquement au suicide, la présence de la mort qui rôde l'obsède de plus en plus. Au téléphone, sur un ton songeur, elle lâche même ces mots inquiétants à l'attention de Myra Friedman : « Je me demande bien ce qu'ils raconteront à mon sujet après ma mort[42]... » Son ego est titillé par l'éventualité de sa disparition, même si, moins d'une semaine avant le jour fatal, elle croit bon de dire à John Till qu'elle n'a pas l'intention de leur jouer « un tour comme ça ». Aucun de ses proches ne paraît prendre ces signes au sérieux. Ils sont tout simplement habitués ; comme si cela faisait partie du folklore quotidien. Tous la voient exaltée par le disque en préparation et embarquée dans une aventure amoureuse apparemment plus consistante qu'à l'accoutumée. Les signaux ne leur semblent pas particulièrement virer au rouge.

Les jours précédant sa disparition, Janis parle plusieurs fois au téléphone avec le musicien Eric Andersen, avec lequel elle a noué amitié lors du Festival Express. Il est de passage en Californie. Un matin, se promenant dans la rue, une affichette apposée contre un kiosque le laisse pétrifié : *Female Rock Star Dead 27 Years Old*. Aucun doute, il ne peut s'agir que de Janis. « Quand je pense que je lui parlais la veille encore et que tout semblait si bien aller pour elle. Quelque chose a dû arriver, une contrariété quelconque, et quelle qu'elle fût, elle a atteint son but[43]. »

Le jeudi 1er octobre, Janis se rend dans un institut de beauté pour se faire faire des mèches. Mais, ce même jour, elle est habitée d'un objectif nettement moins futile... Elle signe un nouveau testament destiné à remplacer celui paraphé en 1968, dans lequel elle désignait son jeune frère comme héritier, tout en réservant une somme conséquente pour sa grande amie d'alors, Linda Gravenites. Rien n'était prévu pour le reste de la famille. C'est le conseiller Bob Gordon qui, dès juillet, a été à l'origine de ce nouveau document officiel. Il a fini par convaincre Janis qu'il y a désormais beaucoup plus d'argent en jeu, et que les liens avec Linda se sont sérieusement distendus. Après mûre réflexion, Janis accepte donc de modifier son testament en onze articles. Elle lègue la moitié de ses biens à ses parents, un quart à son frère Michael, et un dernier quart à sa sœur Laura. Le contenu de la maison — meubles, bibelots, vêtements — doit revenir à Lyndall Erb, chargée de distribuer le tout auprès des plus proches amis. Cette clause du contrat stipule que les objets contenus dans la maison de Larkspur reviendront à « la colocataire féminine avec laquelle j'aurai résidé les derniers temps avant ma mort ». Janis espère ainsi que la femme en question saura mieux les répartir. Elle attache une grande valeur affective à ces objets et au mobilier. Pour Janis, ils doivent être donnés à ceux qui les ont admirés et surtout utilisés auprès d'elle. À ceux qui ont vécu, ne serait-ce qu'un jour, parmi eux. Rien à voir avec l'argent, qu'elle considère finalement comme un héritage « familial ». La « femme héritière » n'étant pas expressément nommée dans le testament, cela signifie que Janis prévoit en permanence de laisser la gestion de la maison à une sorte de régisseuse, qu'elle soit amante ou simple amie. La chanteuse réserve par ailleurs une somme de 2 500 dollars pour organiser une super-fête en sa mémoire, qui regrouperait ses principaux amis. Au dernier article de son testament, Janis précise qu'elle souhaite être incinérée et que ses cendres soient dispersées au large de San Francisco, dans l'océan Pacifique. Sent-elle la mort approcher ? C'est peu probable car elle demande au même juriste de préparer son contrat de mariage. On peut remarquer au passage qu'elle ne réserve absolument rien au fameux « fiancé », celui-ci vivant apparemment aux crochets de ses parents, mais en réalité grâce à ses divers trafics. Dès le début du testament, Janis déclare qu'elle n'est pas mariée, précisant qu'il n'est pas dans ses intentions d'épouser qui que ce soit. Comme cette précision n'est pas une formule habituelle dans de tels contrats, elle peut laisser songeur quant à la réelle importance du mariage projeté. Cela fait, Janis achève la soirée en studio, où elle enregistre *a cappella* l'ironique « Mercedes Benz ».

Le surlendemain samedi 3 octobre, Janis appelle l'hôtel de ville pour avoir des précisions au sujet des actes de mariage. Elle s'entretient aussi avec une couturière qui lui confectionne des vêtements. Et elle parle de drogue avec Lyndall, lui disant qu'elle en a trouvé, mais qu'elle a aussi prévu de prendre de la Dolophine, bien décidée à en finir dès que possible avec l'héroïne. Cela dit, on ne retrouva ni Dolophine à proximité de son corps, ni trace de méthadone dans son sang. Dans l'après-midi, vers 16 heures, Janis reçoit dans sa chambre la visite d'un dealer avec lequel elle fait affaire. Ensuite, elle se pique après une discussion téléphonique très animée avec Seth. Janis est contrariée qu'il ait remis sa venue au lendemain. Toutefois, lorsqu'elle arrive au studio d'enregistrement, chacun la trouve plutôt enjouée. Elle confirme cette bonne humeur à Richard Bell, lui avouant : « Oui, j'ai un secret. » Mais quel secret ? Sans doute son projet de mariage.

Ce soir-là, en plus des membres du groupe et de quelques techniciens, il y a pas mal de monde dans les locaux du Sunset Sound. Une vingtaine de personnes au total, dont plusieurs choristes. On remarque surtout la présence de Nick Gravenites. Assis à même le sol dans un coin du studio, tandis que la formation est en pleine répétition, il termine la composition du morceau « Buried Alive in the Blues ». Il y a aussi Bobby Womack qui, après avoir confié sa chanson « Trust Me » à Janis, y va de quelques accords à la guitare acoustique. Janis n'est pas venue pour chanter, même si, dans l'euphorie ambiante, elle participe à l'enregistrement d'un court et chaleureux « Happy Birthday, John (Happy Trails) ». Ce présent est à l'attention de John Lennon dont l'anniversaire est proche, le 9 octobre. En début de prise, Janis s'adresse directement au destinataire : « Hello John, this is Janis… » Et à la fin, on entend distinctement l'ensemble des musiciens souhaiter un joyeux anniversaire à John, tandis qu'éclate le rire énorme de Janis, ravie de sa petite surprise. Hélas, John ne recevra la cassette à New York qu'après avoir appris la mort de Janis par les médias. On imagine son émotion à l'écoute de l'enregistrement…

En fait, Janis est venue au studio afin d'écouter les rushes enregistrés par les musiciens durant cette journée du 3 octobre. Il s'agit de la chanson de Nick Gravenites, « Buried Alive in the Blues ». Janis se montre particulièrement enthousiaste à l'idée d'interpréter sa partie vocale, dès le lendemain dimanche. Paul Rothchild également est ravi, remerciant les musiciens pour s'être donnés à 110 %, et Janis pour s'être donnée à 150 %. Lui, qui a déjà réalisé une bonne centaine d'albums, jubile littéralement et affirme à qui veut l'entendre que celui-ci sera assurément l'un des meilleurs.

Avant de quitter le studio, Janis téléphone à Lyndall, qui veille sur la maison de Larkspur. Fortement contrariée, elle apprend que Seth est sorti. Selon les témoins de la scène, sa voix reste enjouée, même si elle donne de profonds signes d'agacement. Il est près de minuit. Janis quitte le studio et part en compagnie de ses musiciens Kenny Pearson et Richard Bell. Elle se rend avec eux au Barney's Beanery, histoire de prendre quelques derniers verres. Elle est une habituée de cet établissement qui ferme tard et accueille de nombreuses célébrités du milieu musical, comme Alice Cooper, Leonard Cohen ou Jim Morrison. Janis y vient souvent pour boire, discuter le coup et jouer au billard. Cette fois, on semble se limiter à quelques vodkas-orange et à de la tequila. Selon ses compagnons, Janis se montre enjouée et s'exalte en parlant de l'album en cours et de ses musiciens, qu'elle trouve épatants, à tel point qu'elle précise : « Si l'un de vous me lâche, je l'abats aussitôt[44] ! » Bref, il est question d'avenir et d'idées positives, et aucunement de déprime suicidaire.

Il est minuit et demi passé lorsque Richard et Kenny laissent Janis dans le hall de l'hôtel et regagnent chacun leur chambre. Le gérant de l'établissement, Jack Hagys, voit Janis se diriger seule vers la chambre 105, au premier étage. Une pièce très simple, aussi banale que bruyante durant la journée. Seth Morgan est aux abonnés absents, tout comme Peggy Caserta ou toute autre connaissance rassurante. Janis déballe son kit de toxico et s'administre une dose d'héroïne extrêmement pure qui la fait aussitôt décoller vers un éden saccagé. Après avoir toutefois rangé son matériel, elle parvient à sortir dans le couloir. Une polémique demeure quant au fait que Janis se soit piquée avant ou après être descendue de sa chambre.

Peu avant 1 heure, dans un habit rouge de bohémienne qui lui pend aux chevilles, elle descend et demande au veilleur de nuit, George Sandoz (patronyme homonyme du nom des laboratoires suisses précurseurs du LSD !), de lui faire de la monnaie sur un billet de cinq dollars pour acheter un paquet de Marlboro au distributeur automatique situé dans le patio. Sandoz se souvient l'avoir trouvée détendue mais comme soudain vieillie. Janis échange alors quelques mots avec le portier au sujet de sa journée de travail. Elle se confie à lui durant environ un quart d'heure, lui racontant à quel point elle est satisfaite des enregistrements en cours. Puis elle lui souhaite bonne nuit. Elle traîne un moment devant la machine, comme si elle cherchait une âme généreuse auprès de laquelle s'épancher. Mais nul ne passe. Janis, la mine affectée, retourne dans sa chambre.

Revenue dans la pièce, elle pose le paquet de Marlboro sur la table de nuit, se déshabille et enfile une chemisette. Elle ressent alors une brusque déflagration dans tout son corps et s'effondre au pied du lit. Dans sa chute, son visage heurte violemment un meuble. Inerte sur le sol, entre le lit et la table de nuit, elle saigne du nez, qu'elle vient de se briser. Il est 1 heure 40 ce dimanche matin 4 octobre. Vers 2 heures 30, à New York, Myra Friedman et un ami se proposent de téléphoner à Janis, avant de renoncer, de peur de la réveiller.

Ce dimanche 4 octobre 1970, il est environ 19 heures 30. Janis est maintenant décédée depuis plus de dix-sept heures quand on finit par s'inquiéter. Elle ne s'est pas présentée comme convenu au studio, à 18 heures, pour ajouter sa partie vocale sur « Buried Alive in the Blues ». *Ensevelie vivante dans le blues.*

À l'aéroport de San Francisco, Seth s'énerve au téléphone. Il ne parvient pas à joindre Janis pour lui demander de l'attendre à l'aéroport de Burbank, dès son arrivée à Los Angeles. Juste avant de prendre son avion, il appelle le studio Sunset Sound où Paul Rothchild lui apprend que la chanteuse ne s'est pas présentée comme convenu à 18 heures pour la session d'enregistrement. Rothchild, à la fois surpris, contrarié et habité d'un mauvais pressentiment, se met lui aussi à téléphoner un tous azimuts. Ce retard ne ressemble guère à Janis, d'autant que, la veille, elle s'est montrée très excitée à l'idée d'interpréter la composition fatale de Nick Gravenites.

Seth téléphone ensuite à John Cooke, le fidèle road manager de la chanteuse depuis 1968. Il cherche en vain à prévenir Janis de son heure d'arrivée. Cooke occupe la chambre 223 au Landmark Hotel. Seth parvient à le joindre alors que John, lui-même en retard, s'apprête à partir pour le studio Sunset Sound. Pour lui, Janis a vraisemblablement déjà quitté l'hôtel depuis un bon moment. Cooke conseille à Seth de téléphoner au studio dès son arrivée à l'aéroport de Burbank, et on enverra aussitôt quelqu'un le chercher. Après avoir raccroché, Cooke sort de l'hôtel en compagnie des roadies Vince Mitchell et Phil Badella. Le trio est aussitôt intrigué en voyant la voiture de Janis garée sur le parking de l'hôtel. Ils constatent aussi que les rideaux de sa chambre sont toujours tirés. Pris d'un doute, John revient au guichet de l'hôtel et réclame un double de la clé. Il monte à l'étage et découvre le corps étendu sur le sol, avec de la monnaie serrée dans une main. Il est 19 heures 30. Dans un premier réflexe, malgré son abattement, il appelle immédiatement le conseiller juridique de Janis, Bob Gordon, puis Albert Grossman, son manager. Gordon joint aussitôt son beau-frère, un médecin, qui les rejoint rapidement sur place. John Cooke et Bob Gordon signalent la mort de Janis au gérant de l'hôtel, Jack Hagys. L'homme, devenu un proche de la chanteuse et des musiciens, est sous le choc. Selon les consignes de Bob Gordon, Hagys prévient la police, tandis que John Cooke se charge de la délicate mission d'informer les parents de la chanteuse de la disparition de leur fille. C'est également John Cooke qui appelle les studios pour annoncer le drame à Paul Rothchild et au groupe. Tout le monde s'active alors pour annoncer aux plus proches amis de

Janis sa disparition, avant que ceux-ci ne l'apprennent par les médias.

La police arrive discrètement sur les lieux plus d'une heure et demie après la découverte du corps. Il est 21 heures 10 quand le sergent Sanchez déclare Janis Joplin décédée. À l'exception du nez fracturé, les policiers ne relèvent aucune trace de violence. Ils découvrent certes de l'alcool (vin, tequila et vodka), mais ne constatent aucune trace de drogue dans la pièce. L'inventaire des effets personnels de Janis révèle la présence d'une somme de 94,70 dollars en espèces, de deux bracelets pour cheville, d'une boucle d'oreille dorée, d'un collier rouge, d'une clé et d'un portefeuille.

Le coroner A.L. Lorca est le premier à examiner le corps de Janis à l'hôtel même. Il note des traces d'aiguille sur les bras, sans préciser si elles lui semblent fraîches ou anciennes, mais ne trouve aucune drogue, à l'exception de capsules de Dalmane et de cachets contre la douleur. Il ne peut sur-le-champ déterminer la cause de la mort, mais biffe les cases *Natural, Accident* et *Undetermined* sur son rapport, et il ajoute la « possibilité » d'une mort par overdose sous l'effet de Dalmane ou autre produit stupéfiant. Le corps est ensuite transporté à la morgue et placé dans le tiroir n° 9, avant d'être examiné. On consigne un poids de soixante et un kilos deux cents pour une taille d'un mètre soixante-sept ; soit deux centimètres de plus que sa véritable taille.

Le rapport de Lorca paraît bâclé à l'un de ses collègues, Bob Dambacher, qui décide d'effectuer une seconde perquisition à l'hôtel. L'absence de drogue laisse place à l'hypothèse d'un meurtre. Il revient sur les lieux du décès le lendemain matin lundi 5 octobre, aux alentours de 11 heures, accompagné du coroner en chef, le Dr Thomas T. Noguchi. La chambre a été surveillée par un policier qui annonce à Noguchi qu'une aiguille et une seringue ont été retrouvées, mais sans trace d'héroïne. On fait ôter les scellés. Les deux hommes font alors de troublantes découvertes. Ils trouvent un morceau de coton portant des traces de sang séché, des sangles destinées à serrer le bras pour faire ressortir les veines. Ils découvrent également un sachet rouge contenant de l'héroïne, du papier toilette ensanglanté, et même le fameux kit de toxico de Janis, avec, entre autres, une seringue en plastique contenant de l'héroïne, et une cuillère souillée. On trouve encore de l'héroïne dans un sac en papier, et deux sachets contenant de la marijuana et des tablettes de médicaments. L'overdose devient évidente. Reste toutefois la question principale : pourquoi la perquisition de la veille n'a-t-elle rien signalé ? Le jour précédent, on a fouillé la chambre à fond, en vain. Un ami aurait-il réussi à rapporter les objets emportés dans la panique lors de la découverte du corps ?

Thomas Noguchi interpelle le policier de garde : « Et ça ? » Celui-ci, interloqué, répond : « Mais d'où est-ce que ça sort ? On a fait au moins cent fois le tour de cette chambre et la corbeille était vide ! » Le coroner poursuit son récit :

« Son expression ahurie me fit presque rire.

— Y a-t-il eu des visites ? demandai-je.

L'homme me répondit que oui, un musicien de l'orchestre était passé récupérer les effets personnels de Janis Joplin.

Je souris.

— Il a dû rafler la drogue après sa mort puis, comprenant que c'était une pièce à conviction, il est revenu et l'a jetée dans la corbeille.

Ce type de comportement n'était pas rare dans les affaires de drogue. Les amis de la victime avaient souvent comme première réaction de faire disparaître les traces de drogue. Mais ils revenaient souvent après avoir réfléchi[45]. »

Toutefois, personne n'aurait pu revenir sur les lieux, gardés par la police. Ou alors juste avant que les scellés soient appliqués. Certains en déduisirent que Janis a été assassinée dans le cadre d'un vaste complot de la CIA ou du FBI visant des figures marquantes de la contre-culture. Jimi Hendrix et Brian Jones sont morts dans des circonstances douteuses, et seront suivis l'année suivante par Jim Morrison, à Paris, dans des conditions elles aussi demeurées mystérieuses. On peut également ajouter l'accident de moto de Bob Dylan, en juillet 1966. Cette théorie n'a cependant jamais été sérieusement étayée.

Le médecin légiste demande au laboratoire d'étudier le contenu du sachet rouge. En arrivant, il reçoit les résultats de l'analyse de sang, qui laisse apparaître des traces de morphine, l'héroïne se transformant, en effet, en morphine dans le système circulatoire. Le contenu du sachet retrouvé dans la chambre va démontrer que la quantité de drogue utilisée par Janis pour faire sa piqûre était relativement minime. En ce cas, pourquoi une consommatrice régulière aurait-elle succombé à une dose ordinaire ? L'analyse du sachet va démontrer que l'héroïne était pratiquement pure, dans une proportion plus de dix fois supérieure au maximum courant. Difficile à un organisme de résister à une telle charge, surtout après une consommation d'alcool. Le bilan *post-mortem* stipule : I. Œdème pulmonaire et congestion. / II. Congestion viscérale. / III. Marques d'aiguille sur les deux bras. / IV. Métamorphose grasse du foie.

Thomas J. Nogushi, médecin légiste de Hollywood et coroner principal du comté de Los Angeles, déclare alors officiellement une mort accidentelle par overdose d'héroïne, avec des traces conséquentes d'alcool dans le sang, un œdème et une congestion pulmonaires, une congestion des viscères, une importante métamorphose du foie, et au moins deux zones récentes d'hémorragie sur le bras gauche. Il constate aussi de nombreuses traces de perforations anciennes dans les veines des bras, ce qui confirme que la chanteuse avait bien recommencé à se piquer depuis plusieurs semaines. Mais le Dr Nogushi précisera toutefois, des années plus tard : « Ce qui engendra le débat, c'est le fait que Janis Joplin ne s'était pas injecté une forte quantité d'héroïne dans les veines la nuit de sa mort. En 1974, lors d'un arrêté de jugement d'assurances lié à cette affaire, il fut déclaré que la dose d'héroïne était loin d'être catastrophique. Dans ce cas, pourquoi Janis Joplin y a-t-elle succombé[46] ? » On a pu prouver que juste avant de prendre la dose fatale d'héroïne, Janis a bu de la tequila et avalé deux comprimés de Valium.

On a constaté huit cas similaires d'overdose à Los Angeles durant ce même week-end, ce qui tend à confirmer que l'héroïne en circulation ces jours-là était d'une pureté particulièrement redoutable. Le dealer habituel de Janis était réputé pour utiliser les services d'un expert chargé de couper l'héro avec de la lactose ou de la quinine afin de limiter les risques. Il évitait d'utiliser de la poudre de talc, un dérivé de l'amiante qui reste fixé dans les poumons. Mais durant ce funeste week-end, hélas, « l'expert » s'était absenté, et les doses en circulation devinrent de véritables bombes. On n'a pu déterminer l'identité du dealer, même si l'un des biographes de Jim Morrison, Stephen Davis, a osé une affirmation surprenante. Selon lui, le dealer en question ne serait autre que le comte Jean de Breteuil, le Français qui initia Pamela Courson — l'égérie du chanteur des Doors — à l'héroïne et la fournissait le plus souvent. Ce même comte qui, l'année suivante, pourrait bien avoir provoqué la mort de Morrison lui-même. Toujours selon Stephen Davis, Breteuil, en situation irrégulière aux États-Unis, aurait paniqué, sachant qu'il risquait la prison à vie. Il aurait rejoint Pamela pour lui expliquer qu'il devait immédiatement quitter le pays, la suppliant de partir avec lui. Mais cette hypothèse est fort peu probable, les témoignages faisant cruellement défaut.

Les atermoiements, négligences et autres imprécisions de l'enquête ont ainsi pu laisser penser soit à un assassinat, soit surtout à un suicide, sans revenir sur cette rumeur persistante selon laquelle la CIA ou le FBI aurait planifié l'affaire, et qui circula un bon moment dans les sphères politisées de l'underground.

À sa mort, Janis était âgée de vingt-sept ans, tout comme Jimi Hendrix, décédé trois semaines plus tôt, et Jim Morrison qui mourra l'année suivante. Commentant la disparition de Janis Joplin, une journaliste du *New York Times*, Ellen Willis, fit ce constat :

> Seigneur, que cette année semble avoir pris mauvaise tournure ! Le roi et la reine de cette musique expressive et vivante apparue dans les années 1960 ont disparu victimes des excès de l'univers dans lequel ils évoluaient.

Après les disparitions rapprochées de certaines stars, mais aussi de nombreux anonymes de la communauté hippie, on a pu constater un rapide déclin de la consommation d'héroïne à travers le pays, mais au profit de la cocaïne ou d'autres produits.

Jerry Garcia, le leader du Grateful Dead, est bien entendu choqué par la disparition de son amie Janis. Lui, qui a déjà frôlé la mort pour des raisons similaires, déclare avec fatalité :

> Janis, c'était quelqu'un de *vrai*. Elle a enduré ces mêmes bouleversements que nous avons tous traversés. Elle a vécu les mêmes trips. Elle s'est retrouvée comme nous tous : abîmée, en miettes. [...] Quand elle s'engageait dans un truc, elle le faisait à bloc, bien plus que n'importe qui, beaucoup plus qu'on pourra jamais l'imaginer. [...] Janis aura été comme une fusée et aura été détruite en plein vol[47].

Seth Morgan, le fiancé de la dernière heure, a répété qu'il n'a jamais senti chez Janis la moindre prémonition de sa mort et qu'il s'agit bien d'un accident, d'une « erreur de jugement », selon lui. Elle lui avait demandé de l'aider à arrêter, mais il n'avait jamais pris conscience de la gravité du problème. Peggy Caserta prétendit que le sinistre personnage avait cherché à coucher avec elle quelques heures à peine après la découverte du corps inanimé de Janis. Par contre, le fiancé du Brésil, David Niehaus — de retour du Népal avec de la soie précieuse destinée à la confection de vêtements de Janis par Linda Gravenites — fut accablé d'apprendre la disparition de son amie, et chacun put constater sa profonde tristesse. Seth et David, les pôles opposés des amours de Janis.

À Port Arthur, si la famille de Janis est certes touchée par de nombreux signes de compassion, elle est surtout harcelée de coups de fil haineux. Leurs auteurs sont visiblement ravis d'apprendre la disparition de leur fille qui a eu l'audace de critiquer avec tant de virulence sa ville et sa région d'origine.

Juste après le décès de Janis, Sunshine et Linda Gravenites viennent retrouver Paul Rothchild et les musiciens du Full Tilt Boogie en studio. Tous, les larmes aux yeux, écoutent des extraits de cet album presque terminé. Albert Grossman lui aussi est présent.

Le fidèle Dave Richards rapplique à Larkspur afin d'aider Lyndall Erb à s'occuper des animaux, des affaires courantes et des tracasseries administratives inévitables en cas de décès. Quelques proches amis viennent faire cercle, comme John Cooke et Peggy Caserta, mais aussi Paul Rothchild et Kris Kristofferson. Des badauds traînent autour de la maison, mais les parasites de jadis ont déserté le quartier. La fête est bien terminée. Les journalistes, se précipitant aux nouvelles, se comportent pour la plupart comme des chacals. Dans les bureaux de *Rolling Stone*, apprenant la mort de Janis, le directeur Jann Wenner lâche aussitôt ce déchirant cri du cœur : « Pensez à annuler son abonnement ! » Cette pitoyable désinvolture ne l'empêchera toutefois pas d'acquérir, dans les années 1990, une importante collection consacrée à la chanteuse...

La cérémonie funèbre a lieu le mercredi 7 octobre 1970, dans une stricte intimité familiale, au cimetière de Westwood Village, dans le comté de Los Angeles. Les parents de Janis ont tout d'abord demandé le rapatriement de la dépouille de leur fille à Port Arthur pour la faire inhumer. Mais, apprenant ses dernières volontés, ils décident de les respecter scrupuleusement. Janis est donc incinérée au cimetière du Memorial Park de Westwood Village. Ses cendres sont ensuite dispersées à partir d'un avion survolant l'océan Pacifique, au large de la côte californienne de Marin County, non loin de Stinson Beach, le mardi 13 octobre 1970.

Selon ses volontés testamentaires, la fête en souvenir de Janis est organisée le lundi 26 octobre

1970, à partir de 20 heures 30, au Lion's Share, un club de San Anselmo situé au 60 Red Hill Road. Ouvert début 1966, ce lieu consacré au folk et au rock a accueilli des artistes comme Van Morrison et Jesse Colin Young. Le carton d'invitation, d'un humour noir très classe, stipule : *Drinks are on Pearl.* « Les boissons sont pour le compte de Pearl. » Donc, on but en conséquence, on fuma de l'herbe, on dansa, rit et pleura, remuant les souvenirs communs ; autant de plaies à vif, mais aussi de bonheurs partagés. La curieuse *death party* réunit près de deux cents personnes dont le clan Big Brother and the Holding Company au complet autour de Chet Helms, le clan CBS autour d'Albert Grossman, Laura Joplin, la sœur de Janis, des amis comme John Cooke, Bob Neuwirth, Dave Richards, Lyndall Erb, Linda et Nick Gravenites, Kenai ou Ken Walker, des petites amies comme Sunshine, Kim Chappell et Peggy Caserta, le fiancé égaré, Seth Morgan... mais pas Kris Kristofferson, qui reproche à tous de n'avoir rien tenté pour la protéger contre elle-même. Kris préférera lui dédier la chanson « Epitaph (Black and Blue) », figurant en 1971 sur son deuxième album, *The Silver Tongued Devil and I*. Une épitaphe amère adressée à tous ceux qui ont côtoyé Janis à la fin de sa vie et ont feint d'ignorer le danger mortel auquel elle était exposée, ou qui ont fini par s'habituer à la situation. Kris chante : « La fête est finie / Achève ton verre et rentre chez toi / Il est trop tard pour l'aimer / Et la laisser toute seule[48]. » *(The party's all over / Drink up and go home / It's too late to love her /*

And leave her alone.) Les amis présents à la fête, quant à eux, boivent plus que de raison afin de rendre un hommage digne de ce nom à Janis, tandis que les musiciens de Big Brother montent sur scène pour l'occasion. Les affaires personnelles de Janis, regroupées en grande partie dans un hangar, sont partagées le week-end suivant entre ses proches amis, chacun emportant un précieux souvenir.

Après les infamies locales, fleurs et messages de sympathie affluent du monde entier chez les parents de Janis Joplin. Bob Gordon, chargé de régler les formalités de succession, constate à sa grande surprise que les papiers de Janis ont été tenus à jour avec un étonnant souci de précision. Ses dépenses, notamment, étaient strictement consignées. Insécurisée quant à cet avenir qui l'obsédait tant, la jeune femme a vécu dans une relative sagesse pécuniaire, qui lui valut parfois une injuste réputation de pingrerie. Surtout si l'on se souvient qu'elle a laissé une bande de parasites vivre à ses dépens, ne sachant plus toujours distinguer les véritables amis des compagnons d'illusions. Elle a ainsi parfois *acheté* de la présence, des amours factices, une chaleur fugace et fragile. Mais elle est aussi venue plusieurs fois au secours d'amis dans la panade. Ses seuls coups de folie auront été la maison de Larkspur et sa Porsche transformée en fresque psychédélique. Deux dépenses somme toute raisonnables pour une jeune star, si l'on ne compte pas un budget conséquent consacré à la dope, à l'alcool et aux bacchanales les plus folles.

La firme CBS et Albert Grossman, après quelques sanglots de circonstance, sont impatients d'exploiter l'émotion suscitée par la disparition de la chanteuse. À la limite de l'indécence, ils attendent février 1971 — soit un trimestre tout au plus après le décès de leur artiste — pour lancer l'album *Pearl.* Certains, à leur place, auraient fait preuve de moins de scrupules encore, et auraient hâté les choses pour faire paraître l'album à l'occasion des fêtes de fin d'année...

Mais qu'on se rassure... En 1974, le deuil du manager sera sérieusement adouci. Quoique machiavélique, Albert Grossman semble alors en pleine déconfiture après les départs conjugués de Bob Dylan en 1969 et de Peter, Paul and Mary en 1970. Ces défections s'ajoutent bien sûr à la disparition de Janis Joplin. L'heure est grave pour l'homme au catogan, qui se retrouve confronté à un procès intenté par une compagnie d'assurances auprès de laquelle il a eu l'« habileté », dès juin 1969, de souscrire un contrat destiné à le dédommager... en cas de disparition prématurée de son artiste féminine ! La San Francisco Associated Indemnity Corporation rechigne à payer, plaidant que la mort ou le suicide de Janis étaient prévisibles. Grossman joue les ingénus, affirmant qu'il ignorait absolument que Janis Joplin se droguait, et que l'alcool, en fait, la « relaxait », lui permettait de mieux chanter... Entre preuves insuffisantes et mauvaise foi, il fallut transiger. Un accord à l'amiable est conclu... et Grossman empoche 112 000 dollars (sur les 200 000 prévus au contrat), une misère selon lui comparé au préjudice subi !

Cela dit, ce n'est que quatre mois seulement après la mort de Janis, en janvier 1971, que le 33 tours *Pearl* est expédié chez les disquaires. Comme l'émoi est toujours palpable à travers le pays, et que le disque est particulièrement réussi, l'album va se hisser en tête des *charts*, pour y demeurer neuf semaines, à partir du 27 février. Et surtout, le 14 mars, le 45 tours « Me and Bobby McGee » devient n° 1 au *Billboard*. Ce sera l'unique tube — hélas un peu tardif ! — de la brève carrière de la chanteuse. Mais c'est aussi la seconde fois de toute l'histoire du disque qu'un *single* posthume atteint cette place suprême. Seul le « (Sittin' on) the Dock of the Bay » d'Otis Redding avait jusque-là connu pareil honneur. « Me and Bobby McGee » va devenir l'une des chansons les plus reprises au monde, aucune version ne parvenant cependant à égaler celle de Janis Joplin. Avant la fin de 1972, le titre sera déjà gravé sur disque par Roger Miller, Gordon Lightfoot, Kris Kristofferson, Bill Haley, Jerry Lee Lewis, le Grateful Dead et Johnny Cash !

Avec l'album *Pearl*, Janis déploie pour la dernière fois sa voix puissante et blessée, fragile et râpeuse, aux riches harmoniques. Une voix froissée par une douleur insurmontable, où transparaît une vulnérabilité à peine masquée par l'agressivité. Le blues est toujours dominant, avec toutefois de fortes influences folk, rock et jazz. Et même country avec « Me and Bobby McGee ». Les paroles expriment pour l'essentiel du désespoir, une souffrance existentielle, et même une auto-ironie sans fard. Janis y exprime comme nulle autre une épreuve de rédemption. Sa grande épreuve. Elle n'aura décidément jamais été une paisible chanteuse folk gratteuse de guitare, ni une virginale ondine pop, ni une chanteuse de charme pour cabaret. Elle reste pour toujours la première chanteuse blanche à être montée au front du blues avec ses tripes et son cœur. Le corps résolument en première ligne, elle assume sans détour un rôle dominant au sein d'un groupe d'hommes emportés par son élan vertigineux. Elle exprime sans cesse une nature personnelle anxieuse et meurtrie, qu'elle fait rejaillir des profondeurs par l'état d'urgence de ses interprétations. Avec les deux premiers albums des Doors, et certains disques de Tim Buckley, Paul Rothchild atteint ici l'un des sommets de son art de la production.

Imprégné de magie, chargé d'une urgence phénoménale, *Pearl* est l'album de la plénitude pour Janis Joplin. Son chant du cygne aussi, hélas. Il comporte dix titres et débute bille en tête par « Move Over », signé par Janis elle-même. Un des morceaux appelés à devenir parmi les plus célèbres de son répertoire, et aussi l'un des plus autobiographiques. Janis, qui le testait depuis plusieurs mois sur scène, eut le temps d'expliquer, lors d'un Dick Cavett Show en juin 1970, que cette composition décrivait une histoire d'amour avec un homme qui ne désirait pas s'installer avec elle, mais voulait cependant que Janis continue à l'aimer. La chanteuse a ainsi précisé, non sans amertume : « Les hommes sont habitués à proposer ce genre de choses. Ils se régalent à jouer à ce petit jeu, à se moquer de moi comme ça. La conclusion du morceau fait référence à l'image populaire de la mule qu'on fait avancer avec une carotte au bout d'un bâton. On la lui tend devant le museau, et cette abrutie de mule trotte derrière la carotte dans le but de la choper[49]. » Sous-entendu : c'est tout moi, ça ! Je suis celle qu'on fait rêver et qu'on finit toujours par laisser sur le côté.

« Cry Baby », après son introduction éclatante, est un slow blues déchirant, traversé d'explosions vocales ravageuses. La voix de Janis s'échelonne sur une large gamme entre doux feulements et cris dilacérés. À travers les paroles, Janis console un homme abandonné par une autre fille. Elle est « une femme de secours », toujours prête à consoler, même à son détriment. Le morceau est aussi un grand moment de production, une délicate dentelle sonore où chaque instrument se détache puis se fond à l'ensemble, avec un travail particulièrement raffiné au clavier et à la guitare.

« A Woman Left Lonely », le gospel rhythm' n'blues composé par le duo Dan Penn / Spooner Oldham, possède des accents à l'orgue d'église qui rappellent certes Bach, mais surtout « A Whiter Shade of Pale », le tube de l'été 1967, celui de Procol Harum, enregistré dans une cathédrale. Mais, bien sûr, la voix de Janis fait ici toute la différence, entrelacée aux volutes du clavier de Ken Pearson.

« Half Moon », dû à John et Joanna Hall, avec ses riffs de guitare très funky, donne une furieuse envie de bouger. Cette composition saisit curieusement l'auditeur aux épaules et le long de l'échine. Si John Till fait des merveilles de swing à la guitare, le groupe sidère par son unité et sa cohérence au service des nuances infinies de la voix de Janis.

« Buried Alive in the Blues », signé Nick Gravenites, est le morceau le plus cruel et le plus ironique du disque. D'une part pour son titre (« Ensevelie vivante dans le blues »), et d'autre part parce qu'il s'agit d'un instrumental. Janis est absente, déjà morte, et pourtant son fantôme habite ce morceau à la fois symbole de son art et de sa disparition. Le jour même de son décès, elle devait enregistrer la partie vocale sur la musique mise en boîte la veille. Musiciens, techniciens et producteurs l'attendirent en vain, pour apporter ce qui devait être la touche finale au disque. Par bonheur, Paul Rothchild aura compris qu'il fallait absolument que ce morceau figure sur le disque, autant pour son titre prémonitoire que pour *l'absence envahissante* de la voix de Janis.

« My Baby », de Jerry Ragovoy, sur des paroles de Mort Shuman (oui, celui de « Il neige sur le lac Majeur » !), est un gospel soul gorgé de feeling où les chœurs (Vince Mitchell, Phil Badella, John Cooke...) jouent un grand rôle. Janis s'y montre extrêmement à l'aise, et on sent sa pleine connivence avec l'ensemble de l'équipe.

« Me and Bobby McGee », bien sûr le haut fait du disque, est devenu sans doute le titre le plus connu interprété par Janis Joplin. La mélodie imparable du grand Kris Kristofferson colle parfaitement à la voix bouleversante de Janis, sur un morceau allant crescendo dans l'intensité jusqu'à proprement arracher des larmes à l'auditeur. L'orgue, la guitare, la batterie, les fredonnements de Janis, tout est savamment dosé par un Paul Rothchild — grand amateur de Mingus et de Monk — qui réalise à cette occasion l'un des grands classiques des années 1970. L'envolée finale est une véritable fête de connivence entre chaque instrumentiste et la chanteuse, qui a légèrement adapté les paroles.

La liberté n'est qu'un autre mot pour dire qu'on a rien à perdre[50].

« Mercedes Benz », le court poème rédigé par Janis Joplin avec la complicité de Bob Neuwirtz, à partir d'un vers de l'écrivain beat Michael McClure, a été enregistré *a cappella* le 1er octobre. Il est simplement rythmé par les coups de talon de la chanteuse, touchée par la grâce. Bouleversant avec ses « *O Lord !* » qui donnent le frisson, ce bref intermède aux paroles décalées (« Ô Seigneur ! puisque tous mes amis roulent en Porsche, offre-moi donc une Mercedes Benz » / *O Lord, won't you buy me a Mercedez Benz ? My friends all drives Porsches, I must make amends*[51]) s'achève par l'inimitable rire de Janis. Un rire tout de connivence avec l'auditeur : « La roue de la Fortune me guette, / J'attends chaque jour le tirage au sort ». (*Dialing for dollars is trying to find me / I wait for delivery each day until three*).

« Trust Me », un blues gospel, est dû à Bobby Womack, alors l'un des pontes de la soul américaine auprès d'Aretha Franlin, Percy Sledge, Sly

Stone et Wilson Pickett. Créateur entre autres du « It's All Over Now » des Rolling Stones en 1964 — auxquels il donnera plus tard un sérieux coup de main sur l'album *Dirty Works* —, il est lui-même présent à la guitare acoustique sur ce titre où Janis sait se fondre avec tact, délicatesse et respect.

L'album s'achève sur un slow soul de Jerry Ragovoy et Mort Shuman, « Get It While You Can », où la guitare de John Till le dispute au clavier de Ken Pearson. Tous deux sont soutenus par une section rythmique sans faille où la batterie de Clark Pierson épate par son feeling et la largeur de sa palette.

En 2005, une version de cet album estampillée *Legacy Edition* sera une réussite totale. Pour une fois, la légende s'agrandit honnêtement, avec six bonus de poids : la carte d'anniversaire sonore de Janis à John Lennon, plus une magnifique démo de « Me and Bobby McGee », trois versions alternatives et un instrumental inédit. Mais ce n'est pas tout, puisqu'un second CD inédit de soixante-dix-sept minutes y est ajouté. Ce disque particulièrement précieux comprend treize titres saisis *live* à l'occasion du Festival Express de l'été 1970, au Canada. Paul Rothchild étant décédé en 1995, c'est Bob Irwin qui assure l'emballage final de ce document exceptionnel où le Full Tilt Boogie semble encore avoir gagné en cohésion et complicité. Sur cette relique aux accents proprement féeriques, Janis dialogue longuement avec le public. Des versions pleines de générosité, comme « Tell Mama » (6'47"), « Cry Baby » (6'32") et « Ball and

Chain » (8'15"), par exemple, sont renversantes de feeling et de prouesses vocales.

Oui. Janis Joplin est bien morte seule dans la nuit. Dans cette incommensurable solitude qui l'enveloppait, même si elle était sans cesse entourée d'une faune tapageuse. Morte avec l'héroïne et l'alcool comme dernières compagnes. Tel aura été le destin tragique de celle qui sut quitter l'anonymat de Port Arthur, où elle était égarée, humiliée, pour gagner le cœur de millions d'auditeurs au fil des décennies suivantes.

Avec ses attitudes libérées et son image-fardeau d'« un des garçons de la bande », Janis, en moins de quatre ans de carrière, a eu l'immense mérite de définitivement décomplexer les artistes féminines attirées par la musique rock au sens large. Mais aussi tout un public féminin pour lequel elle fut enfin une héroïne parmi un imaginaire surpeuplé de héros masculins. Pionnière du genre dans les années 1960, elle a imposé une façon excentrique mais cohérente de s'habiller, en portant autant le pantalon que la minijupe avec jarretières ou la robe longue échancrée. Elle a osé se présenter avec une coiffure extravagante, zébrée d'accessoires ostentatoires, dont des plumes de boa colorées. Elle a osé l'accumulation de colifichets cliquetants, bracelets à profusion et longs colliers de perles. Elle a osé en pionnière les tatouages. Elle a osé à la fois les écharpes et foulards multicolores, le port du chapeau de cuir, celui des larges lunettes rondes aux verres teintés roses ou bleus et à montures métalliques. Elle a osé les toques de fourrure synthétique. Tout cela pour imposer un style unique, tranchant radicalement avec les tenues convenues de la plupart des chanteuses. Elle a de plus assumé avec front une bisexualité débordante. Elle fut la seule star féminine de son époque à refuser le maquillage. Elle a crânement endossé son rôle provocateur de chanteuse blanche hors norme, affublée d'une voix noire. Elle a défendu un répertoire mêlant sans gêne ni complexe des effluves rhythm'n'blues, country, rock, gospel, soul et jazz. Elle a imposé une façon rageuse et déglinguée de s'exprimer au féminin dans un monde assujetti aux hommes. Elle a révolutionné le rôle trop convenu de la chanteuse décorative au sein d'un groupe musical masculin, s'imposant comme une artiste solo à part entière au sein d'un projet collectif. Elle a redéfini les possibilités offertes à une chanteuse blanche dans une musique populaire aux origines noires. Elle fut à la fois naturelle et outrageante, fragile et téméraire, cherchant rarement à dissimuler sa relative disgrâce physique. Rigoureuse dans la performance. Entièrement absorbée, sacrifiée à son art, au détriment de son ataraxie personnelle.

Aujourd'hui, elle reste encore une référence incontournable, à laquelle toute chanteuse se trouve inévitablement confrontée. Nombreux sont ceux qui la considèrent comme un brut parangon, un indéfectible guide.

La décennie 1970 était à peine entamée que déjà les rêves, les défis, les illusions et utopies avaient été étouffés. Les mirages du plaisir exalté et de la fête générationnelle se sont rapidement estompés. Les enfants-fleurs ont fâné sur pied face à la rude et cruelle réalité. À peine ébauché, le mouvement hippie, celui des *peaceniks*, s'est retrouvé à l'agonie. L'euphorie d'un espoir insensé placé en d'autres rapports possibles entre les individus a vite tourné au cauchemar, au désarroi et à la résignation. La drogue a fait de nombreuses victimes, à court ou à long terme. Les promesses se sont enfuies. Une étroite parenthèse historique s'est refermée en quelque cinq ans. La révolution escomptée fut délayée avec pertes et profits par le système dominant. *Bad trip*. La solitude existentielle reprit ses droits sur les brisées de l'espoir communautaire. Une étrange métempsycose. Les Diggers, découragés, ont abandonné leurs cantines gratuites. Le trafic intensif de drogues dures a multiplié les agressions, les meurtres, les vols et les viols, et a bouleversé la population des quartiers concernés. Les communautés ont éclaté ou sont devenues, dans le pire des cas, des sectes ; elles se sont souvent dispersées en dehors des villes, jusqu'au Mexique ou au Canada. Nombre de révoltés ont fini par reproduire le schéma parental honni et décrié avec tant de véhémence. L'ambition et l'argent ont repris leurs droits, même si la crise économique est passée par là comme du sel sur les plaies. Le choc pétrolier allait frapper et le chômage devenir une préoccupation prioritaire pour la jeunesse. Les symboles de libération étaient désormais moribonds, morts ou dispersés. Le système dominant a phagocyté les espoirs. Une logique de l'échec a gagné les acteurs du mouvement qui, comme les communautés, se sont dissous avec plus ou moins de dignité dans la société américaine. Une société qui, au passage, allait certes évoluer dans son style de vie et dans ses mœurs, devenues en apparence — trop souvent en apparence — plus décontractées et permissives. Mais la jeunesse américaine dans son ensemble allait redevenir « raisonnable » et conventionnelle. L'individualisme forcené reprit ses droits. La musique aussi allait changer, se boursoufler, se sophistiquer et s'assoupir, jusqu'au brusque réveil punk puis grunge. La violence et le *no future* allaient prospérer sur les cendres du *peace and love* et de l'utopie envolée. Les années 1960, fracture brusque, ont plus que toute autre décennie transformé le monde et les mentalités, en grande partie grâce à une révolution musicale. Et Janis Joplin a disparu avec cette époque exaltante.

Victime de sa légende, Janis est trop souvent caricaturée pour son penchant à l'autodestruction, la crudité de son langage, pour sa philosophie de l'extase. Mais il est difficile de l'imaginer vieillissante, harassée, transformée en épave à cause de l'alcool et de ses outrances. Tel est sans doute le prix à payer pour se muer en mythe, en légende, en icône du rock et du blues. Mais l'essentiel est de ne pas oublier que Janis Joplin a féminisé un rock trop longtemps accaparé par les hommes, qu'elle a imposé un style de vie libéré et porté par l'excès, transcendé par la musique, et qu'elle reste encore aujourd'hui, plusieurs décennies après sa mort, la plus grande chanteuse de blues blanche de tous les temps.

ANNEXES

REPÈRES CHRONOLOGIQUES

1943. *Janvier* : à 9 heures 45, naissance de Janis Lyn Joplin au Saint Mary's Hospital de Port Arthur, au sud-est du Texas.

1950. *Girl scout* au sein des Bluebirds.

1955. Passionnée de dessin et de lecture. Emploi volontaire estival à la bibliothèque locale.

1957. Réalise les affiches et décors pour le Little Theater de Port Arthur. Formation de la bande de copains marginaux autour de Jim Langdon.

1958. Premières expériences avec l'alcool. Découverte des écrivains beat et de Jack Kerouac, ainsi que de Francis Scott Fitzgerald. Courte fugue en Louisiane. Se prend de passion pour la chanteuse Bessie Smith.

1960. *Juin* : diplômée, quitte le lycée Thomas Jefferson. Inscription au Lamar Tech de Beaumont.

1961. Première apparition publique comme chanteuse, au Halfway House de Beaumont.
Été : découvre la Californie et Los Angeles, où elle travaille et fréquente le milieu beatnik. Très bref voyage à San Francisco.
Fin d'année : retour à Port Arthur.

1962. *Janvier* : débuts sur scène au Purple Onion de Houston. Poursuit ses cours au Lamar Tech. Enregistre un jingle pour une banque.
Été : découvre les bars de la Louisiane. Inscrite aux Beaux-Arts à l'université d'Austin (Texas). Vit au Ghetto, une communauté d'étudiants.
Chanteuse au sein des Waller Creek Boys, à l'Union Building et au Threadgill's Bar and Grill. Au répertoire : Leadbelly,

Bessie Smith et de la musique bluegrass. Vend de l'herbe sur le campus et expérimente le peyotl et le Seconal.
Élue « mec le plus moche du campus » ; traumatisme qui va la marquer à vie.

1963. *Janvier* : départ en stop avec Chet Helms. Destination San Francisco où Helms l'introduit dans les milieux branchés. Le soir même de leur arrivée, se produit sur scène au Fox and Hound (renommé le Coffee and Confusion) de North Beach, faisant passer le chapeau dans la salle. Jorma Kaukonen, futur guitariste du Jefferson Airplane, l'accompagne parfois. Amitié avec David Crosby et Nick Gravenites. Découverte du milieu lesbien.
Commence à boire exagérément et à se droguer. Croise Peter Albin, Sam Andrew et Jim Gurley, futurs membres de Big Brother and the Holding Company.
Été : chante au Monterey Folk Festival. Arrêtée pour vol à l'étalage. Vit d'expédients.
Fin d'année : retour en famille à Port Arthur.

1964. Petits jobs. Durant l'été, vit à New York dans le Lower East Side. Se drogue et chante occasionnellement au Slug's.
Retour à San Francisco. Découverte de l'héroïne. Déchéance physique. Mange à la cantine de l'Armée du Salut. Dépression nerveuse.

1965. *Mai* : amaigrie (quarante kilos), catatonique, tente vainement de se faire interner au San Francisco General Hospital.
Juin : retour en famille, à Port Arthur. Situation d'échec. Un projet de mariage échoue. Tente d'adopter une vie rangée. S'inscrit en sociologie à Lamar. Retour progressif au chant grâce à Jim Langdon. Durant ce temps, à San Francisco, formation du groupe Big Brother and the Holding Company.

1966. *Janvier* : chante dans des clubs d'Austin, surtout du répertoire folk et des reprises de Bessie Smith.
22 janvier : première apparition publique de Big Brother and the Holding Company, à l'Open Theater de Berkeley.
Chet Helms, par ailleurs administrateur du Family Dog, devient manager de Big Brother. Ouverture des salles de concerts le Fillmore (Bill Graham) et l'Avalon (Chet Helms), à San Francisco.
Mai : sur le point d'intégrer le groupe texan blues rock The 13th Floor Elevators.
Chet Helms confie à Travis Rivers la mission de convaincre

Janis de revenir à San Francisco pour intégrer le groupe Big Brother and the Holding Company.

4 juin : arrivée à San Francisco avec Travis Rivers. Intègre Big Brother and the Holding Company. Premier concert le 10 juin à l'Avalon. Essor du mouvement hippie.

1er juillet : s'installe dans une communauté, à Lagunitas, avec ses musiciens.

Approchée par le label Elektra et le producteur Paul Rothchild pour un contrat solo. Hésite à quitter son groupe.

Août : engagé pour une série de concerts au Mother Blues de Chicago, Big Brother signe hâtivement avec le label Mainstream. Un album, précipitamment enregistré, ne sortira que suite au triomphe du groupe au Monterey Pop Festival, l'année suivante.

6 octobre : Janis et les musiciens quittent leur communauté de Lagunitas et reviennent à San Francisco, dans le quartier hippie de Haight-Ashbury. Début de liaison entre Janis et Peggy Caserta.

1967\. *10 février* : Janis rencontre le musicien Country Joe McDonald avec lequel elle emménage jusqu'en août.

Mars : tournage du film *Petulia*, de Richard Lester.

Avril : rencontre explosive avec Jim Morrison à Hidden Hills.

17 et 18 juin : Big Brother and the Holding Company et Janis Joplin sont l'une des principales révélations du Monterey Pop Festival, où figurent à l'affiche Otis Redding et Jimi Hendrix.

Début de l'amitié avec Linda Gravenites.

Juin : brève liaison avec Jimi Hendrix.

Novembre : Big Brother signe un accord avec Albert Grossman (le manager de Bob Dylan et de Joan Baez), qui mettra plusieurs mois à racheter le contrat signé avec Mainstream.

Décembre : retour en famille, à Port Arthur, pour Noël. Avortement.

1968\. *17 février* : premier concert de Big Brother à New York, au Anderson Theatre. Début de son amitié avec l'attachée de presse Myra Friedman. Avalanche de critiques dithyrambiques dans la presse. Signature officielle du groupe avec le label CBS. Brève liaison avec Leonard Cohen au Chelsea Hotel.

Avril : le nom de la formation devient Janis Joplin and Big Brother and the Holding Company. Le groupe entre en studio à New York, puis à Hollywood, avec le producteur John Simon. Premiers conflits dus à la starification rapide de la chanteuse. Problèmes récurrents avec la drogue et l'héroïne. Janis partage un appartement avec Linda Gravenites.

Août : parution de l'album *Cheap Thrills*, qui reste huit semaines n° 1 et se vend dès le premier mois à 1 million d'exemplaires. La célébrissime pochette est dessinée par Robert Crumb.

Septembre : Albert Grossman pousse Janis Joplin et Big Brother and the Holding Company à la séparation. Il a décidé de manager la chanteuse en tant qu'artiste solo. Le guitariste Sam Andrew suit Janis dans sa nouvelle aventure. Janis acquiert sa célèbre Porsche aux fresques psychédéliques peintes par Dave Richards.

20 novembre : Albert Grossman demande à Mike Bloomfield et Nick Gravenites d'aider Janis à constituer un nouveau groupe, le Kozmic Blues Band, dans une veine plus rhythm'n'blues, avec une section de cuivres.

1er décembre : dernier concert commun pour Janis et Big Brother and the Holding Company, à l'Avalon.

21 décembre : premier concert désastreux du Kozmic Blues Band et Janis, à Memphis, lors d'une convention des disques Stax-Volt.

1969. Débuts chaotiques du Kozmic Blues Band et de Janis, malmenés par la presse.

Avril-mai : tournée européenne, passant par Francfort, Stockholm, Amsterdam, Copenhague, Paris (Olympia) et Londres (Royal Albert Hall).

Les problèmes liés à l'héroïne et à l'alcool reprennent de plus belle.

Mai : Janis en couverture de l'hebdomadaire *Newsweek*.

Juin : sessions d'enregistrement du Kozmic Blues Band à Hollywood.

16 août : participation au festival de Woodstock. Sam Andrew remplacé par John Till.

Novembre : parution de l'album *I Got Dem Ol' Kozmic Blues Again Mama !*

Acquisition de la maison de Larkspur (futur lieu de tous les délires), dans une zone boisée de la péninsule de Marin County. Linda Gravenites doit y rejoindre Janis.

Novembre : accusée pour conduite impudique sur scène, attentat à la pudeur, obscénité et ivresse publique, à Tampa (Floride). Nombreux concerts annulés.

6 décembre : coup de grâce au mouvement hippie avec le concert meurtrier d'Altamont, qui s'ajoute à l'affaire satanique Charles Manson.

20 décembre : emménagement dans la maison de Larkspur. Gigantesque pendaison de crémaillère.

1970. *Janvier* : Le Kozmic Blues Band est dissous. Nouveaux graves problèmes avec l'héroïne et l'alcool.

Février et mars : vacances au Brésil avec Linda Gravenites. Janis tombe amoureuse de David Niehaus qui ne peut adopter le style de vie de la chanteuse. Rupture de l'amitié avec Linda Gravenites, remplacée à Larkspur par Lyndall Erb.

Finance la construction d'une stèle, à Philadelphie, sur la tombe de Bessie Smith, son modèle vénéré.

Avril : constitue son troisième et dernier groupe, Full Tilt Boogie, une formation à tendance blues et country rock avec lequel elle trouve enfin la symbiose. Sa dépendance à l'alcool et à l'héroïne connaît une accalmie, avant de s'aggraver. Se fait tatouer.

Printemps : amitié avec le chanteur et compositeur Kris Kristofferson, l'auteur de « Me and Bobby McGee », le hit posthume de Janis.

28 juin au 4 juillet : folle équipée avec une pléiade de groupes de renom dans un train traversant le Canada de concert en concert, le *Festival Express*.

Juillet : passage au Texas pour fêter les soixante-dix ans de Kenneth Threadgill. Début de l'enregistrement de l'album *Pearl* (produit par Paul Rothchild) à Los Angeles, où Janis réside au Landmark Hotel (aujourd'hui devenu le Highland Gardens). Janis se « fiance » avec Seth Morgan ; il est question de mariage.

12 août : ultime et triomphal concert, au Harvard Stadium de Cambridge, dans la banlieue de Boston, devant plus de 30 000 personnes.

13 et 14 août : dernière visite à sa famille, à Port Arthur. Vengeance personnelle envers ses origines lors d'une réunion d'anciens élèves de lycée. La boucle semble bouclée.

Septembre : formidables sessions d'enregistrement de l'album *Pearl*, avec Full Tilt Boogie. Relations complexes avec Seth Morgan. Rechute dans l'héroïne avec Peggy Caserta.

1er octobre : Janis fait établir un nouveau testament, tout en se renseignant au sujet des actes de mariage.

3 octobre : il ne reste plus qu'un seul titre de l'album *Pearl*, « Buried Alive in the Blues », sur lequel Janis doit enregistrer sa voix.
4 octobre à 1 heure 40 du matin : peu après une réunion en studio avec les musiciens et Paul Rothchild, Janis décède d'une overdose d'héroïne dans sa chambre du Landmark Hotel, à Hollywood.
13 octobre : après crémation au cimetière de Westwood Village Memorial, les cendres de Janis Joplin sont dispersées dans l'océan Pacifique.
26 octobre : selon les dispositions testamentaires, une fête est organisée pour les amis de Janis. « Les boissons sont pour le compte de Pearl. »
Sa disparition brutale fait entrer Janis Joplin dans le cercle restreint des grands mythes du rock, tous morts à l'âge de vingt-sept ans : Jimi Hendrix, Brian Jones et Jim Morrison, rejoints plus tard par Kurt Cobain.

REPÈRES POUR UNE POSTÉRITÉ

1971. *Février* : parution posthume de l'album *Pearl*, considéré comme son chef-d'œuvre.
20 mars : le 45 tours « Me and Bobby McGee » (écrit par Kris Kristofferson) est n° 1 dans les *charts*. Ce titre restera son unique tube.
Kris Kristofferson publie la chanson « Epitaph » sur son album *The Silver Tongued Devil and I*. Une chanson dédiée à Janis Joplin. Il lui adressera un nouveau signe bouleversant trente-cinq ans plus tard, en 2006, sur l'album *This Old Road*, avec le titre « Final Attraction ».
1972. Parution de l'album *live* intitulé *Janis in Concert*, pour moitié enregistré avec Big Brother and the Holding Company, pour autre moitié avec le Full Tilt Boogie.
1973. *Juillet* : édition de *Janis Joplin's Greatest Hits*. De nombreuses autres compilations suivront par la suite à travers le monde. Parution de la première biographie consacrée à Janis Joplin, intitulée *Buried Alive* et due à Myra Friedman. Plusieurs autres biographies suivront, dues notamment à Ellis

Amburn, Alice Echols ou David Dalton. Sans oublier, bien sûr, la biographie à scandale de Peggy Caserta et la biographie « officielle » de Laura Joplin, la sœur de Janis. En France, seule Jeanne-Martine Vacher se sera aventurée sur la route de Janis Joplin.

Sur son album *New Skin for the Old Ceremony,* Leonard Cohen publie sa chanson « Chelsea Hotel # 2 », consacrée à sa rencontre amoureuse avec Janis Joplin. Il regrettera amèrement d'avoir lui-même révélé le nom de la chanteuse comme partenaire érotique.

1975. Sortie du précieux documentaire *Janis, the Way She Was*, parallèlement accompagné du double album *Janis*. Le premier disque est la bande originale du film. Le second comporte des enregistrements *live* pré-Big Brother and the Holding Company.

1979. Sortie du film *The Rose* (initialement intitulé *Pearl*), de Mark Rydell, avec Bette Midler dans le rôle principal. Cette production hollywoodienne, plutôt édulcorée et romantique, est plus que librement inspirée de la vie de Janis Joplin. Écœurée par le résultat, Sunshine jette une bouteille d'alcool contre l'écran durant la projection. Le film décrit en fait davantage une artiste des seventies plutôt qu'une chanteuse de la fin des années 1960. Pour ce rôle, Bette Midler a reçu un Academy Award en tant que meilleure actrice. Paul Rothchild a curieusement accepté d'être le directeur musical du film.

1980. Albert Grossman, le manager de Janis, n'aura pas trop longtemps profité des 112 000 dollars acquis grâce à la police d'assurance signée en prévision de la mort de la chanteuse. Il décède d'un arrêt cardiaque.

1982. Parution de l'album *Farewell Song*, comportant à la fois des enregistrements studio inédits et des titres *live*. Le disque offre des raretés saisies auprès des trois différentes formations de Janis Joplin, mais aussi, en bonus, le « One Night Stand » enregistré avec le Paul Butterfield Blues Band et Todd Rundgren. Une sorte de chaînon manquant de la discographie de Janis Joplin.

1987. Si la ville de Port Arthur n'a pas su conserver la maison d'enfance de Janis Joplin, elle possède cependant un musée sur Procter Street, le Museum of the Gulf Coast, où une salle est consacrée à... la musique en général. Janis y est présente depuis l'inauguration, parmi d'autres musiciens de la région, comme Buddy Holly et les frères albinos Edgar et Johnny Winter. Mais jusque-là la ville avait tout simplement « ignoré » de rendre un hommage permanent à la chanteuse. Beaucoup d'habitants ne lui ont pas pardonné ses déclarations vachardes contre la ville et sa population, et semblent soulagés qu'elle n'ait pas été enterrée dans le coin, ce qui n'aurait pas manqué d'attirer une faune sans doute insolite.

1990. Seth Morgan, l'ultime « fiancé » de Janis, après un séjour en prison et la publication de son roman *Homeboy*, se tue dans un accident de moto.

1993. Sous l'étiquette Columbia / Legacy, Sony publie un coffret de 3 CD intitulé *Janis*. Il propose de nombreux inédits s'étalant entre 1962 et 1970.

1995. *12 janvier* : Janis Joplin fait enfin son entrée au Rock and Roll of Fame de Cleveland. Jimmy Page, Robert Plant et Neil Young sont présents. Rien d'étonnant puisque Page, réjoui, déclare au magazine *Rolling Stone* : « Robert a toujours voulu être Janis. » Dans ce musée, la Porsche peinte par Dave Richards côtoie une autre voiture célèbre, la Cadzilla du groupe ZZ Top (celle de l'album *Eliminator*). Du moins quand la Porsche ne parcourt pas le monde à l'occasion d'importantes expositions consacrées aux années 1960. Le fameux musée rassemble une formidable collection de vêtements, documents et instruments ayant appartenu à Jimi Hendrix, Kurt Cobain, Jim Morrison, Ray Charles, Elvis Presley, etc. Cleveland mérite sans doute de posséder un tel musée en tant que ville d'Alan Freed, le disc-jockey qui popularisa le terme rock'n'roll dans les années 1950.

1998. Parution de l'album *Janis Joplin with Big Brother and the Holding Company / Live at Winterland' 68.*

1998. Une comédie musicale conçue par Randal Myler et adaptée du livre de Laura Joplin, *Love, Janis*, est mise en chantier à Denver puis jouée notamment à Chicago, Cleveland et Austin, ainsi qu'à New York, off-Broadway, au Village Theater, à partir du 22 avril 2001. Elle fut interprétée par Laura Branigan et Beth Hart. Sam Andrew en était le directeur musical. Une tournée nationale s'ensuivit, et un CD *(Love, Janis. The Songs, the Letters, the Soul of Janis Joplin)* comportant la lecture (par Catherine Curtin) de lettres de Janis adressées à sa famille.

1999. Parution de *Box of Pearls*, un coffret réunissant les quatre albums studio remastérisés, et un cinquième, *Rare Pearls*, comportant des inédits *live* ou studio d'un intérêt limité.

Années 2000. Au fil des ans, les projets de biopics (films biographiques) se sont accumulés sur les bureaux des producteurs. Les noms de Melissa Etheridge, Brittany Murphy et Lili Taylor dans le rôle de Janis furent souvent cités. Plusieurs de ces projets ont été assez avancés, comme *Piece of My Heart* (de Robert Benton, avec Courtney Love ou l'actrice Renée Zellweger, *alias* Bridget Jones !) et *Gospel According to Janis* (de Penelope Spheeris, avec d'abord la chanteuse Pink, puis avec Zooey Deschanel, remarquée dans l'un des meilleurs films jamais consacrés à la musique rock, le *Presque célèbre / Almost Famous* de Cameron Crowe).

2004. « Legacy Edition » de l'album *Pearl*. Le disque comporte les dix titres d'origine remastérisés, auxquels ont été ajoutés six bonus. Un second CD est joint, intitulé *Live From the Festival Express Tour*, qui témoigne de la folle tournée ferroviaire de 1970, au Canada.

2005. Trente-cinq ans après la disparition de Janis Joplin, un Grammy Award posthume lui est décerné pour l'ensemble de sa carrière. À cette occasion, Joss Stone (alors âgée de dix-sept ans) interprète « Cry Baby », puis (en duo avec Melissa Etheridge) « Piece of My Heart ».
30 mars : à l'âge de cinquante-neuf ans, Paul A. Rothchild décède des suites d'un cancer. L'un des plus grands producteurs de la fin des années 1960, il a réalisé *Pearl*, l'album le plus abouti de Janis Joplin.
Parution du double DVD *Festival Express*. « Le concert le plus long de l'histoire du rock'n'roll ! » Il a, en effet, fallu attendre trente-cinq ans avant que ces bandes soient retrouvées.
Les ayants droit de Janis Joplin annoncent la création de « Search for the Pearl », une série de télé-réalité destinée à découvrir une nouvelle Janis Joplin.
Les hippies vieillissants, consternés et hilares à la fois, apprennent que la consommation de... tabac est désormais interdite dans les parcs de San Francisco. Cette fois, les temps ont définitivement changé.

2006. *25 juin* : décès de Chet Helms, à l'âge de soixante-deux ans. Le patriarche du Family Dog et animateur de l'Avalon

Ballroom restera celui qui a permis à Janis Joplin de prendre son envol en tant que chanteuse. C'est lui qui la fit venir de Port Arthur, au Texas, où elle végétait, à San Francisco, en Californie, pour intégrer le groupe Big Brother and the Holding Company.

RÉFÉRENCES BIBLIOGRAPHIQUES

SUR JANIS JOPLIN

En langue française

ARTURO BLAY, *La Reine blanche du blues*, traduit de l'espagnol par L. Espain, La Mascara, 1998.

GERALD A. FARIS et RALPH M. FARIS, *Janis Joplin et Jim Morrison face au gouffre*, traduit de l'américain par François Tétreau, Le Castor Astral, 2007.

MYRA FRIEDMAN, *Janis Joplin*, traduit de l'américain par Philippe Garnier, Albin Michel / Rock & Folk, 1975.

JEANNE-MARTINE VACHER, *Sur la route de Janis Joplin*, Le Seuil, 1998.

En langue anglaise

ELLIS AMBURN, *Pearl : The Obsessions and Passions of Janis Joplin*, Warner Books, 1992.

DYNISE BALCAVAGE, *Janis Joplin, « They Died Too Young »*, Chelsea House Publishers, 2001.

STEVE BANKS, *Janis' Garden Party*, Bugiganda Press, 1998.

GARY CAREY, *Lenny, Janis & Jimi*, Pocket Books, 1975.

PEGGY CASERTA, DAN KNAPP, *Going Down with Janis*, Dell, 1973.

JOHN BYRNE COOKE, *Janis Joplin : A Performance Diary, 1966-1970*, Acid Test Productions, 1997.

DAVID DALTON, *Janis*, Stonehill Books / Simon & Schuster, 1971. Réédité sous le titre *Piece of My Heart. A Portrait of Janis Joplin*, St. Martin's Press, 1985 / Da Capo Press, 1991.

Alice Echols, *Scars of Sweet Paradise : The Life and Times of Janis Joplin*, Metropolitan Books, Owl Books, 1999.
Gerald A. Faris et Ralph M. Faris, *Living in the Dead Zone : Janis Joplin and Jim Morrison*, Trafford Publishing, 1997.
Myra Friedman, *Buried Alive. The Biography of Janis Joplin*, William Morrow / Bantam, 1973 ; Harmony Books / Crown Publishers, 1992.
Laura Joplin, *Love, Janis*, Villard Books, 1992.
Deborah Landau, *Janis Joplin : Her Life and Times*, Paperback Library, 1971.
Doug Magee, *Janis : The Story of Janis Joplin*, Proteus, 1985.

OUVRAGES GÉNÉRAUX

Yves Adrien, *Növövision*, Les Humanoïdes Associés, 1980 ; Denoël, 2002.
Alain-Chedanne, *Shit, man !*, Gallimard, 1971.
Marjorie Alessandrini, *Le Rock au féminin*, Albin Michel / Rock & Folk, 1980.
Anonyme, *Pop Wooh* (ou *Popol Vuh, le Livre du temps*), présenté et traduit par Pierre DesRuisseaux, en collaboration avec Daisy Amaya, Triptyque / Le Castor Astral, 2002.
Ralph « Sonny » Barger, *Hell's Angel*, Flammarion, 2004.
Jean-Marc Bel, *En route vers Woodstock — De Kerouac à Dylan, la longue marche des babyboomers*, Lattès, 1994 ; Ramsay, 1999 ; Balland, 2004.
Jean-Pierre Bouyxou, Pierre Delannoy, *L'Aventure hippie*, Le Lézard, 1995 ; 10/18, 2004.
Jean-Claude Carrière, *Les Années d'utopie 1968-1969*, Plon, 2003 ; Pocket, 2006.
Jean-Pierre Cartier, Mitsou Naslednikov, *L'Univers des hippies*, Fayard, 1970.
Leonard Cohen, *Musique d'ailleurs 1*, Christian Bourgois Éditeur ; 10/18, 1994.
Sebastian Danchin, *B.B. King*, Éditions du Limon, 1993.
Yves Delmas, Charles Gancel, *Protest Song*, Textuel, 2005.
Pamela Des Barres, *Take Another Little Piece of My Heart : A Groupie Grows Up*, William Morrow & Co, 1992.
—, *I'm with the Band*, Chicago Review Press, 1987.
—, *Les Confessions d'une groupie*, Le Serpent à Plumes, 2006.

ALAIN DISTER, *Oh, hippie days ! (carnets américains — 1966-1969)*, Fayard, 2001 ; J'ai lu, 2006.
—, *Grateful Dead, une légende californienne*, Le Castor Astral, 2004.
—, *La Beat Generation, la révolution hallucinée*, Gallimard, 1997.
—, *Couleurs 60's Colors*, Éditions du Collectionneur, 2006.
GRETCHEN EDGREN, *Playboy. Quarante ans*, Hors Collection, 1996.
YVES FRÉMION, Volny, *Les Orgasmes de l'histoire*, 1980.
EMMETT GROGAN, *Ringolevio*, Flammarion, 1972 ; Gallimard, « La Noire », 1998.
GARY HERMAN, *Rock'n'roll Babylone*, Denoël, 2005.
MARC HOLLANDER, *USA cultures 1960-1975*, Cahiers JEB, 1976.
BARNEY HOSKYNS, *Waiting for the Sun, une histoire de la musique à Los Angeles*, Allia, 2004.
—, *San Francisco 1965-1970, les années psychédéliques*, Le Castor Astral, 2006.
ALDOUS HUXLEY, *Les Portes de la perception*, Le Rocher, 1954 ; 10/18, 1977.
BOB KAUFMAN, *Sardine dorée*, Christian Bourgois Éditeur, 1976.
STÉPHANE KOECHLIN, *Jazz Ladies. Le roman d'un combat*, Hors Collection, 2006.
SUZANNE LABIN, *Hippies, drogues et sexes*, La Table Ronde, 1970.
SHARON LAWRENCE, *Jimi Hendrix. L'homme, la magie, la liberté*, Flammarion, 2005.
JEAN-PAUL LEVET, *Talkin' that talk. Le Langage du blues et du jazz*, Hatier, 1992.
MICHEL LANCELOT, *Je veux regarder Dieu en face*, Albin Michel, 1968.
ALAN LOMAX et RONALD D. COHEN, *Selected Writings 1934-1997*, Routledge, 2003
ANNE LOMBARD, *Le Mouvement hippie aux États-Unis*, Casterman, 1972.
LINDA MCCARTNEY, *Les Sixties. Portrait d'une époque*, Éditions du Chêne, 1994.
MICHAEL MCCLURE, *Ciels de jaguar*, préface de Serge Fauchereau, Christian Bourgois Éditeur, 1978.
HUBERT MANSION, *Tout le monde vous dira non. « There Is no Business Like Show Business »*, Stanké, 2005.
RAY MANZAREK, *Les Doors, la véritable histoire*, Hors Collection, 1999.
FLORENCE MARTIN, *Bessie Smith*, Éditions du Limon, 1994.
BARRY MILES, *Hippies*, Octopus / Hachette, 2004.
PAUL MULLER, *Le Livre rose du hippy*, U.G.E., 1968.

IRA B. NADEL, *Leonard Cohen, l'homme paradoxe*, Le Seuil, 1998.

WILFRED OWEN, *Et chaque lent crépuscule*, préface de Xavier Hanotte, Le Castor Astral, 2001.

GIACOMO PAPI, *Accusés ! Une histoire anthropométrique du XXe siècle*, Denoël, 2006.

CHRISTIANE PASSEVANT et LARRY PORTIS, *Dictionnaire Black*, Jacques Grancher, 1995.

GEORGE PERRY (sous la direction de), *San Francisco dans les années 60*, Éditions de La Martinière, 2001.

FERNANDA PIVANO, *Beat Hippie Yippie*, Christian Bourgois Éditeur, 1977.

JERRY RUBIN, *Do It*, Le Seuil, 1971.

CHRISTIANE SAINT-JEAN-PAULIN, *La Contre-culture. États-Unis, années 60 : la naissance des nouvelles utopies*, Autrement, 1997.

ANTHONY SCADUTO, *Bob Dylan*, U.G.E., 1973, Christian Bourgois Éditeur, 1983.

JOEL SELVIN, *San Francisco : The Musical History Tour*, Chronicle Books, 1996.

ARNOLD SHAW, *Honkers and Shouters*, Collier, 1978.

GILBERT SHELTON, *Les Fabuleux Freak Brothers*, l'intégrale en plusieurs volumes, Tête Rock Underground, 1993.

SKIP STONE, *Hippies from A to Z*, Hip Inc., 1999.

GILLES TORDJMAN, *Leonard Cohen*, Le Castor Astral, 2006.

ALLAN VORDA, *Psychedelics Psounds*, Borderline Productions, 1994.

BURTON H. WOLFE, *The Hippies*, Signet Books, 1968.

TOM WOLFE, *The Electric Kool-Aid Acid Test*, 1968 / *Acid Test*, Le Seuil, 1975.

MARGUERITE YOURCENAR, *Blues et Gospels*, Gallimard, 1984.

JOURNAUX (ARTICLES DE)

Actuel, *Aujourd'hui poème* (JEAN-LUC DESPAX), *Bam Magazine* (BLAIR JACKSON), *Bulletin de l'Institut Pierre Renouvin* (FRANÇOIS GRIMPRET), *Down Beat* (MARK WOLF), *Eye* (REX REED), *L'Humanité* (LAETITIA MAILHES), *Libération* (PHILIPPE GARNIER et SERGE LOUPIEN), *Lire* (TOM WOLFE et FRANÇOIS BUSNEL), *Mojo Navigator* (DAVID DALTON), *Newsweek* (HUBERT SAAR), *New Yorker* (ELLEN WILLIS), *Parapluie* (YVES ADRIEN), *Prick Magazine* (CHUCK BRANK), *Rolling Stone*, *Stone News* (DEUBS),

Sunday Mirror, *The Summer Texan*, *Variety*, *The Washington Post* (Paul Hendrickson), etc.

QUELQUES SITES INTERNET

www.alwaysontherun.net
www.bbhc.com
www.cinempire.com
www.chromeoxide.com
www.classicrockpage.com
www.freakencesixties.yi.org
www.janis.it/libros_ingles.htm
www.janis-joplin.fr
www.janisjoplin.net
www.hippiesylvain.free.fr
www.lovejanis.com
www.pilgraeme/sinpar.
www.prickmag.net
www.smironne.free.fr
www.youtube.com

DISCOGRAPHIE

ALBUMS STUDIO

Avec Big Brother and the Holding Company

Big Brother and the Holding Company, Mainstream, septembre 1967.
Cheap Thrills, CBS, septembre 1968.

Avec Kozmic Blues Band

I Got Dem' Ol' Kozmic Blues Again Mama !, CBS, novembre 1969.

Avec Full Tilt Boogie (posthume)

Pearl, 10 titres à l'origine + 4 bonus tracks par la suite, CBS, janvier 1971.
Pearl (Legacy Edition), CBS, août 2004. Cette édition luxe contient 2 CD : *Pearl* (avec les 10 titres d'origine remastérisés et 6 bonus tracks) et *Live From The Festival Express Tour, Canada* (enregistrements des 28 juin et 4 juillet 1970).

PRINCIPAUX ALBUMS *LIVE*

Joplin in Concert, CBS, juillet 1972. Janis Joplin en concert avec Big Brother and the Holding Company : enregistrements de 1968 et 1970.

Janis / Early Performances, CBS, 1975. Enregistrements antérieurs à l'intégration de Janis Joplin au sein de Big Brother and the Holding Company (voir rubrique suivante).

Big Brother and the Holding Company / Cheaper Thrills, Rhino, 1984 / Acadia, 2000. Enregistré *live* au California Hall de San Francisco, le 28 juillet 1966.

Magic of Love, ITM, 1992. Enregistrements effectués en tournée (1967-1968) au sein de Big Brother and the Holding Company.

Janis Live at Woodstock, ITM, 1993. Enregistré *live* au Festival de Woodstock, le 17 août 1969.

Live at Winterland '68, CBS, mars 1998. Réalisé les 12 et 13 avril 1968 au Winterland de San Francisco, en pleine période d'enregistrement du 33 tours *Cheap Thrills*.

PRINCIPALES COMPILATIONS

Janis Joplin's Greatest Hits, CBS, juillet 1973.

Janis, B.O. du film *Janis*, CBS, 1975. Double album à l'origine. Le premier disque *(Early Performances)* est constitué d'enregistrements effectués entre 1962 et 1965, notamment avec les Waller Creek Boys (à Austin) et avec le Dick Oxtot Jazz Band (à San Francisco). L'autre disque comporte des enregistrements divers (tournée européenne, Dick Cavett show, etc.), avec des extraits d'interviews et un court passage tiré de la réunion d'anciens élèves de la High School, à Port Arthur, le 13 août 1970.

Janis Joplin : Anthology, CBS, 1980.

Janis Joplin : Farewell Song, CBS, janvier 1982. Constitué à proportion égale d'enregistrements *live* et d'enregistrements studio. Sur « One Night Stand », Janis est accompagnée par le Paul Butterfield Band.

Janis Joplin : Six Sides of Janis, CBS, 1993. Album promotionnel hors commerce extrait du coffret *Janis*. Ce disque recherché comporte en visuel recto la célèbre photo de Janis nue par Bob Seidemann. Parmi les 6 titres du disque figure « Trouble in Mind », dans sa version légendaire de 1965 avec Jorma Kaukonen à la guitare. Sur cet enregistrement (dit « Typewriter Tapes ») acoustique effectué dans l'appartement même de Kaukonen, on entend distinctement quelqu'un dactylographier un texte dans la même pièce, ce qui confère une étrange rythmique au morceau.

Janis. Coffret 3 CD de raretés et d'inédits, CBS, novembre 1993. Avec un livret de 44 pages comportant des textes de Ellen Willis et Ann Powers, ainsi que des photos rares. Une compilation de 49 titres (dont 18 inédits) produite par Bob Irwin.

Janis Joplin : 18 Essential Songs, CBS, 1995.

Golden Highlights, CBS, 1996.

Absolute Janis (32 titres), CBS, 1997.

Janis Joplin : The Ultimate Collection (32 titres), CBS, 1998.

Box of Pearls / The Janis Joplin Collection, CBS, août 1999. Coffret 5 CD avec bonus (les 4 albums studio et *Rare Pearls* version 5 titres).

Janis Joplin : Rare Pearls. Version 16 titres (la plus célèbre compilation pirate).

Janis Joplin, CBS, 2000. Coffret cartonné fond gris à rabat, rassemblant trois albums originaux (*Cheap Thrills* et *I Got Dem Ol' Kozmic Blues Again Mama !* et *Pearl*) remastérisés et *bonus tracks.*

Janis Joplin : Super Hits, CBS, 2000.

Ultimate Collection, 2 CD/32 titres, CBS, 2000.

Love, Janis — « The Songs, The Letters, The Soul of Janis Joplin », CBS, 2001. Ce CD accompagne le spectacle du même nom monté au théâtre, mais comprend 12 enregistrements originaux de Janis (enregistrés de 1963 à sa mort en 1970), ainsi que des passages (lus par Catherine Curtin) extraits de sa correspondance adressée à sa famille, de même que des passages parlés en concert.

The Essential Janis Joplin, 2 CD / 31 titres, CBS, 2003.

ALBUMS HOMMAGES

Blues Down Deep / The Songs of Janis Joplin, House of Blues / RUF Records, 1997. 14 titres interprétés par Cathy Richardson (avec Sugar Blue), Tad Robinson, Etta James, Otis Clay, Friend 'n Fellow, Tracy Nelson, Lonnie Brooks, Lou Ann Barton, Paul Black, Lynne Jordan, Koko Taylor, Willie Kent et Taj Mahal.

Melissa Etheridge / *Woodstock '94 — The Spirit of Janis Joplin*, Ying Yang Records, 1994.

Lost Voices / The Songs of Jimi Hendrix, Janis Joplin and Jim Morrison, Hammer Lace / Polygram, 1998. Avec des reprises par Etta James, Faith Hill et Taj Mahal.

PRINCIPALES CHANSONS DÉDIÉES À JANIS JOPLIN

« Janis », de Country Joe (Joe McDonald), sur l'album *I-Feel-Like-I'm-Fixin-To-Die*, Vanguard, 1967.

« Epitaph », de Kris Kristofferson, sur l'album *The Silver Tongued Devil and I*, Sony, 1971.

« Chelsea Hotel » de Leonard Cohen, sur l'album *New Skin For The Old Ceremony*, Sony, 1973.

« In The Quiet Morning (For Janis Joplin) », de Joan Baez, sur l'album *Come From The Shadows*, A & M, 1972.

FILMOGRAPHIE

DVD (AVEC JANIS JOPLIN)

Janis Joplin. The Way She Was, MCA Home Video, 1974. Durée : 93 minutes. Réalisation : Howard Alk. Précieux film documentaire (interviews et reportages) non encore réédité au format DVD (sinon partiellement sur le DVD *Janis Blues*, uniquement trouvable sur le Net).

Janis Joplin Live with Big Brother and the Holding Company, Falcon Neue Medien, 2005. Durée : 37 minutes. Ce trop bref collage musical (où les morceaux sont souvent coupés !) ne manque toutefois pas totalement d'intérêt par sa variété. On y voit Janis et Big Brother and the Holding Company à leurs tout débuts en répétition, lors de shows télévisés et au Monterey Pop Festival. Selon les morceaux, on voit Janis chanter, jouer des maracas et du tambourin ; James Gurley et Peter Albin au chant ; et un court extrait de l'enregistrement studio de « Summertime ». Un document à la fois frustrant et précieux.

Big Brother and the Holding Company with Janis Joplin : Nine Hundred Nights, Eagle Vision, 2001. Durée : 148 minutes. Réalisation : Michael Burlingame. Raconté par Rip Torn.

Janis Blues (Janis. The Way She Was !), DVD Solid Air 011 / 2005. Réalisation : Howard Alk et Seaton Findlay. *Live Performances* 1967-1970 / Interviews / Session d'enregistrement de *Cheap Thrills* / Galerie photos, etc. San Francisco et Monterey (1967), Stockholm et Francfort (1969), Woodstock (1969), Calgary et Toronto (1970).

Woodstock — 3 Days of Peace & Music (The Director's Cut), Warner Bros, 1994. Durée : 216 minutes (soit 40 minutes supplémentaires par rapport à la version d'origine du film). Réalisation : Michael Wadleigh. Avec Joan Baez, Canned Heat, Joe Cocker and The Grease Band, Country Joe McDonald and Country Joe and The Fish, Crosby, Stills and Nash, Arlo Guthrie, Richie Havens, Jimi Hendrix, Jefferson Airplane, Janis Joplin, Santana, John Sebastian, Sha-na-na, Sly and The Family Stone, Ten Years After, The Who.

Festival Express, 2 DVD / Festival Express Productions Limited / HanWay, 2003 / TF1 Vidéo, 2005. Durée : 120 minutes (avec 90 minutes de bonus). « Le concert le plus long de l'histoire du rock'n'roll ! » Avec Janis Joplin, Grateful Dead, The Band, Buddy Guy Blues Band, Delaney and Bonnie and Friends, Eric Andersen, The Flying Burrito Brothers, Mashmakhan, Seatrain, Sha-na-na et Tom Rush. En 1970, deux producteurs canadiens louent un train pour traverser le Canada d'est en ouest, de Toronto à Calgary, avec à son bord les meilleurs artistes et groupes de rock du moment. Durant cinq jours, les concerts s'enchaînent à chaque arrêt et se poursuivent nuit et jour dans le train !

The Complete Monterey Pop Festival, The Criterion Collection / Coffret 3 DVD, Criterion, 2002. Durée : 238 minutes. Réalisation : D. A. Pennebaker. Festival des 16, 17 et 18 juin 1967. Avec Jimi Hendrix, Otis Redding, Janis Joplin, Big Brother and the Holding Company, Canned Heat, Country Joe and The Fish, The Mamas and the Papas, Jefferson Airplane, Buffalo Springfield, The Byrds, The Who, Ravi Shankar, Simon and Garfunkel, Quicksilver Messenger Service, Al Kooper, etc. « La réelle star ici est le public, et la caméra s'attarde affectueusement sur la glorieuse tribu des *flower children* » (*Rolling Stone*).

Little Richard : Keep on Rockin', Pioneer Video, 1998. Réalisation : D. A. Pennebaker. Toronto Peace Festival (1969). Avec Little Richard, Janis Joplin, John Lennon, Chuck Berry, Jimi Hendrix.

Ed Sullivan's Rock'n'Roll Classics, « Fabulous Females Bad Boys : Rock'n'Roll », Eagle, 2006. Avec Janis Joplin, The Supremes, The Rolling Stones.

Ed Sullivan's Rock'n'Roll Classics, « Groovy Sounds / Gone Too Soon », Eagle, 2006. Avec Janis Joplin, Elvis Presley, Buddy Holly, The Beach Boys.

The Dick Cavett Show, « Rock Icons », 3 DVD, Sony Music, 2006. Avec Janis Joplin, Jefferson Airplane, David Crosby, George Harrison, The Rolling Stones, etc.

Petulia, 1968. Warner Video, version restaurée DVD, 2006. Réalisation : Richard Lester. Durée : 105 minutes. Avec Julie Christie, George C. Scott, Richard Chamberlain, Shirley Knight, Arthur Hill, Joseph Cotten. « Un film icône de la *San Francisco scene*. [...] Ce n'est pas n'importe quel film qui peut avoir les membres du Grateful Dead comme *freaks* figurants, ou Janis Joplin et the Holding Company comme attraction d'un gala de charité rupin » (Philippe Garnier, *Libération*).

The Kozmic Blues, MG, 2007. 22 titres. 100 minutes. Janis Joplin sur scène et en studio avec Big Brother and the Holding Company et Full Tilt Boogie Band. Live 1970 au Canada ; au Generation Club de New York en 1967 ; au Monterey Pop Festival en 1967 ; au Festival de Woodstock en 1969. Dans des émissions télévisées : « Come Up The Years », « Dick Cavett Show », etc. En studio pour l'album *Cheap Thrills*. Avec des bonus. Incontournable !

DVD (SANS JANIS JOPLIN)

The Rose, CBS / Twentieth Century Fox, 1979. Durée : 129 minutes. Réalisation : Mark Rydell. Musique arrangée et supervisée par Paul A. Rothchild. Avec Bette Midler, Alan Bates, Frederic Forrest, Harry Dean Stanton. Bonus : commentaire du réalisateur. Fiction (très !) librement inspirée de la vie de Janis Joplin. Une véritable trahison pour certains.

NOTES

LA CICATRICE INTÉRIEURE (1943-1965)

1. Myra Friedman, *Buried Alive*, William Morrow & Company, 1973 ; Albin Michel / Rock & Folk, 1975.

2. Wilfred Owen, *Et chaque lent crépuscule*, Le Castor Astral, 2001.

3. Leonard Cohen, RTL, émission « Saga » de Georges Lang, du 25 octobre 1997.

4. Entretien accordé à Jeff Millar dans le *Houston Chronicle*, juillet 1970.

5. Humphry Osmond, *Predicting the Past ; Memos on the Enticing Universe of Possibility*, MacMillan Publishing Co., 1981. Communication de Humphry Osmond à la New York Academy of Sciences, 1957.

6. *Ibid.*

7. Myra Friedman, *op. cit.*

8. Eric Mottram, cité par Serge Fauchereau dans sa préface à *Ciels de jaguar*, de Michael McClure, Christian Bourgois Éditeur, 1978.

9. Jean-Marc Bel, *En route vers Woodstock*, Ramsay, 1999.

10. Jeanne-Martine Vacher, *Sur la route de Janis Joplin*, Le Seuil, 1998.

11. Deborah Landau, *Janis Joplin : Her Life and Times*, Paperback Library, 1971.

12. « Young Woman's Blues » (Bessie Smith), © Empress Music, Inc., 1927 / Columbia / Legacy C2K 47474.

13. « Empty Bed Blues » (J. C. Johnson), © Empress Music, Inc., 1928 / Columbia / Legacy, C2K 47474.

14. Timothy Leary, Solomon David, *LSD, The Consciousness — Expanding Drug,* G. P. Putmann's Songs, 1964. Jean-Pierre Cartier et Mitsou Naslednikov, *L'Univers des hippies*, Fayard, 1970.

15. Gilbert Shelton, entretien accordé au quotidien *L'Alsace*, 16 juillet 1998.

16. Jeanne-Martine Vacher, *op. cit.*

17. Wilfred Owen, *op. cit.*

18. Florence Martin, *Bessie Smith,* Éditions du Limon, 1994.

19. Gretchen Edgren, *Playboy. Quarante ans*, Hors Collection, 1996.

20. David Dalton, *Janis*, Stonehill / Simon & Schuster, 1971. Réédité sous le titre *Piece of My Heart. A Portrait of Janis Joplin,* St. Martin's Press / Da Capo Press, 1991.

21. Jeanne-Martine Vacher, *op. cit.*

22. Gretchen Edgren, *op. cit.*

23. « Down on Me » (traditionnel, arr. Janis Joplin), © Brent Music Corp., 1967 / Sony Music Entertainment Inc. / Cheap Thrills Music.

24. Gretchen Edgren, *op. cit.*

25. Tom Wells, *The War Within : America's Battle Over Vietnam*, University of California Press, 1994.

LES AVENTURIERS ÉLECTRIQUES (1966)

1. The Beatles, *The Beatles Anthology*, Seuil, 2000.

2. Sylvia Plath, *Arbres d'hiver*, coll. « Poésie », Gallimard, 1999.

3. Michel Lancelot, *Je veux regarder Dieu en face (le phénomène hippie)*, Albin Michel, 1968.

4. Ellis Amburn, *Pearl*, Warner Books, 1992.

5. Alice Echols, *Scars of Sweet Paradise. The Life and Times of Janis Joplin*, Owl Books, 2000.

6. David Dalton, *Janis*, Stonehill/Simon & Schuster, 1971. Réédité sous le titre *Piece of My Heart. A Portrait of Janis Joplin*, St Martin's Press/Da Capo Press, 1991.

7. Jeanne-Martine Vacher, *Sur la route de Janis Joplin*, Le Seuil, 1998.

8. Alice Echols, *op. cit.*

9. Jeanne-Martine Vacher, *op. cit.*

10. *Ibid.*

11. Laura Joplin, *Love Janis*, Villard Books, 1992.

12. Barney Hoskyns, *San Francisco. 1965-1970, les années psychédéliques*, Le Castor Astral, 2006.

13. Alan Lomax et Ronald D. Cohen, *Selected Writings 1934-1997*, Routledge, 2003.

14. Yves Delmas et Charles Gancel, *Protest Song*, Textuel, 2005.

15. Michel Lancelot, *op. cit.*

16. Myra Friedman, *Buried Alive*, William Morrow & Company, 1973 ; Albin Michel / Rock & Folk, 1975.

17. *Ibid.*

18. Alice Echols, *op. cit.*

19. *Ibid.*

20. *Ibid.*

21. Thomas Noguchi et Joseph Dimona, *Les Dossiers secrets du médecin légiste de Hollywood Coroner*, Presses de la Cité, 1984.

22. Myra Friedman, *op. cit.*

23. *Ibid.*

24. Ellis Amburn, *Pearl, op. cit.*

25. *Rolling Stones*, n° 69, 29 octobre 1970.

26. « Ball and Chain » (Willie Mae « Big Mama » Thornton), © 1968, Swampwater Music & Bradbury Taylor, d/b/a Bay-Tone Music Publishing Company / BMI.

27. Laura Joplin, *op. cit.*

28. *Ibid.*

29. Ellis Amburn, *op. cit.*

TROUBADOURS, FUGUEURS ET RENAISSANCE (1967)

1. Bob Kaufman, *Sardine dorée*, Christian Bourgois Éditeur, 1976.

2. Jim Morrison, *Wilderness*, Christian Bourgois Éditeur, 1991.

3. Jeanne-Martine Vacher, *Sur la route de Janis Joplin*, Le Seuil, 1998.

4. John Densmore, *Les Cavaliers de l'orage*, Camion Blanc, 2005.

5. Abbie Hoffman, Norman Mailer, Howard Zinn, *The Autobiography of Abbie Hoffman*, Four Walls Eight Windows, 2000.

6. Ralph Barger, *Hell's Angel*, Flammarion, 2004.

7. Jeanne-Martine Vacher, *op. cit.*

8. Suzanne Labin, *Hippies, drogues et sexe*, La Table Ronde, 1970.

9. « Janis » (Joe McDonald), © 1967 renewed 1996 by Joyful Wisdom Music, BMI / Vanguard.

10. Ray Wagner, entretien avec Philippe Garnier, *Libération*, 5 août 2005.

11. Laura Joplin, *Love, Janis*, Villard Books, 1992.

12. *Ibid.*

13. *Ibid.*

14. Jeanne-Martine Vacher, *op. cit.*

15. Barney Hoskyns, *San Francisco. 1965-1970, les années psychédéliques*, Le Castor Astral, 2006.

16. « San Francisco (Be Sure to Wear Some Flowers in Your Hair) » (John Phillips), © 1967 Universal / MCA Music Publishing).

17. Myra Friedman, *Buried Alive*, William Morrow & Company, 1973 ; Albin Michel / Rock & Folk, 1975.

18. Alice Echols, *Scars of Sweet Paradise. The Life and Times of Janis Joplin*, Owl Books, 2000.

19. *Ibid.*

20. Ellis Amburn, *Pearl*, Warner Books, 1992.

21. *Ibid.*

22. Jerry Rubin, *Do It*, Le Seuil, 1971.

23. Abbie Hoffman, Norman Mailer, Howard Zinn, *op. cit.*

24. Ellen Willis, « Musical Events », *New Yorker*, 14 août 1971.

25. Leonard Cohen, sur scène à Hambourg, le 14 avril 1988 (www.perso.orange.fr/pilgraeme).

UNE VOIX NÈGRE (1968)

1. Alice Echols, *Scars of Sweet Paradise. The Life and Times of Janis Joplin*, Owl Books, 2000.

2. Yves Adrien, « Front de Libération du Rock », in *Parapluie. Une résistance culturelle (1968-1978)*, Éditions Alternative et Parallèles, 1978.

3. Leonard Cohen, sur scène à Wiesbaden, le 2 février 1985 (www.perso.orange.fr/pilgraeme).

4. « Chelsea Hotel # 2 » (Leonard Cohen), *Musique d'ailleurs 1*, traduction de Jean Guiloineau revue par l'auteur, Christian Bourgois, 1994. © Leonard Cohen and Leonard Cohen Stranger Music, Inc. (BMI), 1993.

5. *Ibid.*

6. Arnold Shaw, *Honkers and Shouters*, Collier, 1978.

7. Myra Friedman, *Buried Alive*, William Morrow & Company, 1973 ; Albin Michel / Rock & Folk, 1975.

8. *Ibid.*

9. *Ibid.*

10. David Dalton, *Janis*, Stonehill / Simon & Schuster, 1971. Réédité sous le titre *Piece of My Heart. A Portrait of Janis Joplin*, St. Martin's Press / Da Capo Press, 1991.

11. *Ibid.*

12. Alain Dister, *Oh, hippie days ! (carnets américains 1966-1969)*, Fayard, 2001.

13. *Ibid.*

14. Jeanne-Martine Vacher, *Sur la route de Janis Joplin*, Le Seuil, 1998.

15. *Ibid.*

16. Myra Friedman, *op. cit.*

17. *Ibid.*

18. *Ibid.*

19. Jeanne-Martine Vacher, *op. cit.*

20. Ellis Amburn, *Pearl*, Warner Books, 1992.

21. Howard Alk, *Janis Joplin : The Way She Was*, MCA, 1974.

22. Allan Vorda, *Psychedelics Psounds*, Borderline Productions, 1994.

23. Linda McCartney, *Les Sixties. Portrait d'une époque*, Éditions du Chêne, 1994.

24. Myra Friedman, *op. cit.*

25. Alice Echols, *op. cit.*

26. Entretien avec Mark Wolf, in magazine *Down Beat*, 14 novembre 1968.

27. Myra Friedman, *op. cit.*

28. *Ibid.*

UN BLUES COSMIQUE (1969)

1. Alain-Chedanne, *Shit, man !*, Gallimard, 1971.

2. *Reader's Digest*, 1973.

3. Milos Forman, *Taking Off*, film écrit par Milos Forman, John Guare, Jean-Claude Carrière et John Klein, Universal Pictures / CIC Video, 1971.

4. *Ibid.*

5. *Ibid.*

6. *Ibid.*

7. *Ibid.*

8. *Ibid.*

9. *Ibid.*

10. *New York Times Magazine*, février 1969.

11. John Densmore, *Les Cavaliers de l'orage*, Camion Blanc, 2005.

12. Nancy McPhee, *The Second Book of Insults*, St. Martin's Press, 1991.

13. Myra Friedman, *Buried Alive*, William Morrow & Company, 1973 ; Albin Michel / Rock & Folk, 1975.

14. *Ibid.*

15. Jean-Claude Carrière, *Les Années d'utopie 1968-1969*, Plon, 2003.

16. Myra Friedman, *op. cit.*

17. *Ibid.*

18. Alice Echols, *Scars of Sweet Paradise. The Life and Times of Janis Joplin*, Owl Books, 2000.

19. Ellis Amburn, *Pearl*, Warner Books, 1992.

20. Jean-Marc Bel, *En route vers Woodstock*, Ramsay, 1999.

21. Jeanne-Martine Vacher, *Sur la route de Janis Joplin*, Le Seuil, 1998.

22. Jerry Rubin, *Do It*, Le Seuil, 1971.

23. Myra Friedman, *Buried Alive*, *op. cit.*

24. *Ibid.*

25. *Ibid.*

26. *Ibid.*

27. *Ibid.*

28. *Ibid.*

29. *Ibid.*

30. *Ibid.*

31. *Ibid.*

32. *Ibid.*

33. The Dick Cavett Show, *Rock Icons*, 3 DVD (Janis Joplin, Jefferson Airplane, David Crosby, etc.), Sony Music, 2006.

1. Aldous Huxley, *Les Portes de la perception*, Éditions du Rocher, 1954 ; 10/18, 1977.

2. Jean-Claude Carrière, *Les Années d'utopie 1968-1969*, Plon, 2003.

3. Myra Friedman, *Buried Alive*, William Morrow & Company, 1973 ; Albin Michel / Rock & Folk, 1975.

4. « One Night Stand » (Barry Flast et Sam Gordon), © 1982 Sony Music Entertainment Inc / © Fiction Music, Original Released 1970. Warner Chatel Music.

5. Myra Friedman, *op. cit.*

6. « Ego Rock » (Janis Joplin et Nick Gravenites), © Strong Arm Music / © 1972 Sony Music Entertainment Inc.

7. Myra Friedman, *op. cit.*

8. Alice Echols, *Scars of Sweet Paradise. The Life and Times of Janis Joplin*, Owl Books, 2000.

9. Myra Friedman, *op. cit.*

10. *Ibid.*

11. Laura Joplin, *Love, Janis*, Willard Books, 1992.

12. Myra Friedman, *op. cit.*

13. *Ibid.*

14. *Ibid.*

15. *Ibid.*

16. *Ibid.*

17. Ray Manzarek, *Les Doors. La véritable histoire*, Hors Collection, 1999.

18. *Mojo Navigator*, n° 79, James Cullingham, juin 2000.

19. Myra Friedman, *op. cit.*

20. Film *Festival Express*, Festival Express Productions Limited / HanWay, 2003 / TF1 Vidéo, 2005.

21. *Mojo Navigator*, n° 79, James Cullingham, *op. cit.* Et David Dalton, *Janis*, Stonehill / Simon & Schuster, 1971. Réédité sous le titre *Piece of My Heart. A Portrait of Janis Joplin*, St. Martin's Press / Da Capo Press, 1991.

22. Myra Friedman, *op. cit.*

23. *Ibid.*

24. *Ibid.*

25. *Ibid.*

26. *Ibid.*
27. *Ibid.*
28. *Ibid.*
29. *Ibid.*
30. *Ibid.*
31. Alice Echols, *op. cit.*
32. Myra Friedman, *op. cit.*
33. *Ibid.*
34. *Ibid.*
35. Ellis Amburn, *Pearl, Warner Books, 1992.*
36. Myra Friedman, *op. cit.*
37. *Ibid.*
38. *Ibid.*
39. *Ibid.*
40. *Ibid.*
41. *Ibid.*
42. *Ibid.*
43. *Mojo Navigator*, n° 79, James Cullingham, *op. cit.*
44. Alice Echols, *op. cit.*
45. Thomas Noguchi et Joseph Dimona, *Les Dossiers secrets du médecin légiste de Hollywood Coroner*, Presses de la Cité, 1984.
46. *Ibid.*
47. *Rolling Stones*, n° 69.
48. « Epitaph (Black and Blue) » (Kris Kristofferson et Donnie Fritts), © 1988 CBS Records Inc / Monument / 1971 Combie Music, BMI.
49. Dick Cavett Show du 25 juin 1970, in *Janis Joplin : The Way She Was*, Howard Alk, MCA, 1974.
50. « Me and Bobby McGee » (Paroles et musique : Kris Kristofferson et Fred Foster), © 1969 by Combine Music Corp représentée par Emi Songs France.
51. « Mercedes Benz » (Janis Joplin et Michael McClure), © 1971, 2005 Sony BMG Music Entertainment / Strong Arm Music.

Remerciements

À Claire ANOUCHIAN, à Michka ASSAYAS, Philippe BLANCHET, Chantal BOUCHARD, Philippe BRENOT, Yves BUIN, Ambroisine CANN, Jean-Claude CARRIÈRE, Raphaël CAUSSIMON, Francis DANNEMARK, Emmanuel DAZIN, Gérard de CORTANZE, Christophe DELBROUCK, Alain DISTER, Cat DUSSILLOLS, Mafan FRAPSAUCE, Daniel GARAULT, Nicolas GUICHARD, Xavier HANOTTE, Barney HOSKYNS, Stéphane KOECHLIN, Olivier LÉCRIVAIN, Jean-Pierre LELOIR, Yazid MANOU, Anne MENSIOR, Jean-Noël OGOUZ, Bénédicte PÉROT, Olivier PHILIPPONNAT, Laetitia PICARD, Marie-Ange PICOT, Christophe QUILLIEN, Jean-Louis RANCUREL, Yann REUZEAU, François TÉTREAU, Marc TORRALBA, Jeanne-Martine VACHER, Sophie VONLANTHEN... et aux silences nocturnes et apaisants de Pam the Cat.

ANNEXES

FOLIO BIOGRAPHIES

Attila, par Éric Deschodt
Balzac, par François Taillandier
Baudelaire, par Jean-Baptiste Baronian
Diderot, par Raymond Trousson
Jules César, par Joël Schmidt
Cézanne, par Bernard Fauconnier
James Dean, par Jean-Philippe Guerand
Marlene Dietrich, par Jean Pavans
Fellini, par Benito Merlino
Freud, par René Major et Chantal Talagrand
Gandhi, par Christine Jordis
Billie Holiday, par Sylvia Fol
Ibsen, par Jacques De Decker
Janis Joplin, par Jean-Yves Reuzeau
Kafka, par Gérard-Georges Lemaire
Kerouac, par Yves Buin
Louis XVI, par Bernard Vincent
Michel-Ange, par Nadine Sautel
Modigliani, par Christian Parisot
Molière, par Christophe Mory
Marilyn Monroe, par Anne Plantagenet
Pasolini, par René de Ceccatty
Picasso, par Gilles Plazy
Shakespeare, par Claude Mourthé
Toussaint-Louverture, par Alain Foix
Boris Vian, par Claire Julliard
Virginia Woolf, par Alexandra Lemasson
Stefan Zweig, par Catherine Sauvat